Les insouciants

Du même auteur

Nouvelles
Night Driving, Macmillan, 1987.
Travelling Light, House of Anansi, 2013.

Romans
La Loi des rêves [The Laws of Dreams], House of Anansi,
2006 – Prix littéraire du Gouverneur général 2006;
Christian Bourgois, 2008.
Les O'Brien [The O'Briens], House of Anansi, 2011;
Éditions Philippe Rey, 2014; 10/18, 2015.

Peter Behrens

Les insouciants

roman

traduit de l'anglais (Canada)
par Isabelle Chapman

XYZ
éditeur

Catalogage avant publication de Bibliothèque et Archives nationales du Québec et Bibliothèque et Archives Canada

Behrens, Peter, 1954-

   [Carry me. Français]

   Les insouciants

   Traduction de : Carry me.

   ISBN 978-2-89772-060-5

   I. Chapman, Isabelle. II. Titre. III. Titre : Carry me. Français.

PS8553.E398C3714 2017   C813'.54   C2016-942336-0
PS9553.E398C3714 2017

Les Éditions XYZ bénéficient du soutien financier du gouvernement du Québec par l'entremise du programme de crédit d'impôt pour l'édition de livres et de la Société de développement des entreprises culturelles du Québec (SODEC). L'éditeur remercie également le Conseil des arts du Canada de l'aide accordée à son programme de publication.

Financé par le gouvernement du Canada | **Canadä**

Nous reconnaissons l'aide financière du gouvernement du Canada par l'entremise du Programme national de traduction pour l'édition du livre, une initiative de *la feuille de route pour les langues officielles du Canada 2013-2018 : éducation, immigration, communautés*, pour nos activités de traduction.

Édition : Pascal Genêt
Traduction : Isabelle Chapman
Correction : Élaine Parisien
Conception typographique et montage : Édiscript enr.
Couverture : David Drummond

ISBN version imprimée : 978-2-89772-060-5
ISBN version numérique (PDF) : 978-2-89772-061-2
ISBN version numérique (ePub) : 978-2-89772-062-9

Dépôt légal : 2ᵉ trimestre 2017
Bibliothèque et Archives nationales du Québec
Bibliothèque et Archives Canada

Diffusion/distribution au Canada :
Distribution HMH
1815, avenue De Lorimier
Montréal (Québec) H2K 3W6
www.distributionhmh.com

Imprimé au Canada

www.editionsxyz.com

Pour Basha et Henry

Dans les rêves commence
la responsabilité.
W.B. YEATS

LA NAGEUSE

Daily Alta California. Journal de San Francisco. 01.08.1884. Archives Lange, 12 C-8-1884. Collections particulières, bibliothèque de l'Université McGill, Montréal.

———

NOUVELLES MARITIMES

ARRIVÉE : TROIS-MÂTS BARQUE ALLEMAND LILITH, LANGE, 181 JOURS, VENANT DE HAMBOURG. DIVERSES MARCHANDISES POUR EPPINGER & CO. NOTE DE SERVICE DE LILITH : PARTI LE 1er FÉVRIER DE HAMBOURG. 23 JOURS APRÈS, LE 9 MARS A FRANCHI L'ÉQUATEUR CÔTÉ ATLANTIQUE PAR 25° 30' O. À 45° S GROS TEMPS. LE 7 MAI PASSÉ 50° S CÔTÉ ATLANTIQUE. 25 JOURS JUSQU'À 50° S CÔTÉ PACIFIQUE. AUTOUR DU CAP, VENTS VIOLENTS DE NORD-OUEST JUSQU'À 33° S. DÉPASSÉ L'ÉQUATEUR CÔTÉ PACIFIQUE PAR 109° 45' O. JUSQU'À 29° N ALIZÉS DE NORD-EST. PUIS JUSQU'AU PORT, CALME.

Le récit qui va suivre est l'histoire d'une jeune femme, Karin Weinbrenner. Ce n'est pas la mienne, et pourtant elle est l'armature autour de laquelle ma vie s'est constituée. C'est moi qui la raconte, elle est donc aussi mon histoire.

Je suis né le 27 mai 1909, sur l'île de Wight, dans une maison baptisée Sanssouci, du nom du palais d'été de Frédéric le Grand à Potsdam. À moi, on me donna le nom de Hermann, Hermann Lange, mais on m'a toujours appelé Billy.

Sanssouci se dresse encore au sommet d'une falaise sur la Manche, dont les eaux par beau temps s'étalent comme du beurre bleu. Elle est aujourd'hui un hôtel «boutique» de luxe et ne s'appelle plus Sanssouci. On y offre des forfaits escapade week-end aux Londoniens stressés amateurs de la vue sur mer, du parfum des roses et de sentiers insulaires ombragés de fuchsias.

Avant la guerre de 1914, la maison appartenait au père de Karin, le baron Hermann von Weinbrenner. Chimiste et coloriste de son état, il était immensément riche : la moitié des chemises en coton dans le monde devaient leurs teintes aux colorants à l'aniline qu'il avait synthétisés. Le Kaiser lui avait accordé la particule «von» et l'avait hissé au rang de petite noblesse après son mariage avec la mère de Karin, fille d'un aristocrate irlandais.

Le baron Hermann von Weinbrenner était le deuxième Juif à appartenir au Royal Yacht Squadron à Cowes, sur l'île de Wight, Lord Rothschild étant le premier. Weinbrenner avait deux goélettes auriques de course, *Hermione* et *Hermione II*. Mon père, Heinrich

Lange, dit «Buck», était son skipper et son ami. Ce qui explique pourquoi mes parents habitaient à Sanssouci, et pourquoi j'y suis né.

Lieux de naissance, nationalités, ce sont des détails qui ont une incidence sur cette histoire.

Mon grand-père, Heinrich Lange, que dans la famille on appelait capitaine Jack, était officier de la marine marchande à Hambourg. Les Lange étaient dans le commerce maritime, surtout autour de la Baltique, depuis deux siècles, lorsque le capitaine Jack avait persuadé un syndicat d'oncles et de cousins de spéculer sur les céréales de Californie. Il s'agissait d'acheter du blé de la vallée de San Joaquin à Port Costa, dans la baie de San Francisco, d'acheminer la cargaison en Europe à bord de leur propre trois-mâts barque, *Lilith*, et de négocier la marchandise à la Bourse de commerce de Hambourg.

Une affaire risquée.

Après avoir doublé le cap Horn par grosse mer, *Lilith* – qui avait quitté Hambourg depuis cent soixante et onze jours – naviguait à mille milles d'Acapulco quand ma grand-mère Constance, qui était irlandaise, perdit les eaux. Deux heures plus tard, mon père voyait le jour dans la cabine du capitaine avec l'aide du capitaine Jack et de Joseph, le cuistot noir, qui s'écria : «Oh, l'beau p'tit bougre ! Déjà le pied marin !»

Baptisé Heinrich comme son père et son grand-père, mon père fut toujours appelé Buck.

Dix jours plus tard, soit six mois après avoir quitté Hambourg, *Lilith* mouilla à Yerba Buena Cove. Heinrich/Buck, transporté à quai en chaloupe, fut déclaré loyal sujet de l'empereur d'Allemagne par le Dr Godeffroy, le consul de San Francisco.

C'est ici que commencent les ennuis. Notre histoire aurait pris un tour bien différent si, au lieu de naître à bord d'un navire allemand en haute mer, Buck avait attendu quelques semaines pour venir au monde dans une confortable chambre d'hôtel, à San Francisco.

Buck Lange citoyen américain? Combien plus simple tout cela aurait été.

Mais on n'écrit pas l'histoire avec des si. Un Buck citoyen des États-Unis aurait pu s'engager en 1917. Je l'imagine répondant à l'appel du drapeau. Il aurait été envoyé en France et tué dans une des boucheries auxquelles prit part en 1918 le corps expéditionnaire américain…

Je ne voudrais pas vous perdre en vous exposant des généalogies et des chronologies qui vous sembleraient sûrement bien ternes. Car ceci est l'histoire de personnages ayant vraiment existé, de leur temps et de ce qui a mal tourné. Je m'efforcerai d'être honnête, même lorsque je serai bien obligé d'inventer et de décrire des scènes dont je ne pourrai forcément pas avoir été le témoin.

Au fond de moi, je sais la vérité. Et c'est cette vérité-là que je m'apprête à vous livrer.

Vous trouverez des documents, des coupures de presse, des télégrammes, une affiche de cinéma même, appartenant aux archives de la famille Lange, dont l'Université McGill a eu la générosité d'accepter le dépôt. D'ailleurs, «archives» est un bien grand mot pour quelques boîtes sur un rayonnage.

Sont inclus quelques passages du journal intime de Karin, le cahier qu'elle avait intitulé *Variétés de lumières*. En les lisant, j'entends de nouveau sa voix. Même lorsque ce sont des extraits de roman qu'elle a recopiés, à travers ses choix, je sens à l'œuvre les rouages de son esprit.

Vous trouverez des lettres, de Karin et d'autres. Je tiens à ce que vous entendiez leurs voix à tous.

À tous ces morts. Sinon, qui se souviendra d'eux?

Faisons un bond, je vous prie, de San Francisco en 1884 à l'Allemagne en 1908, à l'époque où Buck Lange, mon père né sur les flots, est présenté à Eilín McDermott, ma mère, à Walden, le domaine des Weinbrenner en périphérie de Francfort.

Sanssouci était la villa balnéaire du baron, son rêve d'air marin, de soleil et d'Angleterre, mais Walden était son vrai chez lui, son point d'ancrage. Sa terre.

Ce n'était pas encore la saison pour la navigation. Buck était en Allemagne, occupé à superviser les plans d'un nouveau yacht de course commandé par le baron au chantier naval Townsend & Downey de New York.

Eilín vivait à Walden où elle servait de secrétaire à Lady Maire, l'épouse irlandaise du baron, qui avait commencé une extraordinaire collection d'art religieux médiéval. La baronne était tombée enceinte de façon inattendue et, à quarante ans, elle se montrait précautionneuse.

L'enfant unique des Weinbrenner, un garçon, était mort en bas âge, onze ans plus tôt.

Mes parents étaient natifs de la même année, à quelques jours de distance. Eilín était catholique et irlandaise employée par une aristocrate protestante irlandaise, épouse d'un millionnaire juif allemand. Après son accostage à la Barbary Coast de San Francisco, Buck avait passé son enfance à Melbourne, Buenos Aires et Hambourg. Il avait fait son service militaire dans un régiment de cavalerie prussien et plus d'une fois le tour du monde par les mers.

Mes parents avaient en commun des racines irlandaises, elle par son père, lui par sa mère, l'un et l'autre originaires de Sligo et vivant à quelques kilomètres de distance l'un de l'autre.

À Walden, dans l'ambiance pesante qui émanait du mobilier XIXe et des manières guindées de la société de Guillaume II, Eilín et Buck se reconnaissaient mutuellement un esprit léger et audacieux. Ils appartenaient tous les deux au XXe siècle.

Karin m'enviera toujours mes parents, plus jeunes et plus détendus que les siens. Eilín et Buck m'ont élevé dans la vie qu'ils s'étaient créée à deux, au sein de leur alliance. Le baron et Lady Maire n'ont jamais fait de place à Karin.

Le lendemain du jour où ils furent présentés, mes parents se promenaient dans les bois de Walden. Buck était vêtu de tweed. Eilín portait un de ces chapeaux compliqués de l'époque édouardienne, de la taille et de la forme d'une petite baignoire.

Ils étaient tous les deux de haute taille. Elle avait les cheveux couleur de miel foncé, une belle poitrine et des hanches minces. Il bourlinguait aux quatre coins du globe et s'exprimait en anglais avec un accent qui aurait aussi bien pu être australien qu'irlandais, britannique ou même américain. Il parlait aussi couramment le bas saxon de Hambourg, qui est le *Hochdeutsch* de l'armateur hambourgeois.

Eilín n'avait jamais vécu ailleurs que chez son père, dans un pensionnat religieux non loin de Dublin, et sur le domaine des Weinbrenner. Son accent était celui de la classe moyenne de sa province d'Irlande. Elle ne parvint jamais à maîtriser parfaitement la langue allemande.

Au bout de vingt minutes, Buck s'arrêta au pied d'un immense chêne dépouillé de ses feuilles et demanda sa main à Eilín. Si elle lui disait oui, il arrangerait tout et la retrouverait à Londres dans deux semaines. Ils se marieraient dans la capitale britannique et s'installeraient à Sanssouci. Les Weinbrenner ne se servaient de la maison qu'une fois par an, pendant la saison favorable à la navigation. Le reste de l'année, elle serait à eux : le baron le lui avait promis.

Eilín l'écouta jusqu'au bout sans un mot, puis elle lui tourna le dos et continua sur le sentier.

Buck demeura interdit. Il avait fait fi de sa dignité et sa proposition venait d'être ignorée, que dis-je, méprisée. À la fois consterné et troublé, il la suivit en se disant qu'il devrait plutôt rentrer à la maison et la laisser tracer son chemin dans la forêt, seule comme une bête égarée.

Elle portait une robe bleu pâle. Son énorme chapeau s'accrochait aux branches nues. C'était le début du printemps. Des pousses vertes pointaient çà et là dans le tapis des feuilles de chêne brunes. Un peu de neige s'attardait dans les coins ombragés. Tout était imprégné d'une odeur de transhumance, de pourriture, de changement.

Père poursuivant mère dans une forêt de la Hesse, avril 1908.

Je me figure la scène comme si elle avait été captée dans une des (très rares) photos de famille – sépia, fragiles – ayant traversé les ans. « Poursuivre » n'est peut-être pas le terme exact. Il ne peut s'appliquer à un homme qu'une femme vient d'éconduire, à moins de le faire apparaître comme gauche, malchanceux et bêta. Un gentleman ne poursuit pas une dame à travers une forêt, même une forêt allemande de petite dimension superbement entretenue.

Mais, en tant qu'homme d'esprit, il ne peut pas non plus battre en retraite.

«Écoutez! appela Buck. Qu'est-ce qu'il y a? Je vous ai fait peur? Je vous ai offensée?»

Il était essoufflé de courir après elle. Eilín marchait d'un bon pas. Elle était agile. Même affublée de son imposant couvre-chef, elle gambadait sur les chemins forestiers, aussi rapide et vive qu'une biche.

«Vous ne voulez pas me parler?»

Il refusait de s'avouer qu'elle le fuyait.

En fait, elle ne se sauvait pas.

Elle stoppa si brutalement qu'il faillit se cogner à elle. «Oh non, je n'ai pas peur!» Elle se tourna pour lui faire face.

«Qu'est-ce que vous avez, alors?» Il était hors d'haleine, et sa dignité avait été froissée.

«J'ai besoin de réfléchir. Je réfléchis mieux quand je marche.»

Il continua à la dévisager. Elle était mal élevée, ou juste bizarre, en tout cas ravissante.

«Ce chapeau! Il n'est pas tout à fait approprié, non?»

Elle en retira les épingles et l'ôta. Ses cheveux étaient magnifiques, épais, aux reflets parfois dorés, parfois auburn, selon la lumière. Ils n'avaient jamais été coupés et elle les portait toujours relevés, sauf au moment de se coucher.

«Eh bien, je ne peux pas vivre à Sligo, dit-elle. Je m'entends mal avec mon père.

— Qui a parlé de Sligo? On vivra à Sansssouci. Avec vous, je vivrais n'importe où.

— C'est agréable, là-bas? Il y a du soleil? Cela me plaira?

— Eh bien, oui, je pense que oui. Le jardin est très beau. La mer.

— Je suppose que cela me plaira. Alors on le fait?

— Vous êtes sûre? Êtes-vous en train de me dire que vous acceptez de devenir ma femme?

— Je l'ai su hier, dès que vous êtes entré dans la bibliothèque. Ce sont les détails et les implications qui ont besoin d'être examinés.»

Elle le regarda d'un air attentif et grave. Elle possédait un sens de l'humour caustique, ma mère, même si elle était tellement directe que c'en était déconcertant. «Je pense que nous serons très heureux. Aussi heureux que le sont les gens mariés en général.»

Ils étaient tous les deux des solitaires, et jusqu'à la fin ils se soutiendraient émotionnellement sans avoir besoin d'amis, sauf les Weinbrenner. Le mariage se révéla sans problème, hormis lorsqu'ils étaient séparés. Les séparations furent chaque fois une source de tourments et d'instabilité. Ils s'en sortaient mal l'un sans l'autre.

Les noces furent célébrées à Londres et ils partirent vivre, comme Buck l'avait promis, à Sanssouci. Onze mois plus tard, je suis né dans la chambre où Karin avait vu le jour l'été précédent. Depuis la mort de son fils, Lady Maire se méfiait des médecins allemands, ce qui explique pourquoi sa fille était venue au monde en Angleterre.

Mes parents demandèrent aux Weinbrenner d'être mes parrain et marraine. Ils vinrent spécialement à Londres. On me prénomma Hermann, comme le baron. C'était aussi le nom du frère de Karin, enterré à Walden.

Ses parents n'emmenèrent pas Karin à Londres assister à mon baptême, mais l'été suivant, elle se trouvait sur l'île de Wight. Les Weinbrenner étaient venus d'Allemagne passer le mois d'août à Sanssouci. Mes parents migrèrent, avec moi, dans un appartement XVIIIe en enfilade, étouffant, au-dessus de la salle du Crab Inn, dans le village de Shanklin.

Pendant la villégiature des Weinbrenner, ma mère montait chaque après-midi à la maison, où elle était chargée de la correspondance de la baronne, cependant qu'une jeune fille du village, Miss Anne Hamilton, s'occupait de moi. «Hamilton» gardait souvent aussi Karin et nous promenait dans le même landau. Un jour, au cours de ce premier été, Karin entra sur la pointe des pieds dans la nursery pendant ma sieste et enfonça ses doigts dans mes yeux pour voir si j'existais vraiment. Je me mis à hurler, prouvant par là mon existence. L'avait-on punie? Sans doute. Une petite fille venue si tardivement dans la vie d'un couple avait été non seulement un choc pour ses parents, mais aussi une cause d'embarras. Ils auraient dû éprouver de la reconnaissance pour cette seconde chance et chérir Karin beaucoup plus qu'ils ne l'ont fait. Mais le baron avait ses colorants à l'aniline, ses poneys de polo, ses yachts et sa fortune. Lady Maire avait ses chevaux, la chasse et l'art médiéval. Ils ne prêtaient aucune attention à leur fille.

Mon seul vrai souvenir de Karin à Sanssouci – si net et à la fois détaché du monde matériel, plein du bruit du ressac, de la luminosité de la mer, qu'il semble un rêve et non un authentique fruit de ma mémoire – est celui de l'après-midi où elle a essayé de gagner l'Amérique à la nage.

C'était mon troisième ou quatrième été. Notre nounou nous avait emmenés à la plage, au pied des falaises, sous un ciel d'un bleu électrique. Je dormais à l'ombre d'un petit auvent que Hamilton avait bricolé avec des bâtons et des serviettes de bain, et elle aussi avait dû s'assoupir. C'était une plage de galets, bercée par le clapotis des vagues. Je n'étais pas assez grand pour me baigner – Hamilton me tenait parfois à bout de bras au-dessus de l'eau pour que je trempe mes jambes. Mais Karin avait déjà appris à nager et avait profité de la somnolence de notre jeune gardienne. Elle pataugea d'abord dans les vaguelettes acérées puis plongea et se mit à nager vers le large.

Il est déjà exceptionnel pour une enfant de quatre ou cinq ans de savoir nager. Et encore plus extraordinaire à un si jeune âge de défier quelque chose d'aussi immense et puissant que la mer sans éprouver la moindre crainte. Karin était déterminée à pénétrer ce monde sauvage et à abandonner le calme et la sécurité de la terre ferme.

Hamilton, qui s'était assoupie quelques minutes, se réveilla encore dans la glu du sommeil. Elle se dressa sur son séant et regarda autour d'elle. Par beau temps, il y avait une couche de brume de chaleur jaune à ras des galets. Je me rappelle l'odeur nauséabonde des sandwichs au pâté et du flan emballés dans du papier paraffiné au fond du panier à pique-nique.

Pas de Karin en vue.

Nous avions toujours la plage pour nous tout seuls, au bout d'une crique resserrée, avec les oiseaux marins qui poussaient leurs cris plaintifs au-dessus de nos têtes. Cette crique, toutefois, s'ouvrait sur la Manche. Hamilton se leva en toute hâte et scruta les flots. Me laissant sous ma petite tente, elle se dépêcha de longer le rivage jusqu'au bas du sentier de la falaise, des marches taillées dans la roche, cherchant des yeux une petite fille dans une robe d'été blanche et ne voyant que des volées tournoyantes de mouettes.

Hamilton grimpa sur un rocher et porta de nouveau son regard vers la mer. Cette fois, elle distingua un fétu blanc flottant juste au-delà des déferlantes… Karin, dans sa robe en mousseline immaculée. Ayant bu la tasse jusqu'à la nausée, elle se laissait porter vers le rivage par les courants marins et l'action des vagues. Notre nounou poussa un cri et se précipita au bord de l'eau. Sans se soucier de ses bottines, ni de ses bas blancs ou de l'ourlet de sa jupe, courant dans l'écume jaune, elle cueillit Karin sur la crête d'un rouleau, la secoua, la gifla et la traîna sur la plage où elles s'effondrèrent sur le sable mouillé, toutes les deux en pleurs.

De crainte d'être elle-même punie, Hamilton ne mentionna pas l'incident aux adultes. Quant à moi, je n'étais pas assez grand pour rapporter ce que j'avais vu. Mais lorsque les Weinbrenner retournèrent en Allemagne pour ne jamais revenir – c'était l'été 1913, et les régates furent annulées en 14 à cause des tensions en Europe avant la guerre –, Anne Hamilton raconta à ma mère la bêtise de cette coquine de petite Allemande. Quelle peur elle avait eue! Et cette enfant qui répétait qu'elle allait en Amérique! Mais les eaux amères n'avaient pas voulu d'elle et l'avaient repoussée vers la rive.

« Je lui ai dit que pour l'Amérique, c'était pas par là. Par là, c'était seulement la France! Et si elle arrivait en France avec une robe toute mouillée et des algues dans les cheveux, ils la traiteraient de sirène, c'est ce qu'ils feraient, ces sales Français, et ils la brûleraient vive. »

1938

Lettre adressée à *Herr Billy Lange, Übersetzung Abteilung, IG Farben, Hauptsitz Frankfurt A.M.*, cachet poste Francfort-sur-le-Main 16.09.1938. Archives Lange, 11 C-09-1938. Collections particulières, bibliothèque de l'Université McGill, Montréal.

———

TRIERISCHEN GASSE 7
Le 16 septembre 1938

Mon cher Billy !

À titre d'ancien camarade de classe, je me permets de t'écrire en toute honnêteté et sincérité. Car il faut que tu saches une chose. Ta position à l'égard des avancées nationales et raciales de notre Allemagne n'a jamais été claire. Nous en discutions avec des amis hier et je t'avoue que je me suis senti sincèrement dans l'embarras pour toi. Ton attitude est déroutante. Il paraît que tu prétends ne pas être un authentique Germain.

Billy, mon vieux, ce que je veux te dire, c'est que peu importe quel passeport nous avons. Ce qui compte, c'est ce qu'on a dans le cœur et dans le sang. Alors, je t'en prie, cesse ces ergotages et ces conneries ! Tu as grandi en Allemagne, tu portes un honnête nom germanique, tu es un solide gaillard de sang germanique, et tu as une situation enviable au sein d'IG.

Il faut me croire parce que je ne te veux que du bien. Tu es le bienvenu dans notre branche. Réfléchis. Rejoins-nous dans notre lutte pour un monde nouveau. Le moment est venu pour toi d'être fier d'être allemand et d'accomplir le devoir d'un Germain.

Heil Hitler!
Günter

Ma traduction de l'original allemand! – B.L. 9.2.88

Télégramme. 4 nov. 1938. Archives Lange, 11 C-11-1938. Collections particulières, bibliothèque de l'Université McGill, Montréal.

—

<u>095 TELEGRAMM DEUTSCH REICHSPORT</u>

aus 2097 Berlin 04.11.1938

H. Lange IG Farben Haupstzitz Frankfurt
A. M.

Billy chéri = Une terrible nouvelle
= Komm bitte

=K. vW +

Un employé avait déposé le télégramme sur mon bureau du service des exportations, cinquième étage, siège d'IG Farben, Francfort. Karin me convoquait à Berlin.

Je me demandais quelle pouvait bien être cette « terrible nouvelle ». Nous vivions une époque en effet terrible. L'association où elle aidait les Juifs qui essayaient de quitter l'Allemagne avait peut-être été fermée.

Cinq semaines s'étaient écoulées depuis ma dernière visite à Berlin. Je glissai le télégramme de Karin dans ma serviette et réservai par téléphone une place dans l'express pour Berlin du lendemain matin. Puis j'appelai mes parents à Bad Homburg et leur racontai que je partais pour le week-end, en randonnée dans le Taunus.

Je dissimulais à Buck et Eilín la constance et la profondeur de nos relations. Ils auraient désapprouvé de toute façon. Ils m'auraient fait comprendre de mille manières que je n'avais pas la carrure pour une Karin von Weinbrenner.

Le samedi matin, je sautai dans l'express « FD » pour Berlin, avec la ferme intention de la persuader qu'il était grand temps pour nous deux de quitter l'Allemagne. Si elle voulait bien partir, je partirais avec elle. Elle était la seule raison qui me retenait encore ici.

Quelques semaines plus tôt, en pleine crise de Munich, j'avais reçu un mot « amical » de la part d'un ancien camarade de classe, Günter Krebs, désormais membre de la SS. Günter s'était très vite enrôlé dans le parti. Il avait été un des premiers SS de la province de Hesse-Nassau, et l'un des premiers dans l'entreprise où je travaillais, IG Farben, à se déclarer nazi.

La lettre de Günter contenait une menace implicite : si je restais en Allemagne, je serais obligé de me plier à la loi nazie sur la nationalité et de faire mon service militaire dans la Heer qui mobilisait de plus en plus d'hommes, ou alors je serais arrêté et embarqué pour un aller simple vers un endroit tel que Dachau.

Karin, comme moi, détenait un passeport britannique. Nos parents avaient veillé à ce que nous gardions notre nationalité. Nous n'avions donc pas besoin d'un visa pour quitter l'Allemagne.

Ils étaient tellement nombreux à chercher désespérément à fuir qu'il semblait presque obscène que nous ayons tous deux choisi de rester.

Mais il n'était pas question que je parte sans elle. Elle m'appelait son garde du corps.

Elle habitait Berlin et moi, Francfort, mais en 1938, j'étais plus proche d'elle que je ne l'ai jamais été de personne dans ma vie. Je peux le dire maintenant. Nos étreintes étaient passionnées, et pourtant, dans un certain sens, détachées. Nous étions comme des personnes échangeant un serment par le sang. Ça paraît lugubre ? Eh bien, ça ne l'était pas. C'était pour nous important, excitant, de faire l'amour pendant ces années où l'éthique allemande tombait en ruine. Il y avait là aussi un aspect rituel. Au lit, nous étions sauvages, mais aussi en sécurité, à une époque où la vie en Allemagne (même pour les détenteurs de passeports britanniques) devenait de plus en plus précaire.

Karin était plus allemande que je ne le serais jamais. Elle était en outre, du moins après les lois de Nuremberg, une Juive. Elle m'accordait qu'il était intenable de vivre en Allemagne, mais elle se refusait à abandonner son père.

Un passeport britannique vous garantissait le droit de vous installer et de travailler dans n'importe lequel des dominions. Après avoir reçu la lettre de Günter, j'avais tout de suite écrit à trois de mes meilleurs clients canadiens, et, la veille du télégramme de Karin, on m'avait proposé un emploi à Vancouver. J'y vendrais des composés chlorophénoliques et des agents pétrochimiques aux scieries prospérant au cœur des forêts du Canada. Un monde qui me paraissait à des années-lumière de l'Europe. Cela me convenait tout à fait. Je réservai sur-le-champ deux places pour New York à bord d'un transatlantique de la Holland America Line, le *Volendam*, appareillant de Rotterdam au début de décembre.

En me rendant à Berlin, j'ignorais comment j'allais parvenir à persuader Karin de traverser l'Atlantique, mais j'étais décidé à tenter le tout pour le tout.

Le FD-Zug arriva en gare d'Anhalt à midi. Je me rendis directement à l'association, hébergée dans un immeuble vétuste derrière le grand magasin Werheim, sur la Leipziger Platz. Lorsque Karin avait été licenciée de la société de production cinématographique UFA sur laquelle les nazis avaient fait main basse, elle avait travaillé pour l'Agence sioniste. Au bout de quelques mois, elle était passée dans une association d'entraide pour l'émigration créée par un avocat, Stefan Koplin, comme elle licencié de l'UFA. «Kop» aidait les Juifs à se rendre dans le pays de leur choix, pas seulement en Palestine. Il savait négocier comme personne avec les ambassades sud-américaines pour obtenir des visas. La spécialité de Karin consistait à calculer la *Reichsfluchtsteuer*, la «taxe de fuite» dont dépendait leur autorisation de sortie du territoire. Les critères étaient d'une complexité folle et, à la moindre erreur, les visas, retenus avec délectation.

Mais Karin avait hérité de son père la bosse des maths. Elle prétendait ne jamais commettre d'erreur. Elle arrivait même parfois à convaincre son père d'aider « ses » Juifs à acquitter leur taxe d'émigration. Herr Philipp Kaufman, l'avocat du baron, le lui déconseillait fortement, en disant que ce geste rendrait Weinbrenner encore plus vulnérable face au régime. Mais, en général, le baron accordait à sa fille ce qu'elle voulait, même s'il n'approuvait pas plus les Juifs ordinaires qui quittaient le pays que les vedettes de cinéma et les réalisateurs amis de Karin qui abandonnaient Berlin pour Hollywood. Dans son esprit, les uns et les autres n'étaient que des *Fahnenflüchtige*: des déserteurs.

Le baron von Weinbrenner déclara à mon père que, si les nazis souhaitaient qu'il parte, ils devraient venir le chercher, le transporter de force à la frontière et le jeter dehors *manu militari*. Et quand bien même, il se débrouillerait pour revenir, parce que l'Allemagne était son pays, pas le leur.

Dans le hall d'entrée, le bureau de Karin figurait sous le nom AUSWANDERUNGSBERATER. Consultants en émigration. Je pris l'ascenseur jusqu'au cinquième étage, longeai un couloir sale et pénétrai dans une pièce dont le précédent locataire avait été un marchand de cuirs. Assis derrière des tables croulant sous les dossiers, une demi-douzaine de personnes étaient à l'écoute de clients anxieux. Une radio braillait de la musique viennoise. D'autres dossiers s'entassaient dans des cartons empilés à même le sol.

Pendant l'été, des étudiants d'une école rabbinique avaient envahi les locaux pour protester contre l'ouverture de l'association le jour du shabbat. Kop avait opté pour un compromis en fermant ses portes à quatre heures de l'après-midi le vendredi – ce qui signifiait qu'il fallait repousser une horde de clients –, mais le samedi, toutefois, il conservait les horaires habituels des commerces allemands et restait ouvert jusqu'à une heure.

Dans cette salle régnait une ambiance de hall de gare, à la fois survoltée et oppressante, l'air rance était bleu par la fumée des cigarettes.

Kop me fit un signe. C'était un homme encore jeune, un brillant avocat, surmené et en surpoids. En août, l'inspection générale des bâtiments lui avait confisqué sa villa sans lui proposer la moindre compensation. Il avait envoyé sa femme et ses enfants à Buenos Aires, tout en jurant à Karin que rien ne lui ferait « abandonner son poste ».

Karin m'avait dit que, préalablement à tout octroi de visa, le candidat devait dresser une liste de tous ses biens permettant de fixer la *Reichsfluchtsteuer.*

« Mes Juifs doivent tout répertorier, jusqu'à la dernière paire de chaussettes. Y compris les aiguilles avec lesquelles elles ont été reprisées, Billy. Y compris le fil. S'ils arrosent le tout de kérosène et y jettent une allumette, alors, peut-être, ces messieurs du *Finanzamt* seront satisfaits. Mais peut-être pas, peut-être avez-vous oublié de mentionner les timbres que votre femme garde dans un tiroir de la cuisine, ou ce bidon d'huile dans le coffre de votre voiture ?

Je leur rends visite, mon cher Billy, dans leurs logements modestes de la Schweidnitzerstraße ou dans leurs belles demeures de Dahlem, je ne leur permets pas d'omettre quoi que ce soit. Je les oblige à noter la boîte d'allumettes dans leur poche. Parfois j'ai envie de leur demander de faire une liste de leurs pensées. "Si des idées vous viennent, précieuses ou pas, inscrivez-les

page sept, section trois, *bitte*. Vous avez des désirs, Juifs?
Sur la liste. Des souvenirs? *Aufzählen, bitte… Une liste,
s'il vous plaît.* Les repas que vous avez pris. Notez-les
tous. Je vous prie de calculer le nombre de bougies qui
manquent à l'Allemagne parce que vous les avez allumées. Calculez le volume d'air que vous avez siphonné
depuis votre naissance, en litres, je vous prie." »

Ce samedi-là, elle me fit signe de la rejoindre de
l'autre côté de la pièce encombrée avant de se replonger
dans les dossiers ouverts sur son bureau, qui accueillait
aussi une énorme machine à écrire grise et une machine
à calculer Burroughs. Karin était filiforme. Lors de mes
visites à Berlin, il n'y avait jamais grand-chose à manger
dans son appartement, un paquet de galettes de seigle,
un peu de beurre, du café. Elle n'achetait plus rien aux
commerçants du quartier, de fervents nazis. Certains
jours, elle n'avalait que quelques pommes, des noix et
du café noir.

Je n'avais rien pris depuis le roulé à la saucisse du
stand de l'Hauptbahnhof. Le samedi à Berlin, nous
allions en général déjeuner dans un des cafés sur Unter
den Linden, puis nous flânions avant de rentrer sans
nous presser à son appartement de Charlottenburg. Un
journaliste haut placé – un membre du parti – convoitait
ce logement pour ses beaux-parents. Depuis l'été, une
menace d'expulsion planait sur la vie berlinoise de Karin.
Le concierge, qui lui voulait plutôt du bien, l'avait préve-
nue qu'elle risquait de retrouver un beau jour ses affaires
dans la rue avec les compliments du cabinet de gestion.

« Après ça, je deviendrai une Juive errante, disait-elle.
Mais pas avant. »

Je m'assis sur un banc, à côté d'un homme vêtu
d'un costume élégant qui tapait nerveusement sa canne

sur ses chaussures en croco. J'observai Karin pendant qu'elle mettait des papiers en liasse et les attachait avec une ficelle jaune. Elle se leva, se coiffa de son chapeau et commença à enfiler ses gants. Je me dirigeai vers la cage d'ascenseur et c'est là que nous nous retrouvâmes. Nous échangeâmes à peine deux mots.

Elle était vêtue d'un manteau en tweed gris-vert à col de velours, très chic. En attendant l'ascenseur, j'écoutais les vibrations du mécanisme et le bruit métallique des panneaux grillagés. Elle fit une petite moue et rafraîchit son rouge à lèvres. À l'Agence sioniste, les socialistes radicaux et les personnes très religieuses n'approuvaient pas le rouge à lèvres. Bien entendu, elle avait pris le contre-pied et opté pour des rouges encore plus flamboyants. Plus, elle passait l'été en sandales, les ongles vernis en marron.

C'était un après-midi d'automne froid et lumineux. J'avais sur l'épaule mon sac à dos Taunus. Des foules entraient et sortaient des grands magasins. Sur Unter den Linden soufflait un vent frisquet. Les clients à la terrasse du café étaient emmitouflés dans leurs manteaux. Nous commandâmes de la soupe, du civet et de la bière, puis je lui tendis le billet amical de Günter Krebs et la regardai blêmir en le lisant.

Elle leva les yeux.

«Mon cher Billy, je suis enceinte», dit-elle.

L'ESPION NAVAL

Cahier à couverture cartonnée/journal intime. Manuscrit sur la page de garde : _Arten von Licht Buch [Variétés de lumières]_, Karin v Weinbrenner. Non paginé. En anglais avec des occurrences en allemand. Archives Lange, 11 C-12-1988. Collections particulières, bibliothèque de l'Université McGill, Montréal.

━

Souvenirs des lumières d'été à Shanklin sur l'île de Wight.

Bleus von cyan zu azur et verts, voilà pour les principales composantes. La lumière est complexe mais douce. Avec l'air tonique, mes premières bouffées de liberté. Je ne parle que de l'été, nous n'étions là qu'à cette saison. Et encore cela n'a pas duré longtemps, la guerre nous a empêchés de venir. Cette lumière, insulaire, changeante, imprévisible même en été. Quand vous croyez la connaître, blanche, lourde, opaque, fraîche — la senteur des mers du Nord, Wikingerluft —, le vent se lève, perce le brouillard et la lumière s'aiguise, elle cerne les objets, elle devient forte. Claire. Une ligne apparaît à l'horizon, flottante... « Tu vois, mon cher, so ist Frankreich. » L'air qui m'a accueillie à ma naissance était un air d'amour. Salé saumâtre piquant chargé de promesses. Une lumière qui cogne aux fenêtres. Des rafales à vingt nœuds. Un bain de lumière vibrionnant. Une lumière d'orage. Suffusion. Forte l'après-midi. Un gisement de soleil à fleur de jardin à Sanssouci avec au-delà la mer bleu marine...

Karin et ses parents passaient chaque mois d'août sur l'île. Une fois les Weinbrenner retournés en Allemagne, mes parents et moi nous réinstallions dans notre cher Sanssouci. La maison n'était en soi ni belle, ni ancienne, ni même distinguée, mais c'était une villa balnéaire spacieuse et aérée, une invitation au bonheur. Les jours où la visibilité était bonne, on apercevait les côtes françaises. Plus tard, pendant la guerre, Eilín et moi y écoutions le grondement des canons. Le jardin et les vastes pelouses n'interféraient pas avec la présence immense et énigmatique de la mer. Nous observions les navires entrant et sortant du port de Portsmouth.

Buck avait toujours sous la main une paire de jumelles. Il ne s'intéressait pas aux grands transatlantiques de Southampton ni aux navires de guerre gris entrant et sortant de la base navale, mais aux yachts, en particulier aux goélettes auriques de course. Nous avions tous la consigne de donner l'alerte dès qu'une voile aurique se profilait. C'était en fait par intérêt professionnel que Buck notait avec quel degré d'habileté étaient manœuvrés ces voiliers, quelle vitesse ils étaient susceptibles d'atteindre, par quel type de temps. Au Royal Yacht Squadron, la régate n'était pas un sujet pris à la légère. Les skippers et l'équipage étaient des professionnels, les seuls amateurs à bord se résumant aux propriétaires et à leurs invités. Les propriétaires, s'ils voulaient avoir une chance de gagner, évitaient de prendre la barre. Les courses attiraient toujours des paris dont les journaux de Londres se faisaient l'écho trépidant en publiant le montant des mises.

Le baron Hermann Weinbrenner a parié mille livres, lors de la course annuelle «Autour de l'île», que son Hermione II battrait le Snapcrack du fabricant de biscuits de Glasgow, M. Beezlebub.

En blazer, pantalon de flanelle blanc et casquette de marin, le baron et le fabricant de biscuits tiraient des bouffées de leur cigare, chacun sur le pont de son voilier, où un skipper professionnel tel que mon père dirigeait les manœuvres.

Ma mère et moi ne sortions sur *Hermione* qu'au début et à la fin de la saison.

Je t'offrirai un jour bleu dur.

Tout bleu: la mer, le ciel. Eilín en robe blanche et blazer crème bordé de ruban bleu. Elle sourit, ses dents brillent de blancheur dans son visage bronzé par le soleil de l'été. Elle n'avait jamais fait de bateau avant de rencontrer mon père. «Les Irlandais naissent dos à la mer», disait ma grand-mère Constance.

Mais Constance était elle-même une exception à la règle; et ma mère en était une autre. Eilín adorait la voile. Mes parents, je crois, ne se sentaient jamais aussi dégagés de leurs obligations et de leurs soucis que lorsqu'ils naviguaient.

Nous sommes à bord de l'*Hermione*, mais le baron n'est pas avec nous, ce doit être juillet, avant son arrivée, ou alors septembre, après son retour en Allemagne. Nous filons grand largue, la grand-voile choquée à fond. Quelqu'un d'autre doit être à la roue, car Buck me tient dans ses bras. Je perçois le chant de la toile sous tension, un chuintement soyeux, électrique. Mon père porte une casquette bleue et un blazer bleu à boutons dorés. Il a dû à un moment donné me tenir devant lui, parce que je vois encore la vague de proue formant un bourrelet

46

d'une blancheur éclatante : un os que le bateau aurait tenu entre ses dents.

Nous voguons des heures ainsi, personne ne prononçant un mot, sauf le barreur criant de temps à autre : « Paré à virer ! » ou « Dessous toute ! ».

C'est le moment auquel mon père a aspiré toute sa vie. Voiles bordées, gonflées, une allure parfaite, un temps de rêve. Tout est animé et électrifié par l'énergie vitale, par la vitesse. Tout est *en mouvement*.

———————

Lorsqu'il prenait l'envie à la baronne, Lady Maire, d'aller rendre visite à des connaissances à Londres ou en Irlande, on attendait de ma mère qu'elle se charge du rôle de maîtresse de maison et reçoive les invités du baron lors de ses réceptions du week-end – rôle qui ne lui plaisait guère.

En été, elle ne portait que du blanc, la peau radieuse, les yeux aussi bleus que la mer par beau temps.

Pour la semaine de Cowes, le baron invitait toute une tribu, des Anglais aussi bien que des Allemands. Des diligences arrivaient de Ryde et dégorgeaient des messieurs braillards en canotier, puant le cigare, et des montagnes de valises en cuir.

Ma mère présidait à table et arbitrait les conversations entre les jeunes aristocrates hautains de l'ambassade d'Allemagne et les yachtmen millionnaires des Midlands. Comme les invités étaient distraits par son charme et sa beauté d'Irlandaise, le baron – que les dîners mondains embêtaient, même les siens – en profitait pour s'éclipser quand bon lui semblait et se réfugier dans sa bibliothèque ou à bord de l'*Hermione*.

Un soir, il décida de dormir à bord et abandonna ma mère aux prises avec douze convives. C'était la semaine de Cowes, donc au mois d'août. Il était près de minuit lorsqu'elle souhaita bonne nuit au personnel et laissa ces messieurs jouer au whist dans la bibliothèque avec du whiskey et un plateau de sandwichs. Elle s'apprêtait à redescendre au Crab Inn, quand l'un d'eux, sir Ernest Dalton, se glissa hors de la maison, la rattrapa sur le chemin, à un endroit où il faisait bien noir.

Je ne me rappelle pas qu'on m'ait jamais raconté cette histoire dans mon enfance, ni d'un temps où j'avais ignoré que ma mère avait, dans un passé lointain, été agressée par un homme dans la nuit noire. Je suppose que j'avais entendu mes parents en parler. Peut-être ne s'étaient-ils pas rendu compte que j'en retiendrais quelque chose. Toujours est-il que cet événement, tout en restant un peu vague, était déjà enraciné dans ma conscience. Je ne leur posais pas de question, sans doute me sentais-je coupable d'en savoir aussi long. C'est une connaissance que je recélais, comme un objet volé, un objet auquel je n'avais pas droit.

Sauf une fois. J'avais neuf ans et nous étions à Francfort. Les mots jaillirent de ma bouche.

«Celui qui t'a fait du mal, tu lui as parlé?

— Oui, répondit-elle. Je n'aurais pas dû.»

C'était en janvier 1919. L'Allemagne était en proie aux derniers soubresauts de sa révolution avortée, et je venais de voir mes premiers morts dans la rue.

«C'est pour ça qu'il t'a fait mal?

— C'était le diable en lui.»

Près de soixante ans après, elle me raconta ce qui s'était passé. Nous prenions le thé dans son cottage de Rosses Point, aux environs de Sligo, nous remémorant ces étés ensoleillés sur l'île, quand elle me livra son récit. Ce fut la dernière fois que je la vis vivante – elle est morte dans son sommeil quelques semaines plus tard.

Sir Ernest Dalton était un riche industriel qui fabriquait quelque vulgaire objet ménager – des couverts ? des réveils ? des installations sanitaires ? Quoi qu'il en soit, grâce à ça, il était devenu une des plus grosses fortunes d'Angleterre.

Les chemins de l'île étaient envahis par les fuchsias. Il tenta de pousser Eilín dans un champ, un de ces anciens pâturages, sol crayeux, herbes drues et rêches. Elle se débattit, lutta, cria au secours. Elle se dégagea, courut mais trébucha et tomba brutalement. Elle était agile et rapide, mais sir Ernest Dalton était plus grand et plus fort, vingt ou trente ans de plus, corpulent et la respiration rauque. Puis il fut sur elle.

Ce à quoi je pense, parce que je préfère ne pas penser à la suite, c'est à sa robe, blanche et souillée, déchirée sur l'herbe brune par l'ignoble porc qui l'a violée.

Il la laissa et apparemment remonta à Sanssouci.

Elle se traîna jusqu'au Crab Inn. Je dormais, et Miss Anne Hamilton, ma nounou, était allongée sur le lit de mes parents, assoupie elle aussi.

L'aubergiste fit appeler le policier du village, lequel refusa de faire quoi que ce soit avant que mon père fût avisé et consulté. Un messager fut dépêché en barque au mouillage de l'*Hermione*. Buck fut réveillé et eut droit à un récit confus. Le baron et lui retournèrent à terre et foncèrent en carriole à Shanklin, où ils entendirent toute l'histoire de la bouche de ma mère, qui avait pris un bain et s'était mise au lit sans trouver pour autant le sommeil.

Le baron se rendit à Sanssouci, tira tous ses invités du lit et les pria de quitter la maison immédiatement, dans la diligence qu'il avait commandée à cet effet. Sir Ernest Dalton avait déjà filé, sans doute pour attraper le premier bac à Ryde Pier, lequel lui permettrait de sauter dans le premier train de Southampton pour la gare de Waterloo. Pendant ce temps, à l'auberge, un inspecteur de police convoqué de Newport demanda à mon père quelle action il souhaitait intenter.

Buck voulait voir sir Ernest Dalton inculpé, condamné et pendu. Mais ma mère refusa d'être interrogée et de livrer sa version des faits, même lorsqu'un juge de paix fut convié à son chevet. Elle tenait la justice en piètre estime, peut-être parce que son père, un avocat irlandais, avait toujours été plus captivé par le droit et la politique que par la vie de ses filles. Eilín ne portait pas dans son cœur le système judiciaire et n'avait que faire du respect de la loi, ce qu'elle voulait, c'était se venger. *Œil pour œil, dent pour dent.* Son agresseur avait été un invité du baron, par conséquent le châtiment – la vengeance – relevait de la responsabilité du baron.

J'ignore où elle avait appris cet antique code de l'honneur. On dirait quelque chose sorti tout droit de *Beowulf.* Elle y croyait encore dur comme fer, soixante ans après.

Elle eut le lendemain, dans la bibliothèque, un entretien avec Hermann Weinbrenner. Le baron pleura et déclara qu'il incendierait la maison afin d'expier le déshonneur.

«Vous ne pouvez pas faire ça! s'exclama-t-elle. Où est-ce que nous habiterions?»

Elle lui fit comprendre qu'il avait le devoir de punir son violeur. Elle refusait d'impliquer mon père de quelque façon que ce soit, au cas où il y aurait des répercussions… un retour de bâton, dirait-on aujourd'hui.

Le père de Karin était un homme plutôt petit, énergique, débordant de vitalité. Il n'y avait en lui rien de brutal, mais il était direct, efficace et aimait que les choses soient bien faites. Son grand-père avait été fripier à Breslau. Son père avait fondé la teinturerie qui sous sa férule était devenue Colora GmbH, laquelle dans les années vingt fusionna avec d'autres sociétés du secteur chimique et pharmaceutique pour former le cartel IG Farben.

Par le truchement de relations d'affaires dans les West Midlands, contact fut pris avec un gang de Birmingham nommé… les Peaky Blinders. C'est en tout cas le nom que se rappelait ma mère.

Les Blinders se chargèrent de sir Ernest Dalton, un mois pile après les faits. Ma mère me raconta qu'ils l'avaient localisé sur un terrain de golf et lui avaient flanqué une dérouillée avec ses propres clubs.

Puis, un an jour pour jour après le crime, les Peaky Blinders fondirent de nouveau sur sir Ernest Dalton. Dès qu'il fut remis de cette seconde bastonnade, il quitta l'Angleterre pour l'Italie, où il mourut du choléra pendant la Première Guerre mondiale.

Comment toute cette violence m'affecta? En dépit du voile qu'ils étendaient sur ce drame, je savais qu'il s'était passé quelque chose de grave. Suis-je capable de distinguer ses effets des autres actes de violence dont j'ai entendu parler ou été témoin dans mon enfance? Si j'ai eu des cauchemars, je ne m'en souviens pas. Me sentais-je coupable? Oui. Toute ma vie, j'ai été poursuivi par un sentiment de culpabilité. Je n'avais pas protégé ma mère, vous comprenez.

L'énoncer aussi maladroitement a quelque chose de ridicule.

Vous pourriez imaginer qu'elle se méfiait désormais des chemins, avait pris en horreur l'île de Wight et désirait quitter Sanssouci. Mais pas le moins du monde. Sanssouci demeura notre foyer, et le nôtre exclusivement pendant onze mois et demi de l'année. Et nous circulions sans cesse entre la maison et le village, sinon plus loin. Mes parents adoraient faire de longues promenades, qu'il pleuve ou qu'il vente. Je les accompagnais à califourchon sur le dos d'un petit âne gris. Whiz avait un tempérament doux et obéissant. Ce n'était même pas la peine de le tenir par la bride. Il marchait tranquillement, et mon père lui donnait des morceaux de sucre.

Mais je n'ai jamais cru que le monde au-delà de notre petit cercle familial pouvait nous garantir la sécurité. Je me suis toujours dit que des lions guettaient là-bas dehors et, en effet, je ne me trompais pas.

Sur l'île de Wight écrasée de soleil, l'été 1914 ne ressembla à aucun autre. En juillet, les yachtmen reniflèrent de loin les effluves du chaudron des Balkans qui bouillait à grand feu. Les membres étrangers restèrent chez eux, à Berlin, à Paris, à Saint-Pétersbourg. La semaine de Cowes fut maintenue au calendrier du RYS, mais les Weinbrenner restèrent en Allemagne, où le baron n'avait pas passé un seul été en vingt ans.

Dès lors, mes parents et moi n'avions pas besoin de nous exiler au Crab Inn. Cet été-là, j'eus tout ce que je pouvais souhaiter. Le soleil, les coquillages et mes parents. Je n'avais pas la sensation du temps qui passe, puisque rien ne semblait changer, ni s'altérer. Les jours s'écoulaient tel un flot si lisse qu'ils semblaient ne former qu'une seule journée, parfaite, ensoleillée, calme. J'écoutais les voix paisibles de mes parents quand on me couchait l'après-midi pour ma sieste, et je regardais les rideaux diaphanes danser dans les bouffées d'air que soufflait la brise marine. L'été nous appartenait ; nous n'avions pas à le partager avec l'énergique baron, ses cigares, ses dîners qui se terminaient tard et sa bande d'affreux invités. Buck n'avait pas à barrer l'*Hermione*, ni à travailler jour et nuit sur le chantier naval pour la préparer à la course. Eilín et lui jardinaient de conserve pendant que je les regardais, assis sur la pelouse. Puis mon père me portait sur ses épaules jusqu'au bas d'un sentier escarpé et tortueux. Sur la plage de galets en bas des falaises, il me faisait tremper les pieds dans la mer.

Vers la fin de juillet, un élégant jeune homme de l'ambassade d'Allemagne débarqua de Londres et emporta le carnet de bord du yacht et un livre d'or contenant une plaisanterie salace de la main du Kaiser, qui avait été invité à une ou deux croisières. Le jeune diplomate avait-il conseillé à mes parents de quitter l'Angleterre avant la déclaration de guerre ?

Je ne sais pas.

Les chroniques soulignent que, le jour où la guerre commença, le temps était au beau fixe sur toute l'Angleterre. Sous un grand soleil, les eaux de la Manche miroitaient bleu foncé et les vagues couraient, ourlées de blancs panaches d'écume. Après ma sieste, ma mère pria Hamilton de m'emmener au village et de m'acheter des glaces à l'épicerie. Une gâterie rare.

Où se trouvait mon père à l'heure où ma nounou m'emmena cet après-midi-là ? Il dormait peut-être ou se tenait au sommet de la falaise avec ses jumelles Leitz, scrutant la Manche. La semaine de Cowes était commencée, mais sans doute peu de bateaux de course étaient sortis, remplacés par des navires de guerre à la livrée grise.

Pendant que Hamilton et moi nous régalions de glaces à l'épicerie du village, deux policiers – un en uniforme, l'autre en civil – montèrent à Sanssouci et embarquèrent mon père.

Je ne me rappelle plus si ma mère a essayé d'expliquer son absence ou si j'ai pleuré ou boudé, ou que sais-je… Et je n'ai aucun souvenir des heures et des jours qui suivirent, alors qu'elle était allée à Londres pour essayer de savoir ce qu'il était advenu de lui et s'était heurtée à un mur de silence et de mépris. Dans le sillage de l'arrestation de mon père au titre d'espion naval allemand, elle était sûrement bouleversée, mais je ne remarquai rien. Ou bien je ne me le rappelle plus. C'est comme si on avait éteint une lumière, et que j'étais resté dans le noir, et rien de ces journées ne me laissa une impression durable, pas même l'obscurité.

1938

À la terrasse du café d'Unter den Linden, Karin, pliée en deux sur sa chaise, avait le visage presque posé sur ses genoux. Elle portait un manteau, un chapeau et une écharpe de laine. Les sons qui émanaient d'elle me parvenaient étouffés. Des clients jetèrent des coups d'œil dans notre direction, mais dans l'ensemble personne ne remarqua, ou ne voulut remarquer, qu'elle pleurait.

La foule du samedi après-midi déambulait sur le trottoir. C'était le Berlin de toujours, palpitant, désordonné, égocentrique.

Brusquement, elle se redressa très droite et essuya ses yeux avec le mouchoir qu'elle venait de tirer de son sac à main.

«Je ne vois pas pourquoi ce truc monstrueux a choisi de m'arriver maintenant», me dit-elle.

J'effleurai son bras mais elle refusa de me regarder, le visage tourné vers les passants.

«Je songerais volontiers à m'en débarrasser, Billy, ce monde épouvantable n'a pas besoin d'un Allemand supplémentaire. Sauf que mon bébé sera une espèce de Juif, non? Il y a assez de Juifs comme ça qui se font maltraiter. Tu me soutiendras, hein, Buffalo Billy?

— Qu'est-ce que tu crois?»

Elle me sourit et entra dans le café pour s'asperger le visage d'eau fraîche.

Lorsqu'elle revint, je l'informai de la situation qui m'attendait à Vancouver, du départ du paquebot hollandais, des cinq jours de traversée jusqu'à New York.

«Vancouver, au Canada. C'est là qu'on habitera. Une ville sur la côte pacifique. On pourrait se marier à

New York, acheter une auto, traverser les États-Unis. Le consulat de Cologne nous délivrera des visas de tourisme valables soixante jours. Je compte qu'avec huit cents marks on pourra obtenir une bonne voiture. Nous irons d'abord en Californie, puis nous remonterons vers le Canada.»

Elle avait les yeux fermés, le visage renversé offert à la caresse d'un brillant soleil d'automne. Son travail à l'association l'éreintait, à cause du poids de la responsabilité.

«Nous roulerons vers le sud et l'ouest, vers le soleil, lui promis-je. Nous traverserons *el llano.*»

Devant nous s'écoulait une rivière humaine. Les airs pressés des Berlinois exhalaient l'angoisse et une certaine cruauté. La ville insistait sur la vie maintenant. Berlin ne supportait pas les contretemps. Vite, vite. Cette ville ignorait la patience. Des vieux progressaient à petits pas incertains en s'appuyant sur leur canne. D'athlétiques jeunes gens se faufilaient rapidement à contre-courant. Des élégantes fendaient la foule, la gorge drapée dans des étoles de fourrure; des petits messagers pédalaient sur leur bicyclette; de jeunes recrues fraîchement débarquées de la campagne erraient, l'air perdu; des bébés hurlaient dans leurs landaus.

« *El Llano Estacado.*»

Je prononçai ces mots rien que pour les entendre sonner à mon oreille. La plupart des clients en terrasse devaient en comprendre la signification. Pour notre génération, c'était une sorte d'incantation.

El Llano Estacado, la plaine entaillée, est une gigantesque mesa, un plateau délimité par des escarpements rouges et se déployant sur des millions de kilomètres carrés du Texas Panhandle au Nouveau-Mexique. Dans la série des *Winnetou* de Karl May, à laquelle Karin m'avait initié quand nous étions enfants, El Llano Estacado est la Terre sacrée des Apaches Mescaleros.

Elle secoua la tête.

«Ma ville ne me mangera pas. Je connais mon Berlin, Billy. C'est un ours grognon, mais je sais comment le prendre.

— Tu ne peux pas savoir ce qui va se passer.»

Elle refusait de me regarder; elle s'obstinait à suivre des yeux le flot des passants. Elle avait à peine touché à son plat de gibier. Les clients aux tables voisines avaient leurs chapeaux enfoncés jusqu'aux yeux et rentraient le cou dans leurs écharpes. Les Berlinois se montraient réticents à admettre que le moment était venu d'abandonner leurs quartiers d'été. Bientôt les cafés rentreraient leurs tables.

«J'ai froid, dit-elle enfin. Marchons un peu. Paye le garçon, Billy.»

Le temps de rentrer à son appartement à Charlottenburg, le ciel ne diffusait plus qu'une clarté crépusculaire.

L'heure bleue, un samedi d'automne à Berlin. L'air frais et fragrant. L'odeur de novembre.

Oh, Seigneur.

Elle avait une collection de petites huiles de Max Beckmann. Posées sur le sol, contre le mur, jamais accrochées. Elle s'amusait à les déplacer. Beckmann avait été aide-soignant pendant la guerre; il avait été au feu. Les sujets de ses portraits, en fait surtout des autoportraits, semblaient avoir été détruits à l'explosif avant d'être reconstruits hâtivement.

L'appartement était à peine meublé. Sa petite machine à écrire portative Naumann-Erika posée sur une table du Bauhaus. Son lit plate-forme.

Comme de coutume, nous nous glissâmes sans attendre entre les draps. Des draps blancs tout frais. Allongés côte à côte, sans nous toucher. Puis je lui pris la main. Main dans la main, bouche contre bouche, peu à peu, elle m'autorisa à caresser son ventre, ses épaules, ses petits seins durs. Elle guida ma main entre ses jambes. Son con – s'il existe un meilleur mot, je ne le connais pas – était un fruit mûr, une couture près de craquer, toujours humide lorsque ma main le découvrait. Elle sentait la pomme. Je la pénétrai aussi doucement que possible, conscient qu'elle portait à présent un enfant, même si celui-ci n'était guère plus qu'une graine.

Nous nous assoupîmes, l'après-midi se changea en soir. Je me réveillai couché auprès de son corps irradiant de chaleur entre les draps. Notre heureuse fortune semblait très fragile. Ma félicité confinait à la peur. Dans l'éventualité où elle ne serait pas d'accord pour quitter l'Allemagne hitlérienne, qu'allais-je faire? Je ne supportais pas l'idée que notre enfant puisse naître sous ce régime.

Il faisait frais. Avant de nous coucher, nous avions ouvert grand la fenêtre. Il faisait nuit, des reflets de néons striaient les murs blancs. De l'autre côté de la rue, le feuillage chatoyait sous le réverbère. J'entendais les cliquetis métalliques et les grincements plaintifs des trams électriques, sur le Kurfürstendamm. Bientôt nous allions nous lever, faire couler un bain, nous y prélasser ensemble, nous partager les feuilles du journal, lire des bouts d'article à haute voix, rire de tous ces mensonges. Nous habiller, descendre chercher quelque chose à manger. Puis nous irions danser.

HAMILTON

Lettre manuscrite. *Eilín McDermott Lange à Constance O. Lange*, 04.08.1914, cachet poste *Ryde, I of W, 4 août 1914*. Archives Lange. C-08-1914. Collections particulières, bibliothèque de l'Université McGill, Montréal.

SANSSOUCI
Shanklin, île de Wight
4 août 1914

MRS C. LANGE
Wychwood
Carbry
Comté de Sligo
Irlande

Chère belle-maman,

Je ne suis pas sûre que cette lettre vous parvienne, tous les envois de courrier vers le continent ont été stoppés, pour l'Irlande, je ne sais pas. Cet après-midi ils ont emmené mon mari, votre fils... Buck a été arrêté. 2 policiers. L'agent de police du village, Goon, avec ses grosses bottes noires, son casque et sa figure rubiconde, et un agent du contre-espionnage à la tête de fouine, un Londonien en mackintosh. Buck est en détention ce soir à Osborne House, au Royal Naval College, en attendant son probable transfert à Londres mais ils n'ont voulu dire ni quand ni où, à mon avis ils n'en savent rien. « On est désolés pour vous, m'dame, a marmonné le flic. Mais ce sont les ordres du ministre de l'Intérieur. » Cette courtoisie ponctuelle m'a donné envie de hurler. Si j'avais eu affaire à des sauvages, j'aurais pu riposter, mais ce n'était que notre indolent Goon si gentil, tout à la fois horrifié et enchanté par les nouveaux pouvoirs qui lui sont échus, et le Londonien mutique. La brutalité à fleur de peau.

La semaine dernière, en apprenant que l'Allemagne et la Russie étaient en guerre, Buck a tout de suite dit : « C'est fichu pour nous, maintenant la France doit s'y mettre et l'Angleterre aussi », mais nous n'en avons pas vraiment pris la mesure. Un jeune homme de l'ambassade, le comte von Mueller-Hippmann, est descendu exprès de Londres, à l'improviste, pour demander à Buck le livre de bord de l'Hermione et un livre d'or dans lequel le Kaiser avait écrit des choses stupides quand il était venu dîner, il y a bien longtemps. Mueller-Hippmann, en souriant, nous a dit : « Nos pays seront bientôt en guerre. » Ça m'a fait froid dans le dos, je savais qu'il avait raison, pourtant il s'exprimait avec douceur et bonté, et nous étions tous tristes de penser que la guerre allait signifier la fin de notre vie à Sanssouci. Il ajouta que les jeunes Allemands démobilisés quittaient l'Angleterre par centaines. Des scènes épiques à la gare de Charing Cross. Des jeunes travaillant à Londres comme serveurs, employés de bureau, barbiers...

J'ai dit à M.-H. qu'il nous serait très difficile de quitter l'Angleterre pour l'Allemagne où nous n'avions jamais vécu. Buck parle merveilleusement bien l'allemand, mais il ne se sent plus chez lui dans ce pays, c'est ici, sur cette île, que nous avons construit notre foyer. Et puis Buck ne pourrait pas se battre contre l'Angleterre qu'il aime, alors que sa femme et son fils y résident toujours. M.-H. a répété que la situation était en effet pénible et qu'il n'était pas qualifié pour donner des conseils. Après quoi, Buck l'a descendu en carriole à Ryde, pour le mettre au bac.

Le soir même, Buck est redescendu, cette fois aux nouvelles, et sur le chemin du Crab Inn, des garçons du village s'en sont pris à lui en le traitant de sale Boche et d'espion, etc. Il en a reconnu certains, des enfants de familles que nous connaissons et avec qui nous avons des relations amicales. Il est remonté tout ébranlé. Le lendemain matin, on a appris la nouvelle — la guerre contre l'Empire germanique — et on a reçu en même temps un dernier télégramme du baron demandant à Buck de veiller sur la maison et le yacht, mais pas un mot sur les appointements de Buck, comment ils lui seraient versés, ni sur comment on payerait les gages du personnel, l'entretien de la maison et du jardin, etc. Comme vous le savez, nous vivons du salaire de capitaine de Buck. L'arrangement est le suivant: il nous laisse habiter la maison comme si nous étions chez nous, sauf en été quand il l'occupe et y invite des gens.

Puis Lord Ormonde, le commodore, a téléphoné. En tant que compatriote irlandais et camarade marin, il se sentait obligé d'avertir Buck qu'il allait être arrêté comme espion. Des agents du contre-espionnage allaient venir dans quelques heures l'arrêter, qu'il se tienne prêt. C'était grotesque évidemment, puisque tout le monde savait qu'il n'était pas un sale espion, mais cela finirait par s'arranger.

Tout ce que Buck trouva à dire, c'est que Hermann ne devait pas voir son père partir entre deux gendarmes. J'ai prié Nounou de l'emmener au village et à la plage, avec instruction de ne pas rentrer avant l'heure du goûter. L'agent Goon et l'inspecteur sont arrivés en carriole. Je me suis dépêchée de lui préparer son sac de voyage, mais je n'ai pas eu le temps de penser à ce dont il aurait besoin, en plus je ne savais pas pour combien de temps, ni où il allait... Ils peuvent tout aussi bien le renvoyer en Allemagne, pour ce que j'en sais. L'inspecteur a refusé d'en dire davantage, juste que Buck était arrêté sur l'ordre du ministère de l'Intérieur. Ce soir, il est détenu à Osborne House. Je m'y rendrai demain matin et essayerai de le voir.

Hermann a pris son bain, Nounou est en train
de lui lire une histoire, je monterai tout à
l'heure lui dire bonsoir, il s'endort vite, fatigué
comme il est par l'air de la mer et le beau
soleil qui a brillé ici tout cet été. Quand il va
me demander où est papa, je vais m'effondrer.
Non... je ne m'effondrerai pas. Dieu merci,
il est encore tout petit. La cuisinière m'a
surprise en train de pleurer à l'office et m'a
consolée en me disant que ça ne durerait
pas, elle a dit que le capitaine était en fait
anglais et qu'ils ne pourraient pas le garder
longtemps. Pourvu qu'elle ait raison mais,
comme elle n'a jamais quitté l'île de Wight,
qu'en sait-elle vraiment...

J'espère que c'est la panique, la peur,
l'excitation provoquée par cette déclaration de
guerre qui nous a tous pris au dépourvu et
que, lorsque le calme reviendra, le ministre
comprendra combien il est injuste d'arrêter un
homme totalement innocent.

Je ne sais pas de quoi nous allons vivre.
Les appointements de Buck ne pourront pas
nous être versés d'Allemagne, et il n'y aura
plus de régates à Cowes. Nous ne pouvons
pas rester ici si nous n'avons pas de quoi
entretenir la maison. S'ils emmènent Buck à
la Tour de Londres, il faudra que je trouve un
moyen de me rapprocher de lui. Je ne vois pas
ce que je peux faire ni dire ni penser... Je suis
assise à ce secrétaire, les fenêtres ouvertes
sur l'air, la lumière, la mer verte, et j'essaye
de trouver un sens à ce qui nous est arrivé en

le couchant sur le papier. Je ne vois pas quel sens cela pourrait avoir.

Votre affectionnée
Eilin

Archives de la Sûreté nationale. Dossier MI5 réf.
NS-1914. 8KV 1-39.

—

LA POLICE MÉTROPOLITAINE

Transcription de l'interrogatoire
Date : 11 août 1914
Sujet : Lange, Heinrich
Officier : sir Basil Thomson,
  commissaire adjoint de la police
  métropolitaine de Londres.
Salle : le bureau de sir Basil Thomson,
  Scotland Yard
Jour de l'arrestation : 4 août à Shanklin,
  île de Wight, sur ordre du capitaine V.
  Kell, du service des renseignements.

BT : Nom et prénoms complets ? Parlez
  distinctement, je vous prie.
Sujet : Je m'appelle Heinrich Lange.
BT : Domicilié au ?
Sujet : Sanssouci, Shanklin, l'île de
  Wight. Je ne suis pas un espion.
BT : Si vous dites la vérité, ce sera
  mieux pour vous.
Sujet : Je suis un marin. Un skipper.
  Demandez à Lord Ormonde. Demandez à
  sir Peter Belfrey.

BT : Qui est votre employeur ?

Sujet : En ce moment, personne.

BT : Vous considérez-vous comme un
citoyen britannique ?

Sujet : Non.

BT : Vous pouvez nous informer de votre
nationalité ?

Sujet : Allemande. Je suis allemand.

BT : Mais votre anglais est excellent.

Sujet : (grognements)

BT : Où avez-vous appris à parler
anglais ?

Sujet : Ma mère. Écoutez…

BT : Lieu de naissance ?

Sujet : Je ne suis pas un espion.

BT : Où êtes-vous né ? Aux États-Unis ? Je
vous prie de répondre.

Sujet : Je suis né à bord du navire
de mon père, à mille milles au
large d'Acapulco. J'ai été déclaré
citoyen allemand par le consul à
San Francisco. Ma famille, mon père
étaient de Hambourg. Ma mère est
irlandaise. Je n'ai rien à vous dire
de plus, je n'ai aucun secret, je ne
sais rien. Je vois bien que vous avez
un travail à faire, mais vous perdez
votre temps en ce qui me concerne.

BT : Êtes-vous un officier de réserve de
l'armée allemande ?

Sujet : Non.

BT : Vous avez été sous les drapeaux en
Allemagne.

Sujet : Oui, j'ai fait mon service
militaire à Potsdam quand j'avais
dix-neuf ans. Affecté au 1er régiment
de uhlans. La cavalerie.

BT : Alors vous êtes réserviste.

Sujet : Je n'en sais rien, peut-être,
cela fait des années que je ne vis
plus en Allemagne. Je ne suis pas un
espion. Je n'ai jamais été officier.
J'étais simple soldat. Dix-huit mois
de service militaire.

BT : Votre courrier a été intercepté.

Sujet : (exprime de l'étonnement)

BT : Vous voyez donc que nous sommes au
courant de vos activités.

Sujet : Mais il n'y a rien, je n'ai rien
fait. Je ne suis pas un espion.

BT : Qui vous donne vos appointements ?

Sujet : Je n'ai jamais fait quoi que ce
soit. Rien. C'est honteux.

BT : Le baron Weinbrenner vous verse vos
appointements. Exact ?

Sujet : Je conduis son yacht. C'est moi
qui barre pendant les régates.

BT : Vous êtes employé par les services
secrets allemands. Vous êtes leur
antenne à Portsmouth depuis quatre
ans.

Sujet : Jamais. Mais pas du tout.

BT : Vous faites passer vos rapports à
l'encre invisible, nous les aurons
bientôt. Nous avons intercepté des
lettres.

Sujet : Non, il n'y a rien. Comment osez-vous lire ma correspondance ?

BT : Je vous conseille de bien réfléchir. Vous êtes dans une très mauvaise situation.

Sujet : Vous pouvez dire ce que vous voudrez. Je suis un marin. Bien sûr, j'observe les voiliers, cela fait partie de mon travail. Il n'y a rien de secret, ni encre ni rien du tout. Je n'observe pas les bateaux de guerre, croyez-moi. Je suis le skipper de l'_Hermione II_ de monsieur Weinbrenner. Demandez à Lord Ormonde du Royal Yacht Squadron, il vous confirmera que c'est la vérité.

BT : Ils vous ont mis à la Tour de Londres. Comprenez-vous ce que cela signifie ? Savez-vous ce qu'il advient des espions en temps de guerre ?

Sujet : Ma femme est anglaise. Et mon fils aussi.

BT : Votre femme est irlandaise.

Sujet : Je ne songerais même pas à espionner. La guerre ne me regarde pas. Mon fils est né en Angleterre.

BT : Quand nous aurons examiné votre correspondance, nous en reparlerons. Nous savons que vous renseignez les services secrets allemands. C'est un fait avéré. Vous comprenez ? Il n'y a pas de honte à avouer vos activités. Vous êtes un soldat de l'empereur d'Allemagne, vous faisiez votre devoir. Vous n'êtes pas un criminel et il n'est pas question de vous traiter comme tel. Vous êtes un sujet loyal et un honorable militaire. Nous avons de notre côté des hommes en Allemagne qui font là-bas exactement ce que vous faites ici. Nous comprenons très bien votre situation. Vous n'avez rien fait de mal, mais, voyez-vous, nous ne pouvons permettre que cela se perpétue.

Sujet : Vous n'avez pas le droit.

BT : Vous comprenez que rien n'est plus comme avant. En temps de guerre, l'espionnage est réprimé sévèrement. Que ce soit bien clair. Je souhaite vous traiter avec autant d'humanité que j'aimerais que vous en montriez chez vous avec nos hommes. Hélas, j'ai les mains liées. L'ambiance en ce moment n'est pas à la clémence. Si vous lisiez les journaux, vous comprendriez ce que je veux dire. Nous n'allons pas tarder à fusiller les espions.

Sujet : Je n'ai rien fait.

BT : Un soldat loyal a le droit de sauver sa peau. La seule façon de vous en sortir est de dire la vérité. Ce que j'aimerais que vous...

Sujet : Je n'ai rien à vous dire.

BT : Je vais vous laisser quelques heures de réflexion. Vous allez

méditer sur votre situation. Je
comprends parfaitement que ce n'est
pas facile pour vous et je compatis,
croyez-moi. Mais vous devez penser
à sauver votre peau. Les journaux
crient "À mort les espions!" Et vous
savez combien la presse est puissante
dans ce pays. Les journaux veulent
qu'on les fusille. Le gouvernement
ne pourra pas longtemps faire la
sourde oreille. Le mieux pour vous
est de tout avouer et de répondre
à nos questions. Les autres hommes
que nous avons arrêtés se montrent
très coopératifs, parce qu'ils
voient bien que leur vie en dépend.
Maintenant, vous allez retourner dans
votre cellule et réfléchir. Nous nous
reverrons bientôt tous les deux.

On m'appela Hermann jusqu'à l'arrestation de mon père pour espionnage. Puis Miss Anne Hamilton suggéra à ma mère que mon prénom sonnait «trop germanique».

«Hermann... les gens du village vont voir rouge, madame. Pas la peine de dire que ce n'est pas normal, c'est comme ça. Vous pourriez lui en trouver un autre?»

C'est Hamilton qui a commencé à m'appeler Bill, d'après Buffalo Bill. Elle possédait un programme du Wild West Show, auquel son père avait assisté à Southampton. «Bill» devint «Billy». Et depuis, j'ai toujours été appelé Billy Lange.

Après l'incarcération de mon père, d'abord à Osborne House puis à la Tour de Londres, Eilín et moi sommes restés à Sanssouci, où nous vivions comme des fantômes dans une villa enfouie dans le brouillard. Des nappes de brume de mer pénétraient dans les pièces où le lourd mobilier des Weinbrenner dormait sous des draps de coton blancs.

Ma mère n'était pas une Boche, mais elle était irlandaise, ce qui du point de vue des gens de Shanklin n'était guère plus reluisant. Et puis nous habitions une maison dont le propriétaire était un baron allemand, une maison où le Kaiser en personne avait (avant notre époque) passé une nuit. Cela suffisait à nous mettre au ban. Dès que l'agent du contre-espionnage eut embarqué Buck, Sanssouci se vida de toute joie de vivre. Finie l'insouciance. Sur les pelouses laissées à l'abandon, l'automne sema des petites fleurs sauvages. Il n'y avait plus d'argent pour payer les gages de la femme de chambre, de la cuisinière, du jardinier. Ils partirent. Il n'y eut plus à

Sanssouci que nous deux, Eilín et moi. Les pièces étaient presque toutes fermées. Nous occupions la bibliothèque, le salon et la cuisine. Il y avait un poêle à gaz au salon. Un immense fourneau en fonte chauffait la cuisine et, dans la bibliothèque, une cheminée où brûlait un feu de charbon rendait les lieux douillets, quoique le charbon fût coûteux. L'hiver venu, nous installâmes nos lits en bas, dans la bibliothèque, au milieu des maquettes de voiliers sous verre, des goélettes de course : le *Meteor V* du Kaiser, l'*Hermione* du baron.

Les livres que nous descendions des étagères n'avaient souvent pas encore été coupés. Le baron était à la tête d'une impressionnante collection d'ouvrages anglais, mais il ne venait pas sur l'île pour passer son temps à lire. La fenêtre en encorbellement donnait sur la mer et accueillait une confortable banquette où nous avions assez de place pour nous asseoir tous les deux. Les coussins étaient recouverts d'une tapisserie rugueuse. Allongés, nous feuilletions les livres illustrés et les atlas du baron. Parfois en buvant du chocolat chaud.

La collection d'atlas nous occupa pendant des semaines. Dès que nous en ouvrions un, la première chose qu'Eilín cherchait, c'était le point correspondant aux coordonnées géographiques, 20° 56' N 123° 23' O, du lieu de naissance de Buck. À la page « Mexique », il y avait parfois assez de place pour contenir un large morceau d'océan, mais en général, ce n'était pas le cas. Nous localisions alors ce lieu sur la mappemonde imprimée sur une double page, où le globe était découpé en quartiers d'orange et déroulé à plat. Quand on parvenait à repérer ce point, avec la pointe aiguisée d'un crayon à mine, ma mère y forait un minuscule trou très discret. *In memoriam.* Ensuite nous partions en quête de l'endroit où j'étais né : en Angleterre, sur l'île de Wight, à l'orée du village de Shanklin, dans cette maison même. La tête me tournait un peu quand elle posait le doigt sur le point exact sur la carte. Je me sentais investi d'une sorte de toute-puissance à me savoir étendu sur cette banquette, dans la maison où j'étais né. Quand elle trouait le papier, je sentais presque la griffure de la pointe du crayon. *Tu es ici.*

Ici.

Ici.

Ici.

À cet âge, j'étais capable de me mettre en transe rien qu'en répétant certains mots. *Ici* était un de ces mots incantatoires. *Je*, le pronom de la première personne du singulier, en était un autre. *Je*, répété un assez grand nombre de fois avec concentration, me propulsait au pays des merveilles. Je suppose que cela correspond à un certain stade de développement, le cerveau de l'enfant s'initiant à la conscience vertigineuse de soi.

Nous ne sommes pas le monde, et le monde n'est pas nous.

On avait à peine de quoi acheter de la nourriture et du charbon, et financer les allers-retours de ma mère à Londres, alors pour les produits de luxe… Cependant, nous avions dans notre garde-manger un énorme paquet de cacao de l'île de Java et dans la bibliothèque un humidificateur de tabac bourré des cigarettes roulées spécialement pour Weinbrenner et portant, incrusté en or sur le tube en papier, le blason de Walden (le trèfle irlandais enroulé autour d'un brin de bleuet allemand). Le soir, après m'avoir bordé dans mon petit lit, Eilín s'installait dans un fauteuil club, les jambes repliées sous elle, et fumait des cigarettes en buvant son chocolat à petites gorgées, le regard fixé sur le feu dans l'âtre. J'aimais en voir les reflets danser sur son visage, son cou, ses épaules, ses jambes. Elle devinait que je ne dormais pas et au bout d'un moment nous parlions. Je me demande parfois si je n'ai pas rêvé ces conversations, pourtant elles sont imprimées dans ma mémoire, accompagnées d'une odeur de tabac, des lueurs de flambée et de la délicieuse sensation que rien ne pouvait m'arriver quand j'étais seul avec ma mère.

« Je ne sais même pas où il se trouve. » Sa voix était si calme dans la nuit. Le jour, elle s'exprimait parfois avec angoisse ; elle s'impatientait quand je traînais et m'accusait de rêvasser. Elle était si vive, je devais lui sembler bien lent.

« Papa ? Tu parles de papa ?

— Ah, petit homme, dors, va, on ne cause plus.

— Mais tu m'as réveillé.

— Vraiment ?

— J'aime bien te regarder.

— Je suis horrible en ce moment. Il n'y a rien à voir. »

Par certaines nuits d'hiver, le vent secouait les fenêtres et cognait aux carreaux de la bibliothèque. Ma mère disait que c'était le souffle de la mer. Parce que le monde s'était mis à tourner trop vite, disait-elle, le vent se croyait tout permis. « Mais on ne lui permettra pas de nous abattre, Billy. Le vent a toujours été l'allié de ton père. Ton père flairait le vent et savait de quoi il retournait.

— C'est un marin.

— Plus que ça.

— Un capitaine.

— Capitaine et navigateur. Il nous reviendra un jour. Tu verras. »

Je n'en doutais pas, sauf quand je l'entendais prononcer ces mots. Qu'elle déclare croire fermement en son retour… cette affirmation me semblait mâtinée de doutes.

« Maintenant, pose ta tête sur l'oreiller et dors, Billy. »

Je n'arrivais jamais à dormir sur commande. En général, je n'avais même pas envie de dormir. Je préférais veiller. Je voulais traverser avec elle la longue nuit d'hiver pendant que le vent de son souffle semblable à une main gantée giflait la villa et y ébranlait tout ce qui était en verre. S'il tombait au milieu de la nuit, quelques heures d'accalmie glacée tartinaient de givre gris les pelouses négligées.

Nous n'avions aucune visite, hormis celle de Hamilton, qui venait à la maison presque tous les jours. Son père était le barman du Crab Inn, sa mère, une mégère, et accessoirement une lavandière qui, après l'arrestation de mon père, interdit à Hamilton de monter à Sanssouci. Elle montait quand même, car elle adorait ma mère, qu'elle admirait beaucoup pour avoir fui un parent irascible, fait sa vie sur le continent et épousé un beau marin, même s'il devait à présent être fusillé pour espionnage. Nous recevions d'Irlande des lettres de ma grand-mère Constance – la mère de Buck – et des sœurs d'Eilín, mes tantes Kate et Frances. Aucune d'Allemagne, bien sûr. Rien de Buck – il n'avait pas le droit d'écrire. Eilín se rendait à Londres tous les quinze jours, mais n'arrivait jamais à le voir.

Au village, ils étaient persuadés que Buck était un espion boche et qu'il attendait l'heure de son exécution dans la Tour de Londres. Si ce n'était déjà fait.

Hamilton, âgée de quinze ans, me dit que je devais me préparer au pire.

«Quand tu reçois une mauvaise nouvelle, Billy, il faut la garder au-dedans. Garde-la bien en toi et ne laisse personne la voir, Billy, et sois courageux. C'est ce que ton père voudrait, que tu sois un garçon courageux.

— Ils vont lui couper la tête?

— Ah, non. De nos jours, on les fusille. »

Elle était notre amie, mais les autres au village maintenaient leurs distances. Nous devions leur paraître une sorte de croisement entre des criminels et des acteurs de mélodrame. Eilín était très belle, après tout, et moi j'étais très jeune. Je suis convaincu que du point de vue de certains de nos voisins, notre situation avait quelque chose de romantique, surtout avec l'éventualité que Buck puisse être exécuté.

Nous nous promenions souvent tous les trois au long des sentiers humides. Hamilton était promise à un garçon qui se trouvait à présent avec son frère dans le 1er bataillon du régiment du Hampshire. Ils étaient au front en France depuis août. À l'époque, je pensais qu'il n'y avait rien de plus beau que la vie de soldat. Je voyais «la guerre» à travers les reproductions de tableaux à la gloire de la bataille de Waterloo qui illustraient un ouvrage de la bibliothèque de Sanssouci. Mon préféré était *Scotland Forever!* de Lady Elizabeth Butler, où l'on voyait la charge des Royal Scots Grey montés sur de magnifiques chevaux pâles.

Je me rappelle Hamilton me disant qu'elle l'avait «fait» avec son soldat. Elle en avait «marre». Elle en avait «ras le bol». Toutes expressions que je n'avais encore jamais entendues et qui me paraissaient impertinentes. Je dressais l'oreille chaque fois que les mots me semblaient entachés de colère, d'irritation ou d'impatience.

«Les hommes ne me manquent pas. Je ne suis pas mécontente qu'ils aient débarrassé le plancher. Je veux moi aussi me tirer, c'est vrai. Je veux aller à Londres et voir ce que je peux devenir là-bas.

— Il y a beaucoup d'hommes à Londres», lui fit remarquer ma mère calmement.

L'un d'eux étant mon père, enfermé dans la Tour.

«Oh, je ne déteste pas les hommes. Mon ami m'avait dit qu'il m'écrirait, mais bien sûr, je n'ai rien reçu de lui, même pas une carte postale. Il est peut-être mort. Une balle lui aura transpercé le cœur.

— Ne dis pas des choses pareilles», lui dit ma mère.

Elle avait, en bonne Irlandaise, peur du pouvoir incantatoire de la parole. Il fallait se taire sur ce qui comptait vraiment et ne jamais mentionner ce qu'on désirait le plus, ou ce qui vous effrayait le plus. Le monde était une entité capricieuse et méprisante, à l'esprit mal tourné. Et à Londres, des pelotons d'exécution fusillaient des hommes accusés d'espionnage. Ceux qui avaient de la chance recevaient la balle dans le cœur, les autres, dans la tête ou dans les yeux… Il n'y a pas moyen de prévoir la trajectoire d'une balle assassine.

———

Me manquaient les mains de Buck, la force de ses bras, le timbre de sa voix, sa façon de me soulever comme un rien, avec nonchalance, sa façon de me faire sauter en l'air. J'aimais quand on se chamaillait à coups de poing – je le secouais et on faisait de la lutte. Il s'arrêtait toujours avant de me faire mal. Me manquait le dynamisme émanant de la présence d'un homme : son défi à la pesanteur. Avec lui, tout devenait un jeu, un jeu tactile, physique, et ce jeu me donnait confiance dans le monde.

Quand il ne fut plus là, ce monde se rétrécit. Nous buvions du chocolat chaud dans la bibliothèque, nous piquions des épingles sur des cartes, ma mère contemplait le feu dans la cheminée, nous nous promenions dans la boue avec Hamilton.

Eilín faisait tout son possible pour garder mon père sans cesse présent dans notre vie. Elle me racontait des histoires qui lui étaient arrivées. Un jour, dans les îles Marshall, Buck avait été poursuivi par un type armé d'une machette qui voulait le tuer rien que parce qu'il avait les cheveux blonds. Mon père avait réussi à se réfugier dans le magasin d'un Chinois qui avait sorti un pistolet Mauser et abattu le maraudeur.

Oncle Joseph, le cuistot noir qui avait aidé à la naissance de Buck, était propriétaire d'une taverne sur la Deichstraße, à Hambourg. Lorsque le capitaine Jack, son père, avait coulé dans l'Atlantique Sud avec son *reefer*, Joseph avait prêté à ma grand-mère Constance trois cent soixante-quinze dollars américains pour assurer la transition en attendant sa pension de veuve. Dans les magasins de Hambourg, ces dollars d'argent avaient autant de valeur que les reichsmarks.

J'avais déjà entendu ces histoires, de la bouche de mon père. Je savais que Joseph avait gagné ces dollars grâce aux marins yankees qui venaient boire dans sa taverne. Je savais qu'un *reefer* était un navire réfrigéré transportant de la viande.

Pendant que la vie de Buck était suspendue à un fil, j'explorais les sentiers de l'île en compagnie de Hamilton. Nous levions des lapins des fourrés et contemplions les taureaux dans les prés. Hamilton me posait brusquement des questions comme: «Qu'est-ce que fait ton père à cet instant même?» Comme si elle s'attendait à ce que je le sache.

Comme s'il eût été tout à fait normal que je le sache.

Aussi laissais-je libre cours à mon imagination et inventais à mon père des activités dont je soignais le détail.

« Il est en train de cirer ses bottes. Il mange un sandwich. Il met un sucre brun dans son thé. Il regarde par la fenêtre. Il observe le roi. Le roi sort de sa voiture bleu électrique tirée par six chevaux.

— De quelle couleur est la robe des chevaux ?

— Oh! gris. Des gris qui vont bien ensemble. Ce sont des chevaux très forts. Papa a un crayon. Il dessine les chevaux pour me les montrer plus tard. Il a très envie de crumpets à la confiture de mûres et au miel, il boit du lait, il mange des œufs durs et des sandwichs au jambon. »

Hamilton s'amusait à essayer les vêtements d'Eilín, surtout ses splendides chapeaux. La peur d'un retour en Irlande tenaillait ma mère. La maison de Strandhill, dans le comté de Sligo, où elle avait grandi s'appelait *la maison rouge*. Son père était un avocat qui avait épousé la fille d'un pêcheur de l'île d'Inishmore. Après la mort de sa mère, Eilín avait proposé ses services de secrétaire à Lady Maire, la baronne von Weinbrenner, en répondant à une petite annonce de l'*Irish Times* par une lettre rédigée en trois langues, anglais, allemand et irlandais. La partie en allemand était courte et sa sœur Kate l'avait aidée pour la partie en gaélique. Sa candidature avait été acceptée, et Eilín avait quitté le foyer paternel pour voguer vers l'Allemagne.

Par ces journées d'hiver, alors que la pluie battait les carreaux, nous prenions le thé devant la cheminée de la bibliothèque. Ma mère nous racontait, à Anne Hamilton et à moi, comment elle avait quitté l'Irlande. Hamilton ne se lassait pas de ce récit et l'écoutait comme en extase.

« En ce temps-là, des filles sans chaussures vendaient des moules et des huîtres dans les rues de Dublin et sur les ponts de la Liffey. Elles criaient d'une manière particulière, comme des mouettes, je trouvais. Leurs cris étaient obsédants et très beaux, et pourtant effrayants. Je ne pouvais pas m'imaginer pieds nus, un châle sur les épaules, faisant l'article de mon panier de moules dans la foule des passants.

J'étais timide et je ne voulais pas dépenser mes sous à acheter de la nourriture. Quand j'embarquai sur le vapeur, je n'avais rien mangé depuis seize heures. J'ai rencontré des filles du comté de Monaghan qui allaient travailler dans les usines textiles du Yorkshire. Elles ont été très gentilles, elles ont partagé avec moi leurs pommes de terre, et aussi de la bière brune.

C'étaient des filles solides, des vraies filles du Nord. Elles fumaient la pipe et buvaient de la bière. Il y en avait une ou deux qui parlaient le même gaélique que ma mère, j'étais très émue, et ce fut la seule fois où je me sentis triste de quitter l'Irlande, mais ma tristesse ne dura pas. Je n'avais encore jamais bu d'alcool et je fus malade pendant toute la traversée. Puis je pris le train et traversai l'Angleterre en largeur jusqu'à Hull, pris un vapeur pour la Hollande, puis d'autres trains. J'étais trop craintive pour parler à qui que ce soit. À Utrecht, un bel étudiant monta dans mon compartiment.

Il s'appelait Peter. Son teint était aussi clair que ses cheveux, et ses yeux, noirs. Il était très élégant, tout en gris, avec des bottines brillantes. Nous sommes devenus bons amis. Nous avons partagé ce que nous avions à manger. Et quand le moment est venu pour moi de changer de train à Venlo, il m'a aidée à m'y retrouver. Sans lui, je me serais perdue. Je suis tombée amoureuse de lui. Si on peut parler d'amour quand ça se passe si vite.

— Si, madame, affirma Hamilton. Ça arrive tout le temps. Souvent dans les trains, surtout pendant la guerre.

— Ce n'était pas encore la guerre, personne ne pensait même à cette éventualité. À l'époque, les gens étaient persuadés qu'il n'y aurait plus jamais la guerre, sauf peut-être les Irlandais.

— Et la chanson ? la pressa Hamilton.

— Après Duisbourg, avant Cologne, il se mit à griffonner. J'étais un peu vexée qu'il m'ignore comme ça tout d'un coup.

— Mais il vous écrivait une chanson ! s'exclama Anne Hamilton. En allemand. C'est incroyable.

— Tout à fait. Rien n'est aussi étrange et envoûtant qu'une mélodie chantée en allemand par un jeune homme doté d'une belle voix.

— Sûrement, approuva Hamilton.

— Une voix de ténor, aussi pure que l'air. Il descendait à la gare de Cologne. Au moment où le train se mit à ralentir, il prit ses affaires dans le porte-bagages, puis il me serra la main. J'étais effondrée, mais j'essayais de ne pas le montrer. Que j'étais donc sotte ! Tomber amoureuse en voyage ! Mais voilà, soudain, je ne me suis pas sentie bien, j'avais peur de tout, surtout de me trouver si loin… en Allemagne… Je ne connaissais personne. Je ne songeais plus qu'à retourner en Irlande. Seulement, je n'avais pas d'argent. C'est alors qu'il me déclara qu'il avait composé une chanson en l'honneur de mon arrivée en Allemagne. Là, debout sur le quai de la gare, il se mit à chanter. Le train s'ébranla et il marcha à côté de la fenêtre de mon compartiment, en chantant.

— C'est ce que je trouve le plus merveilleux, apprécia Hamilton. Cela ne m'arrivera jamais.

— Tu ne peux jamais savoir, lui dit ma mère. Tu ne peux pas prévoir ce qui va se passer. Les choses changent quand on quitte son pays.

Au bout de trente-six heures de voyage, j'ai débarqué à la gare de Francfort. Lady Maire en cape bordée de fourrure m'attendait impatiemment sur le quai, l'air sévère et revêche. C'était la fille du comte de Tireragh, un aristocrate irlandais.

Elle était étonnée de ma jeunesse. "Je ne suis pas jeune, lui dis-je, seulement fatiguée." Nous nous sommes rendues à Walden dans une automobile très bruyante et qui sentait mauvais. Elle a à peine desserré les dents. Elle m'a paru collet monté. Le domaine des Weinbrenner s'appelle Walden. Au début, l'endroit m'a donné une impression étrange et glaciale, il n'était ni gai ni accueillant. Le baron était un joueur de polo renommé. Vous savez ce que c'est que le polo? Ça se joue à dos de poney et il faut pousser une balle avec un maillet à long manche. Il criait contre ses poneys, contre ses invités, contre les domestiques, contre moi. Mais je ne l'ai jamais vu lever la main sur un animal ou une personne. Du moment qu'on supportait ses cris, tout allait bien.

Lady Maire passait sa vie à jouer aux cartes, et au début, elle me sembla très sèche de tempérament. Avec ses chevaux, elle manifestait une autre facette de sa personnalité. Une cavalière gracieuse à la main douce, peu importait le cheval qu'elle montait, même un étalon fougueux, ils lui obéissaient tous. Le baron lui confiait des chevaux qu'il avait lui-même peur de monter, et elle s'en sortait merveilleusement.

Un soir, la baronne m'a trouvée à la cuisine, tellement tourmentée par le mal du pays que j'en pleurais auprès de la cuisinière souabe. Elle m'a prise par la main et on est montées dans ses appartements. Elle m'a fait couler un bain parfumé aux boutons de lavande. Pendant que je trempais dans l'eau chaude, elle a allumé deux cigarettes et m'en a tendu une. Je n'avais jamais fumé, mais je l'ai acceptée, bien sûr.

"C'est la vieille Irlande qui te manque", me dit Lady Maire. Puis elle me lut à haute voix un poème de Speranza, qui est le nom de plume de Lady Jane Wilde, la mère d'Oscar, et la cousine de Lady Maire. »

Ma mère pouvait réciter par cœur les vers :

> *Mon Pays, blessé jusqu'au cœur*
> *Je caresse ton âme d'une étincelle*
> *Électrique courant pour écarter*
> *Les nuages d'orage roulant autour de toi*

Elle adorait Lady Maire. Dans les années vingt, elles passèrent leurs étés à parcourir en automobile les routes d'Europe – «De Galicie en Galice!» disait gaiement ma mère –, au début dans la grosse Mercedes conduite par le chauffeur du baron, par la suite dans la petite Ford qu'Eilín avait appris toute seule à manœuvrer. Ensemble, elles localisèrent la plupart des pièces qui finirent par constituer la collection d'art religieux médiéval Weinbrenner. Des christs des Rameaux du XIVe siècle dans des manoirs du Wurtemberg ; des retables du XVe dans des églises des montagnes des Asturies ; des chasubles dans des couvents polonais ; certaines œuvres étaient grossières, d'autres montraient la facture d'un maître, les unes et les autres avaient l'éclat qu'une chose n'acquiert qu'après cinq cents ans de vénération. Au long de la route, elles s'égarèrent, tombèrent en panne, furent détroussées, arrêtées, hospitalisées malades du paludisme, menacées, jetées plus d'une fois en prison, et même lapidées dans un village valaque au nord de la Grèce. Elles étaient des voyageuses stoïques. Lorsque Lady Maire quitta ce monde, elles étaient toutes les deux plus attachées l'une à l'autre qu'à leurs maris et enfants respectifs, même si ma mère a toujours refusé de l'admettre.

« J'aimerais tant aller en Allemagne, dit Hamilton. S'il n'y avait pas cette horrible guerre. »

Elle devait avoir l'impression que l'île de Wight était sa prison à elle. Certaines personnes ont ce sentiment à l'égard des lieux où elles ont passé leur jeunesse. Est-elle parvenue finalement à s'en évader ? Elle était intrépide et robuste, et la guerre ouvrait de nouvelles possibilités à des jeunes femmes comme elle. Par la suite, dans les bus londoniens, on vit des femmes contrôleuses de tickets, et j'imaginais Hamilton en uniforme navigant dans les encombrements, ne se laissant pas distraire par les bêtises des soldats en permission.

Elle passait parfois, rarement, la nuit à Sanssouci. Quand il faisait mauvais temps, ma mère insistait pour qu'elle reste. Elle dormait alors sur un matelas de tapis et de coussins que ma mère arrangeait devant la cheminée. Mais Anne Hamilton n'avait pas peur des sentiers de son île, même par les tempêtes les plus terribles. Elle n'hésitait pas à descendre à pied la nuit, et je pense que, comme ma mère, elle chérissait ces moments de solitude. Hamilton était une de ces personnes qui acceptent, exigent même, de voir et de parler à des gens, mais qui ont aussi besoin de temps pour cultiver le jardin de leurs pensées. Après avoir mis ses bottines (elles séchaient devant le feu), sa cape, ses gants, et arrangé soigneusement son chapeau, elle serrait la main d'Eilín, puis la mienne, et, munie d'une canne, partait pour la descente vers le village. À cette époque, à la campagne, tout le monde circulait avec une canne ou un bâton. Eilín me bordait dans mon lit, puis veillait seule. Elle méditait en fumant des cigarettes devant les lueurs rouges de l'âtre.

―――――――――

La guerre semblait très proche. Debout sur la falaise, nous regardions les bateaux à vapeur et les ferries traverser la Manche avec leurs cargaisons de soldats. Certains jours, quand le vent soufflait de la bonne direction, Anne Hamilton et moi entendions le grondement lointain des canons.

« Quoi qu'il arrive, Billy, tu dois protéger ta mère. C'est ton devoir. »

Hamilton me répéta cette phrase. C'était la guerre, et les mots *devoir, courage, vigilance* étaient sur toutes les lèvres.

« Tu es une espèce de soldat. Tu as le devoir, Billy, de te tenir prêt. Tu es un soldat maintenant. »

Ma mère et moi jouions les fantômes à Sanssouci pour la bonne raison que nous n'avions nulle part ailleurs où aller. Bien sûr, nous avions la possibilité de nous réfugier en Irlande, à Sligo, là où vivaient la mère de Buck, Constance Lange, et le père d'Eilín, Joseph McDermott – qui ne se connaissaient pratiquement pas. Toutefois, tant que Buck serait menacé d'un procès et d'une éventuelle exécution, ma mère ne quitterait pas l'Angleterre.

Elle fit durer le peu d'économies qu'elle avait sur son compte postal pour acheter le strict nécessaire. Elle se rendait à Londres et toquait à la porte de l'administration et des avocats, dont la plupart refusaient de la recevoir. Pendant les séjours d'Eilín à la capitale, Hamilton s'installait avec moi à Sanssouci. Elle apportait des œufs et une miche de pain bis, des brioches au cassis, de la confiture de mûres et de sureaux. Un jour, elle monta avec un poulet fraîchement tué. Notre garde-manger à Sanssouci était aussi vaste que vide. Nous avions un cellier. Nous y descendions pour essayer de compter les bouteilles, mais nous ne sommes jamais arrivés jusqu'au bout.

Nous parlions de la guerre. Hamilton était d'avis que mon père était un soldat ayant fait son devoir, et qu'il était méchant et cruel de la part du premier lord de l'Amirauté, M. Winston Churchill, de l'enfermer dans la Tour et de le fusiller.

Au moins, ils ne lui couperaient pas la tête comme à Anne Boleyn. Alors que nous déambulions par les verts sentiers mouillés de l'île, Hamilton faisait semblant de porter sa tête sur sa hanche en chantant :

Anne Boleyn gravit les marches de la Tour sanglante
Sa tête blottie sous son bras.

Il m'arrivait de frémir, accablé de remords, en larmes, sachant qu'il fallait que je sauve mon père, mais comment m'y prendre ?

Hamilton disait qu'à seize ans elle deviendrait infirmière.

« Mais, mon petit Billy, je n'ai pas l'intention de passer la guerre à laver par terre et à vider les pots de chambre. Je veux être gradée. Je serai surveillante, la patronne des infirmières. Tu sais comment je suis maligne, pas comme les autres filles du village. Mon uniforme n'aura pas une seule tache. Ma coiffe blanche sera impeccable, ma blouse blanche, amidonnée et j'attacherai ma cape bleu marine autour de mes épaules par un fermoir en argent. Tu peux me croire, Billy Lange : quand les soldats sont blessés ou morts, quand une brèche s'est ouverte dans le mur de la tranchée et qu'un assaut ennemi menace, l'infirmière a le devoir de prendre les armes et de combattre. Ça me plairait. Je ne me défilerai pas. Et toi non plus, hein ? »

Non, évidemment. Même si je ne me voyais pas au combat en uniforme d'infirmière. Je voyais plutôt une tenue couleur kaki et un de ces casques en « bol » que les troupes recevaient au front.

La nuit, Hamilton et moi dormions ensemble dans la bibliothèque. Hamilton portait une chemise de nuit en lin écru, elle sentait le savon et la terre. L'hiver flottait autour de nous dans la brume de mer. Une brume argent, bleue, blanche. Le sol restait vert, luisant, un vert presque trop vert, angoissant. Dans les haies, les fuchsias répandaient leurs clochettes écarlates et roses sur les étroits sentiers en lacets. Le jardin était délaissé, sauf une parcelle dont ma mère, Hamilton et moi tirions des betteraves, des carottes, des navets. L'herbe que personne ne fauchait plus se transformait en une houle balayée par le vent.

À Londres, au cours de l'automne et de l'hiver se multiplièrent les procès et les exécutions à l'aube d'espions navals allemands. Bien entendu, personne ne m'en parla. Ils avaient tous été arrêtés le premier jour de la guerre. Eilín se rendait sans cesse à Londres, par diligence jusqu'à Ryde, par vapeur jusqu'à Southampton, par train express jusqu'à la gare de Waterloo.

Puis, un après-midi de février, alors que je faisais des courses au village avec Hamilton, je vis ma mère descendre de la diligence de Ryde. Je décelai chez elle un changement. Elle portait une jupe grise étroite et une veste cintrée sur les formes voluptueuses de sa silhouette élancée. Piquée sur son chapeau, une voilette imperméable. J'échappai à Hamilton pour me ruer de l'autre côté de la rue. Je voulais être auprès de ma mère, aussi près que possible. Sans doute avais-je envie de remonter avec elle dans la diligence, à l'abri du monde pluvieux. Curieux comme les enfants savent quand il y a eu un changement, un changement radical. En me voyant accourir, elle resta étrangement imperturbable. Elle était sans doute toujours en état de choc. Elle avait à la main un parapluie fermé. Elle m'ouvrit grand les bras. Je m'y jetai. L'instant d'après, nous pleurions tous les deux à chaudes larmes. C'est en tout cas ainsi que la scène s'est gravée dans ma mémoire. Il est possible qu'il n'y ait jamais eu un tel étalage d'émotion dans les rues pluvieuses et tortueuses de Shanklin. Mais, après tout, nous étions des étrangers.

La vie de mon père fut épargnée. Il ne serait pas jugé pour espionnage. Il ne fut plus menacé de la peine de mort. Peut-être avait-il seulement fallu attendre quelques semaines que les esprits refroidissent. Toujours est-il que le contre-espionnage et les hommes du MI5 finirent par reconnaître qu'il était celui qu'il affirmait être : un marin possédant une excellente paire de jumelles Leitz lui servant à observer de l'œil averti d'un navigateur la manière dont les yachts étaient manœuvrés.

Pour autant, ils ne le libéraient pas. Mon père ne rentrait pas auprès de nous. Au titre d'Allemand ayant l'âge de servir dans l'armée, il devait être détenu pour la durée de la guerre. En février 1915, il fut transféré en Écosse et passa la fin de l'hiver à bord de la carcasse d'un vieux navire mouillant dans le Firth of Forth, avec trois cents autres prisonniers allemands et autrichiens.

En septembre 1915, ces prisonniers furent transférés dans un camp de détention sur l'île de Man. Mais ceux qui avaient des épouses britanniques, une catégorie incluant mon père – la totalité de l'Irlande faisait encore partie de la Grande-Bretagne –, furent envoyés dans un camp aménagé dans un palais des expositions édifié sur une colline battue par les vents, au nord de Londres. L'Alexandra Palace.

Eilín décida que nous devions nous rapprocher de lui. Et nous voilà faisant nos valises et quittant ma maison natale, les sentiers verdoyants et l'île elle-même. Nous montions à Londres.

1938

Le Delphi Palast proposait encore des thés dansants le samedi après-midi. L'orchestre d'Otto Kermbach n'avait rien d'enthousiasmant, mais le Delphi se trouvait à cinq minutes à pied de l'appartement de Karin sur la Giesebrechtstraße. Les musiciens jouaient des airs viennois enlevés, une musique racoleuse aussi sucrée que la pâtisserie de cette ville, bourrée de crème et de chocolat.

Dans ce quartier de Berlin, les salles de bal faisaient leur possible pour s'adapter à la Nouvelle Allemagne, d'ailleurs plus si nouvelle que ça après cinq ans. Les responsables des salles et les chefs d'orchestre adoptaient une conduite circonspecte face à la police, redoutant en particulier la SD, la police secrète de Himmler, qui, parfois à tort, leur semblait être partout. Si quelqu'un avait osé danser le jitterbug, Kermbach aurait arrêté son orchestre, mis tout le monde à la porte et fermé à double tour. Un jour, au Delphi, nous avions vu un SS valser avec une jolie fille. Nous étions sortis sur-le-champ. Mais lors de mon séjour suivant à Berlin, nous y retournâmes.

Du lit au bain, du bain au thé dansant du Delphi, ainsi se déroulaient nos après-midi, à la façon d'un rituel, car nous avions besoin de rites pour nous glisser dans l'obscurité et les mystères de la nuit berlinoise. Le cœur à vif après nos étreintes, nous ne nous sentions pas prêts à nous abandonner aux riffs endiablés du jazz de Kansas City. De toute façon, le jazz se jouait aux petites heures, et jamais dans un quartier tranquille comme Charlottenburg.

Les arrangements suaves d'Otto Kermbach nous préparaient aux rythmes syncopés du jazz, dont nous avions un besoin physique. Ce soir-là, la chance nous sourit.

Arrivés chaque fois pile au bon endroit au bon moment, avec des riffs de plus en plus inouïs, de plus en plus érotiques. Notre dernière étape fut un bar clandestin ; de jour, un garage de la banlieue de Wedding. Dalle de béton huileuse, odeur d'essence. Six jeunes musiciens jouaient à tour de rôle des solos prolongés qui sonnaient à mes oreilles comme des signaux de défiance à l'égard de tout ce qui constituait notre vie diurne dans le *Vaterland*, la patrie des nazis. Ce swing de Kansas City, cette pulsation, cette mesure à quatre temps, c'était un pied de nez au régime. On en vomissait tous les aspects.

Je scrutai la foule pour le cas où je repérerais un mouchard de la police, mais au bout d'un moment, je renonçai, ça m'était égal.

Le meilleur jazz nous transfusait son énergie et sa joie de vivre. La transformation – c'est la grande affaire de la musique, non ? En compagnie de Karin Weinbrenner dans une boîte comme celle-là après minuit, je me sentais tout à la fois vulnérable et puissant, fier de mon audace, de mon sens du rythme, de mon oreille au diapason de la bonne musique, d'en éprouver le pouvoir corrosif. Écouter des cascades de notes aussi intenses dans un cadre aussi bizarre, c'était comme avaler une gorgée de courage, éventuellement toxique, comme toute substance absorbée pure.

Il n'était pas évident de profiter de tout ce que la nuit berlinoise nous offrait de distractions sans rater le dernier métro, ou le dernier tram, pour Charlottenburg. À une heure aussi tardive, les taxis étaient rares, et chers, alors que j'avais besoin d'économiser tout ce que je pouvais pour l'Amérique et que Karin n'avait pas d'argent. Ce soir-là, nous eûmes de la chance, nous attrapâmes le dernier U-Bahn qui nous amena presque à notre porte.

Nous nous dépêchions de parcourir sous la pluie les quelques rues séparant l'Uhlandstraße de la Giesebrecht-straße, quand Karin me demanda brusquement si je repensais parfois à nos étés à Sanssouci.

«Souvent!» Il pleuvait vraiment à verse.

«La lumière, dit-elle. C'est ce dont je me souviens. Je ne veux rien d'autre, Billy, rien que la lumière. En Allemagne, il n'y en a pas beaucoup. La lumière est une chose précieuse, en fait.

— D'où la beauté d'*el llano*», rétorquai-je.

Elle s'arrêta brusquement, et je fus bien obligé de l'imiter. Il n'y avait que nous dans la rue. Les trams retournés dormir dans leurs hangars, on n'entendait plus le grincement des roues d'acier sur le Kurfürstendamm, ni aucun autre bruit de circulation. Les fenêtres des immeubles étaient noires, la chaussée luisait sous la pluie. On aurait pu se croire seuls en vie dans ce coin de la ville. Et nous étions trempés jusqu'aux os.

Elle rapprocha son visage du mien. «Nous ne sommes plus des enfants, Buffalo Billy. Ce dont tu me parles est un rêve, un conte tissé par l'imagination d'un enfant, non?

— On va bientôt le savoir», lui promis-je.

MUSWELL HILL

Lettre manuscrite. Adressée au *capitaine H. Lange, camp d'Alexandra Palace, Londres*, cachet poste *Muswell Hill N10, 23:30, 19 décembre 1915*. Avec un ajout daté du 12 décembre 1955, signé des initiales E. McD. L (Eilín McDermott Lange). Archives Lange, 12 C-12-1988. Collections particulières, bibliothèque de l'Université McGill, Montréal.

———

19 décembre 1915

15 Dukes Avenue
Muswell Hill
Londres N10

Mein Liebster, je suis abattue et ne sais si je pourrai en supporter davantage. Londres est terrible pour nous, notre fils tousse depuis trois semaines. Tu dis qu'il faut partir pour... l'Irlande! Autrement dit chez mon père. Je ne peux pas vivre sous le même toit que cet homme, si tu savais ce qui s'est passé entre nous, tu n'y songerais même pas.

Lorsque ma mère était mourante, j'y suis retournée, chez lui, pour adoucir sa fin, à ma pauvre petite Mamaí, et mon forcené de père m'a embrassée d'une façon... Je préfère ne pas en parler. Alors ne dis pas que je devrais aller me réfugier chez lui. Je suis à bout, écrabouillée de tous les côtés... <u>Pourquoi</u> tu nous as abandonnés...

<u>Jamais envoyée!</u> E. McD. L 12.12.1955

Dès qu'un rayon de soleil transperçait le fog londonien, la ville baignait soudain dans une lumière argentée. On voyait partout le kaki des soldats, et le bleu des policiers. Les autres traits de couleur avaient la fulgurance et la violence d'un coup de baïonnette. Le cramoisi des décorations, l'écarlate des brassards des officiers. Le rouge crasseux familier des cabines téléphoniques et des autobus à impériale. Eilín et moi passions notre vie dans ces bus, ou à les attendre.

Je m'efforçais de la protéger, ou plutôt, je me figurais que je la protégeais. Dans les rues sales ou à bord des bus, je me tenais sur le qui-vive. Pour elle, je faisais marcher mon imagination. Parce que la ville me faisait peur. Je n'étais pas encore habitué à son grondement sourd.

Londres était peuplé d'hommes en uniforme. Au début, j'avais l'impression qu'ils nous menaçaient, puis peu à peu ils me parurent tout à fait ordinaires.

Les détenus d'Alexandra Palace avaient droit à une visite par mois. Vingt minutes. C'était cruel, mais aux premiers jours de la guerre, les Anglais, comme les autres, avaient oublié leur savoir-vivre. Les individus les plus bêtes, et les plus méchants, se retrouvaient soudain en situation de donner des ordres. Par la suite, une fois la bienséance revenue plus ou moins au goût du jour, la visite hebdomadaire devint la norme.

Surnommé «Ally Pally», le bâtiment avait un dôme prétentieux et des dimensions assez imposantes pour revendiquer le titre de palais, mais en vérité il ne fut jamais populaire comme lieu de divertissement et demeura un monument victorien planté au sommet d'une colline, trop vaste, trop sinistre et trop loin de Londres pour attirer les foules.

Désormais, il était cerné de barbelés et de patrouilles armées.

Buck fut parqué avec deux mille civils allemands, des hommes déjà plus tout jeunes qui avaient passé le plus clair de leur vie en Angleterre. Ils se nourrissaient de soupe, de viande de cheval et de pain qu'ils cuisaient eux-mêmes. La faim ne tuait personne, mais la pneumonie et les problèmes cardiaques, si. Sans parler des prisonniers que l'on retrouvait pendus. Et puis, au lendemain de l'armistice, des dizaines d'entre eux furent emportés par l'épidémie de grippe espagnole.

Ils dormaient dans un dortoir grand comme un hall de gare : deux mille hommes, sur des grabats de planches, sous des couvertures militaires, à grogner et à ronfler, à crier, en proie à des cauchemars.

Jusqu'à la fin de ses jours, mon père dormira avec les fenêtres ouvertes. Il pouvait geler à pierre fendre dehors, elles étaient toujours grandes ouvertes.

Après le premier hiver, les détenus furent autorisés à transformer un carré de terre en potager. Certains faisaient pousser des fleurs. Des disputes virulentes éclataient à propos des méthodes de plantation, de l'arrachage des mauvaises herbes, de l'usage des engrais. L'envie, la haine et la rancune échauffaient les esprits.

Une fois cette page de sa vie tournée, Buck détestera les jardins, surtout les potagers. La seule vue de plants de légumes alignés au cordeau l'angoissait, si elle ne le mettait pas carrément en rogne. Il pestait contre les jardiniers qui avaient la manie d'imposer un ordre artificiel à l'abondance naturelle.

Eilín et moi logions dans une pension de famille de Dukes Avenue, à Muswell Hill. Le quartier était proche d'Ally Pally, mais à des lieues des salons de thé des suffragettes d'Oxford Street où elle avait trouvé un job de serveuse.

À la rentrée, elle me mit en garde : je ne devais pas dire que mon père était emprisonné à Ally Pally. Curieusement, mes camarades, filles et garçons, semblaient être déjà au courant. Ils savaient aussi que j'avais un prénom allemand, puisque, en faisant l'appel le premier jour, la maîtresse aboya « Lange, Hermann » avec un faux accent guttural. J'étais en particulier le souffre-douleur d'un garçon qui s'appelait Albert Willspeed. En y repensant, il y a dans ce patronyme, Willspeed, un je-ne-sais-quoi d'étranger… sans doute germanique. Vilspied ? Ce serait assez logique, au fond, d'en faire un « crypto-boche ». Son père était peut-être aussi enfermé à Ally Pally, ou sur l'île de Man.

Albert Willspeed, ou Vilspied, ne se lassa jamais de me traiter d'Allemand. J'étais pour lui Herm le Germain, ou ce salopard de Boche. Parfois ses insultes sonnaient presque joyeusement, seulement elles ne désarmaient jamais, jour après jour. Mon père était un traître. Mon père allait être conduit devant un peloton d'exécution, ou pendu haut et court, et son cadavre jeté dans la Tamise, parce qu'il n'était pas question d'enfouir un traître dans la bonne terre d'Angleterre.

Ce garçon était une vraie teigne. Dans la cour de récréation, il fonçait vers moi, dès la première heure, me demander si j'avais aimé ma saucisse allemande au déjeuner. Il m'arrachait mon cartable et renversait mes livres par terre. Un de ses copains s'accroupissait derrière mes jambes, et lui me poussait si violemment que je faisais un vol plané sur le dos. Un jour, ils m'ont plaqué au sol et m'ont maintenu à deux ou à trois pendant qu'Albert me flanquait des coups de poing dans la figure. Ils en entraînaient parfois sept ou huit autres, filles et garçons, et m'encerclaient en criant à tue-tête : « Saucisse allemande ! Saucisse allemande ! » Ils se tenaient par le bras pour m'empêcher de m'échapper. Et inutile d'espérer secours ou sympathie du côté des grandes personnes. En tout cas, je ne m'en souviens pas, seulement de la vilaine tête de cette maîtresse qui, en se moquant de mon prénom, avait donné le coup d'envoi de ces persécutions.

Une femme du comité d'urgence des Quakers avait donc aidé ma mère à trouver ce job à l'Alan's, sur Oxford Street. Cet établissement servait seulement les femmes, et l'ambiance était plus paisible que dans un salon de thé A.B.C. ou au Lyons Corner House. Seulement, pour se rendre à Oxford Street depuis Muswell Hill, il fallait presque une heure de bus et de métro. Un soir, sur le trajet de retour, Eilín avait entendu dans le bus une jeune femme parler allemand à une autre plus âgée. À un moment donné, brusquement, une passagère s'était mise à les traiter de sales Boches en leur assenant une volée de coups avec son parapluie roulé.

Je l'attendais dans la cuisine blanc et noir de la pension de famille, où j'aidais la cuisinière à poser des tapettes à souris. La cuisinière en avait peur, moi, non. En revanche, nous n'étions ni l'un ni l'autre très rassurés par les rats.

Je revois Eilín perchée sur un tabouret devant le fourneau. Elle est encore en manteau et en chapeau, et elle tremble tout en décrivant les deux Allemandes s'accroupissant entre les sièges pour parer la dérouillée.

« Je n'ai jamais vu quelque chose d'aussi ignoble. C'était comme un combat de chiens, sauf que les Allemandes ne se défendaient pas, elles ne pouvaient pas, tout le monde regardait, mais personne n'a levé le petit doigt pour les secourir. »

C'est la première fois, me semble-t-il, que j'ai vu ma mère bouleversée.

Moi qui voulais tellement la protéger.

« Finalement, un soldat est intervenu, un Ozzy, un Australien… Il a arraché le parapluie des mains de cette harpie, l'a brisé sur son genou et en a jeté les deux morceaux par la fenêtre ! Oh ! mon petit Billy, soupira ma mère. Je sais que tu aurais fait pareil, ton père aussi.

— J'aurais fait pareil », dis-je en espérant la convaincre de mon audace et de ma bravoure. Sauf que, après ce qu'elle venait de me raconter, devant son désarroi et le sentiment d'être plongé en plein chaos dans cette grande ville, j'étais au bord des larmes.

En montant à Ally Pally les jours de visite, nous prenions le bus avec d'autres familles de détenus. Dès qu'ils relâchaient leur vigilance et se mettaient à parler entre eux allemand ou yiddish, Eilín les suppliait de se taire. S'ils continuaient malgré tout, nous nous écartions d'eux le plus possible. Il nous arrivait de descendre à l'arrêt suivant.

Dans la grande rue de Muswell Hill, sur le chemin de l'école, je me mis à marmonner tout bas un charabia allemand. Je ne parlais pas un mot de cette langue, mais les sons gutturaux et les voyelles qui me venaient naturellement à la bouche me paraissaient provocateurs et subversifs. En chuchotant ce sabir, j'entonnais des paroles magiques et m'accordais l'illusion, modeste et secrète, d'être intouchable. Je me forgeais une carapace verbale.

Un matin, alors qu'Eilín devait aller travailler dans le West End, je me réveillai avec un gros rhume. Elle ne voulait pas que j'aille à l'école, de crainte que la maîtresse ne me renvoie à la maison, mais la cuisinière, qui me «gardait» de temps à autre, n'était pas disponible, étant descendue dans le Somerset rendre visite à son frère, dont le fils avait été tué au front.

Ma mère décida que le mieux était que je passe la journée avec elle au salon de thé, assis à une table avec mes livres d'école, des crayons et du papier pour dessiner.

Nous montâmes dans son bus habituel, mais lorsque la contrôleuse arriva à notre hauteur, Eilín s'aperçut qu'elle n'avait pas assez d'argent pour nos deux tickets.

Cela lui ressemblait si peu. Elle m'avait houspillé pour que je sois prêt à l'heure. Peut-être avait-elle oublié son porte-monnaie. Ou bien elle n'avait tout simplement pas assez sur elle.

Dans les courants d'air noirs de fumée, sur la plateforme arrière du bus, cette contrôleuse qui n'était ni aussi gentille ni aussi jolie que Hamilton gronda ma mère: «Je vous prie de descendre au prochain arrêt! On fait pas la charité!»

Ma mère ne discuta pas. Elle se cramponna à la barre, ferma les yeux et les garda fermés dans le bus bringuebalant qui ronflait et fumait.

Elle ne songeait plus qu'à s'abstraire du froid, à se sauver à tire-d'aile de ce véhicule malodorant, à fuir l'attitude insultante de la contrôleuse… les parapluies des harpies… les clients de la pension de famille et du salon de thé… les gardiens et les détenus d'Ally Pally.

Ces vieux bus londoniens étaient glaciaux par les matins d'hiver, sans chauffage ni vitres aux fenêtres. L'impériale n'avait même pas de toit. Sur la plate-forme arrière, les tourbillons d'air avaient un goût de suie. Nous n'avions pas le droit de nous asseoir. Tous les regards étaient fixés sur nous. J'étais mort de honte. Ma mère se tenait à la barre, les yeux fermés, et se laissait secouer. Je voyais bien qu'elle m'avait exclu, moi, comme le reste du monde.

C'est alors qu'un jeune soldat s'approcha de nous. Même moi, je lui trouvais l'air jeune, pour un soldat. Joues roses sous képi kaki. Bandes molletières sur croquenots marron. Je me dressai de toute ma hauteur en serrant les poings. Je devais avoir l'air ridicule, «mignon» est le mot. Pathétique.

Le soldat paya nos tickets.

Le bus ralentissait avant l'arrêt. Je sentis ma mère prête à sauter de la plate-forme. Pas question de la laisser faire. Je la pris par la main, me saisis de la barre nickelée et tins bon. Elle n'allait pas descendre.

En deux tours de manivelle, la contrôleuse nous sortit deux tickets qu'elle nous tendit avec une moue railleuse.

Si je n'avais pas tenu cette barre de toutes mes forces, elle aurait bondi sur la chaussée, plongé dans la bousculade et disparu. Elle m'aurait abandonné. Elle l'aurait sans doute regretté quelques secondes plus tard, mais à cet instant, si j'avais lâché sa main, je l'aurais perdue dans les limbes urbains entre Muswell Hill et Highgate.

Au lieu de quoi, nous escaladâmes l'escalier en colimaçon de l'autobus. Dans la galerie découverte de l'impériale, il faisait un froid de gueux. Le jeune soldat nous y suivit et tenta d'engager la conversation. Eilín se montra glaciale. On lui avait appris à repousser les attentions des étrangers, même un geste de gentillesse dicté par la bonté, ou la pitié.

Il ne fut jamais question de ce qui s'était passé. Qu'y avait-il à dire, d'ailleurs? Elle ne m'avait pas abandonné, finalement. Nous nous en étions sortis.

Quelques semaines après notre arrivée à Londres, c'était un dimanche, nous sommes allés à Regent's Park admirer les roses tardives et la couleur des arbres en automne. Une tranchée de démonstration avait été creusée au milieu d'une pelouse. Ainsi les civils pouvaient voir les conditions de vie sur le front de leurs fils, maris, frères. Des guirlandes de barbelés serpentaient sur l'herbe. Un parapet élevé de sacs de sable fauves bordait la tranchée ponctuée de postes de guet en bois. Sous leurs pieds, les tommies avaient des caillebotis. Le tout bien propre et sec. Des pancartes expliquaient que le boyau était creusé en zigzag parce qu'en cas d'attaque, si la première ligne était soumise à un bombardement, il en restait une autre capable de contre-attaquer, empêchant ainsi les tirs ennemis en enfilade.

Cette tranchée étroite, propre, profonde, moi je la trouvai épatante. Londres était un monde beaucoup trop vaste et grand ouvert pour moi. Dans la cour de récréation de mon école de Muswell Hill, je me sentais exposé, vulnérable. Cette tranchée me paraissait un abri sûr où je pourrais faire ce que je voulais. J'avais très envie d'y descendre. À un bout, des marches en épinette du Canada dont s'élevait une forte odeur de résine y descendaient, justement. Je tirai Eilín par la main impatiemment, mais elle ne partageait pas mon enthousiasme. Je suppose qu'elle préférait ne pas risquer de salir ses bonnes chaussures ni sa robe. Mais, finalement, elle me donna la permission et je dévalai l'escalier, seul.

Espace exigu, clos, abrité, terreux. Était-ce l'image d'un tombeau qui me séduisait? Une partie de moi aspirait à terminer ma vie actuelle, du moins à quitter mon état d'écolier pour devenir un esprit. Invisible.

Comme elles étaient fraîches, à deux mètres de profondeur, ces parois de terre grossièrement consolidées de rondins! Des galeries et des abris individuels y avaient été aménagés, des «nids» confortables où les soldats pouvaient faire la sieste, ou se protéger des tirs. Cette tranchée aurait pu avoir été forée par des mammifères fouisseurs, des taupes ou des blaireaux géants d'une ingéniosité stupéfiante.

Du moment que je me tenais parfaitement immobile, j'étais intouchable. Cette impression de caverne tranquille me faisait tressaillir d'aise. Est-ce pour cette raison que je me rappelle les parois taillées dans les différentes strates sédimentaires, soulignées chacune par une couleur différente? La couche supérieure présentait un méli-mélo fascinant de racines jaunes et blanches. Venaient ensuite des bandes noires, brunes, rouges et grises, d'humus et d'argile striées de teintes plus claires, peut-être des traces de craie ou d'ossements. L'odeur que je respirais appartenait à un autre monde, c'était le parfum frais et enivrant de la terre.

Ce fut mon premier contact palpable avec la solitude, une émotion forte, voluptueuse, d'une intensité presque érotique.

Au cours de notre année à Londres, je ne vis mon père que quelques fois, juste au début. À la deuxième ou troisième visite, il me donna une maquette de bateau, un trois-mâts barque avec un nom – *LILITH* – écrit à sa proue et, à sa poupe, celui de son port d'attache, HAMBOURG.

Ma mère m'apprit par la suite, longtemps après, que ma présence au parloir le faisait souffrir. Il trouvait dégradant que je le voie mal habillé dans ce cadre sordide. Il lui était déjà assez pénible de subir ses visites à elle et de sentir peu à peu un gouffre se creuser entre eux. Elle lui semblait vivre sur un autre rythme, respirer un air autre que le sien. Comparée aux pâles détenus qui ne dormaient plus, ma mère devait paraître exaltée et entreprenante… vivante.

Il ne se rendait pas compte qu'elle aussi était affaiblie par la guerre et la séparation.

Et il ne supportait pas que je le voie sans défense. Après la fois où il m'avait donné le voilier, et où nous avions fini tous les trois en larmes quand je lui avais demandé pourquoi il avait peur des gardiens, qui n'étaient que des vieux messieurs, ma mère était montée seule à Ally Pally les jours de visite. Mon père ne voulait pas que je le voie en prisonnier. Il pensait que cela saperait mon énergie et m'empêcherait de réussir dans la vie.

Quelques détenus, dont lui, dans l'espoir de se fabriquer un coin à eux, tentèrent de construire des cabanes autour des lits. La direction du camp ordonna leur destruction.

Au salon de thé, Eilín ne gagnait pas assez, ni en salaire ni en pourboires, pour subvenir à nos besoins. Nous étions obligés d'avoir recours à la charité des Quakers. Nous allions parfois à leur soupe populaire. Une fois, ma grand-mère Constance nous envoya un jambon d'Irlande.

Puis la question de la pension fut réglée. C'était une modique somme d'argent allouée mensuellement par le gouvernement allemand aux familles des détenus civils. Elle nous serait versée via l'ambassade de Suisse. Même si ce n'était pas grand-chose, c'était quand même appréciable, et elle nous suivrait là où nous étions, plus avantageuse en dehors de Londres où la vie était chère.

Du moins était-ce l'argument de mon père. Il était le seul à souhaiter notre départ. Ma mère résistait. L'Irlande, c'était un retour auprès de son propre père, avec qui ses relations étaient orageuses.

Mon père la poussait à s'installer à Wychwood, chez sa mère, à seulement quelques kilomètres de la villa rouge de Strandhill où habitait mon grand-père McDermott. Mais elle n'avait jamais rencontré sa belle-mère, et Wychwood, quoique signifiant «grande maison» en gaélique et appartenant depuis plusieurs générations à une famille de nobliaux, était une bâtisse vétuste, sûrement glaciale et humide. Ma mère estima que ce séjour serait mauvais pour ma santé.

Quand elle revenait d'Ally Pally, elle était souvent distante, et cela m'effrayait. Parfois elle m'embrassait, si elle y pensait, mais elle n'y pensait pas toujours. Ce devait être au moment du désaccord de mes parents à propos de Sligo. Ma mère détestait être surprise en train de pleurer, ou en flagrant délit de vulnérabilité. Elle était énergique et efficace. Par moments, elle pouvait sembler dure, mais en réalité elle se sentait sans doute souvent au bord du désespoir. Elle tenait bon, mais il était quand même là, le désespoir, sous la surface, émergeant à la faveur d'un épisode de transition ou dans des lieux interchangeables comme les quais de gare ou de port.

Nous étions dans l'autobus quand elle me lança cette remarque : « Papa veut nous renvoyer dans la tourbière. »

Je n'avais rien compris à ce qu'elle me disait, mais cette expression « renvoyer dans la tourbière » m'est restée.

À ce stade, j'avais tout à fait perdu de vue mon père en tant que personne. À mes yeux, il n'était plus qu'un fantôme.

Buck avait réussi à se convaincre que le temps passerait plus vite pour elle comme pour lui s'ils n'avaient pas à le mesurer à l'aune de ses visites hebdomadaires. Et puis ce serait tellement meilleur marché à Sligo. Eilín ne serait pas obligée d'être serveuse dans un salon de thé. On ne manquerait de rien, là-bas en Irlande.

Vingt minutes l'un en face de l'autre, à se toucher le bout des doigts, mais pas davantage, à travers une vieille table dans un parloir où des dizaines d'inconnus faisaient exactement la même chose… ces « visites » devaient être révélatrices de l'effet de la guerre sur leur couple : elle les rendait de plus en plus étrangers l'un à l'autre. Des années plus tard, elle me raconta que, trois fois de suite, Buck n'avait fait que lui parler des oiseaux. Aucune intimité n'étant possible, il avait renoncé. Il en était arrivé au point où rien au-delà des barbelés du camp n'avait plus d'importance. C'était un des symptômes de ce qu'il appelait la maladie des barbelés, et cela la mettait hors d'elle. Après coup, elle avait honte. Ce n'était pas sa faute. Il était enfermé dans un monde crépusculaire peuplé d'Allemands et d'Autrichiens asthmatiques, ronfleurs et râleurs. Sensible comme tout bon marin au ciel, à la météo, à la brise – aux immensités azur –, il était devenu obsédé par la vie insouciante, libre et joyeuse des oiseaux anglais.

Je détestais mes maîtres d'école railleurs et rêvais de noyer Albert Willspeed dans l'étang de Hampstead Heath. Si j'avais croisé son chemin dans le parc, je crois que j'aurais essayé. Qu'aurais-je fait lorsqu'il se serait mis à crier et à appeler au secours ? L'aurais-je sorti de l'eau ? Je n'aurais jamais laissé un animal, même un canard (!) se noyer. Mettons que je sauve la vie de cet avorton d'Albert, je serais un héros, même si c'était moi qui l'avais poussé. On me donnerait peut-être une médaille de secourisme.

———·—

Eilín finit par comprendre que notre proximité (la pension de famille était à moins de deux kilomètres d'Ally Pally), plutôt qu'un réconfort, était pour mon père un supplice. Il avait des rêves – des cauchemars – où le temps s'était arrêté. Il lui raconta qu'aux pires moments, il se prenait à noter et à mesurer chaque minute.

La maladie des barbelés.

Aussi finit-elle par accepter de quitter Londres pour l'Irlande.

En Irlande, il y aurait du jambon, du lait frais et des pommes de terre. Nous pourrions y recevoir la pension. Eilín détestait la promiscuité de notre logis, cette table d'hôte où elle était obligée de manger avec les autres. Le pasteur gallois souffreteux, le révérend Powell, qui essayait toujours de s'asseoir à côté d'elle. Il avait les doigts jaunes, l'un d'eux orné d'un rubis.

Je prenais mon repas du soir à la salle à manger, avec tout le monde, mais Eilín montait souvent son plateau dans sa chambre. Un privilège ; notre logeuse avait la hantise des miettes et des souris, ces rongeurs étant le fléau des pensions de famille du nord de Londres. Mais comme la cuisinière aimait bien ma mère, elle lui permettait de manger à l'étage, seule.

Dans mon esprit, l'Irlande se confondait plus ou moins avec l'île de Wight. L'impression que nous allions rentrer à Sanssouci s'estompa cependant à mesure que le départ approchait et que «l'Irlande» se révélait être tout autre chose. Cela dit, c'était une île et j'aimais les îles. Et puis j'y serais loin d'Albert Willspeed.

Partir pour Sligo revenait à s'endormir jusqu'à la fin de la guerre. Du moins, c'est ce qu'espéraient mes parents.

«Les Irlandais ne sont pas en colère, m'assura Eilín. Ils ne détestent pas les Boches.

— On n'est pas des Boches.

— Personne ne l'est. C'est une façon de parler. Tu vas avoir une nouvelle école, et un poney.»

Le premier versement de la pension tardant, nos dernières semaines à Londres furent éprouvantes. Nous avons vécu sur le salaire et les pourboires d'Alan's Tea Rooms, que complétèrent quelques dons des Quakers. Nous comptions notre argent sur le couvre-lit de chenille blanc. Elle n'avait jamais de billet, seulement des pièces – des shillings, des demi-souverains, de temps en temps une couronne. On les lavait. Dans un bocal, on les ébouillantait, on ajoutait à l'eau une goutte d'ammoniaque et on remuait. Ensuite on filtrait, puis on renversait les pièces sur une serviette pour qu'elles sèchent. L'argent à Londres était dégoûtant, disait-elle. Elle préférait que je me charge de compter.

Comme nous n'avions pas de quoi payer deux billets pour l'Irlande, il fallut mettre quelques objets et les chaussures cousues main de mon père en gage chez un vieux Juif allemand dont le fils anarchiste était lui aussi interné à Ally Pally. Eilín mit au clou son alliance. Nous avions assez pour prendre le train et le ferry.

Avant notre départ, il y eut un raid de zeppelin sur Londres.

Cela commença par un énorme tapage dans les rues qui me réveilla. On aurait dit une foule poussant des hourras. Je me levai et allai la fenêtre, encore à moitié endormi. Ma mère se leva une seconde plus tard, s'enveloppa dans son châle en laine et me rejoignit, l'air complètement abruti – elle travaillait dur et dormait peu, d'autant qu'elle devait partager son lit avec moi, je m'agitais dans mon sommeil et donnais des coups de pied.

Debout à la fenêtre, mon petit voilier, *Lilith*, serré contre moi, je levai les yeux vers le ciel en flammes. Un chasseur venait de tirer des balles incendiaires dans le dirigeable, gigantesque panse en feu qui dodelinait d'un côté et de l'autre en lâchant des grappes de matière embrasée pareilles à des gouttes de cire fondue tombant d'une bougie. Dès que je compris que c'était un zeppelin, je sus que les membres d'équipage allaient tous mourir ; c'est pourquoi le spectacle nous fascinait autant. Les hommes se mirent à sauter, minuscules points incandescents, tel un feu de braises crépitant dans l'espace, des points de mort orange bombardant le sol.

Le souvenir que je garde de cette nuit aurait pu être celui d'un rêve. Si ma mère ne m'en avait pas reparlé jusqu'à l'heure de sa propre mort, j'aurais pu croire cette scène appartenir au monde des songes. Pourtant, c'est vraiment arrivé, et nous étions là pour le voir.

Ce zeppelin échoua dans un champ à Potters Bar, dans le Hertfordshire. Tous les hommes d'équipage avaient déjà accompli le saut de la mort.

Des aviateurs en flammes, des cascades de feu. La puanteur du pot de chambre à la pension de Muswell Hill. La ronde et les insultes des enfants autour de moi dans la cour de récréation. Mon *Lilith*. L'hiver londonien froid et sombre. L'odeur de la tranchée ouverte dans la terre de Regent's Park, le visage pâle de mon père prisonnier, ses mains blanches sur la table du parloir. Tout est là. Toute ma guerre.

1938

En abordant la petite rue où elle habitait, nous étions épuisés par la pluie glacée, la danse, la musique jubilatoire du jazz de Kansas City, le long trajet par le dernier U-Bahn et la marche interminable sous l'averse depuis la Uhlandstraße. Les nerfs à fleur de peau à cause de nos doutes, de nos craintes, de nos rêves d'Amérique, et parce qu'un jour, bientôt, nous allions être parents.

J'aperçus un tas sur le trottoir, devant son immeuble. Un instant, je crus qu'il y avait eu un accident de voiture, puis j'identifiai une machine à écrire en équilibre instable sur un bureau de style Bauhaus.

Ses affaires, ses vêtements, tout avait été entassé pêle-mêle. Elle ne possédait pas grand-chose, pourtant ça faisait une bonne pile. Et tout était trempé.

« Les Beckmann…

— C'est même pas la peine d'y penser ! dit-elle. Les tableaux ont disparu. »

En effet. Avaient-ils été détruits au titre d'art dégénéré, ou quelqu'un s'en était-il emparé, sachant qu'ils se vendraient un bon prix à Amsterdam ou à Paris ?

Toujours est-il que le spectacle offert par ce monticule hétéroclite qui s'imbibait d'eau était aussi repoussant que celui d'un amas de tôle froissée ensanglantée.

« Il ne te reste plus qu'à nous trouver une chambre d'hôtel. » Elle tira du tas une valise en cuir où elle se mit à jeter des vêtements mouillés. « Demain, nous irons à Francfort. J'irai en Amérique. Je m'en fiche de tous ces machins. Ma montagne de merde ! Sauf les toiles, mais elles n'y sont pas. Cela n'a rien d'étonnant. Bon, on fait une croix dessus, on n'a qu'à les oublier une bonne fois pour toutes. On pleure moins quand on n'en parle pas. »

Une fois la valise pleine, elle la ferma.

Je récupérai mon sac à dos dans le tas.

« Et le reste ?…

— Qu'ils gardent tout ! Si je pouvais y flanquer le feu, je n'hésiterais pas. »

Elle avait vécu dix ans dans cet immeuble. Qu'avaient pensé ses voisins, en sortant promener leur caniche, à la vue de toutes ses affaires échouées sur le trottoir ? Sans doute étaient-ils remontés en toute hâte se barricader chez eux, porte fermée à double tour et chaîne mise.

Je dépensai tout ce que j'avais dans mon portefeuille en taxi pour Unter den Linden et une chambre à l'hôtel Adlon. Je n'étais jamais descendu dans un établissement aussi luxueux, mais le concierge ne nous demanda pas si nous étions mariés, ou si elle était juive, et notre chambre avait une salle de bains privée. Karin prit un bain. Nous nous endormîmes, sitôt la tête sur l'oreiller, dans l'immense lit douillet.

LA MER D'IRLANDE

Lettre manuscrite. *Eilín McDermott Lange à Heinrich Lange* («Buck»), adressée *Capt H Lange, camp d'Alexandra Palace, Londres N10*, cachet poste *Sligo, 15 mai 1916*. Archives Lange. 12 C-05-1916. Collections particulières, bibliothèque de l'Université McGill, Montréal.

———

12 mai
STRANDHILL, SLIGO

Mein Liebster,

Nous sommes installés à la maison rouge avec père.

Pendant la traversée, Billy et moi avons été malades. Je suis sortie sur le pont et j'ai humé la terre d'Irlande. En arrivant à Kingstown, il avait une fièvre épouvantable. Ne sachant pas quoi faire d'autre, j'ai supplié un charretier de nous conduire chez les Sœurs de Loreto dans l'espoir qu'elles lui cèdent un lit. Les sœurs, bénies soient-elles, nous ont tous les deux recueillis, mon ancienne tutrice mère Power l'a soigné une semaine; c'était la scarlatine mais il est totalement guéri. Je n'ai pas voulu t'écrire tant que je n'étais pas en mesure d'affirmer qu'il allait tout à fait bien. Maintenant, je peux te le dire.

C'était un drôle de retour en Irlande. À Dublin, nous avons vu Sackville Street en ruine, des immeubles détruits, la Poste centrale ravagée, une odeur de suie partout[1]. Billy a déjà eu sa dose de guerre. Je ne veux pas qu'il en subisse davantage. Il m'interroge encore sur l'équipage du zeppelin. Sont-ils morts... oui. Ont-ils brûlé vifs... oui. Est-ce que quelqu'un les a secourus... je ne sais pas. Est-ce que l'enfer ressemble à ça... je ne sais pas.

Père est disposé à nous héberger, mais son cabinet d'avocat ne va pas fort : boudé par les gros propriétaires depuis qu'il milite contre la conscription. À Strandhill, il vaut mieux éviter de parler de la guerre si on ne veut pas l'entendre fulminer contre la situation, le recrutement des Irlandais esclaves des Anglais, etc. La vie de la maisonnée est rythmée par les volontés et les caprices de Monsieur mon Père, qui est aussi un tyran domestique, mes sœurs filent doux, les malheureuses. Je ne suis pas sûre de tenir sous le même toit. Voilà, c'est dit. Je me force, pour Billy, mais je n'y arriverai peut-être pas. Ici mon esprit s'étiole. Père aussi semble mal me supporter, l'eau et l'huile ne font pas bon ménage, même s'il ne veut pas l'admettre. Il est la Grande-Bretagne et moi, l'Irlande. Il est le vice-roi et moi, le vent de rébellion. Hier soir, je lui ai dit le fond de ma pensée

---

1. Après l'insurrection de Pâques, appelée les « Pâques sanglantes ». (*Toutes les notes sont de la traductrice.*)

(c'était stupide mais au bout d'une semaine de sermons, d'ordres et de lubies diverses et variées, j'en avais par-dessus la tête)... Il a cru que je me moquais de sa foi républicaine et que j'insultais la mémoire sacrée des martyrs Fenian qui plus est !! Je n'étais pas une bonne Irlandaise, il m'a traitée de traîtresse.

Je lui ai dit : C'est comme ça que les Anglais ont appelé ceux qu'ils ont fusillés, crois-tu qu'on devrait me fusiller ? Il a répliqué que ce n'était même pas la peine de discuter avec moi parce que ce que je racontais n'avait ni queue ni tête.

Et pourtant... Pourtant, les pauvres paysans de ce pays le vénèrent comme leur porte-parole. Certains, en tout cas, pas tous. Sa petite bonne, par exemple, le trouve dur comme patron. Il veut à tout prix aider les paysans et les fermiers à regagner ce que les propriétaires terriens leur ont volé, c'est pour cela qu'ils l'adorent, mais ils ne peuvent pas le payer.

Mes sœurs sont enchantées que nous soyons là et sont aux petits soins pour notre fils qu'elles entourent de tendresse.

C'est incroyable d'y penser maintenant, mais quand nous étions petites, nous descendions à Strandhill quand il faisait beau, père, ma pauvre petite mère et nous trois. Père nous aidait à faire des châteaux de sable. Il ôtait ses bottes et nous soulevait au-dessus des vagues pour que nous puissions battre des pieds dans l'écume. Et aujourd'hui le voilà si têtu et renfermé, hors d'atteinte. Des discours et de la haine, il n'a plus que ça dans la tête, il ne laisse filtrer aucune autre émotion.

Je lui ai demandé : Quand es-tu allé au bord de la mer récemment ?

Il m'a regardée comme si je racontais n'importe quoi.

J'ai insisté : Organise une sortie en famille, tous ensemble, on prend des sandwichs et on part pour la journée. Tu disais autrefois que Strandhill était le plus beau pays du monde.

Il a secoué la tête, comme si je parlais le néerlandais ou que j'émettais des borborygmes.

Je lui ai dit : Tu te rappelles pas quand tu roulais le bas de ton pantalon et que tu marchais dans les vagues, on te voyait au loin, tout petit sur la grève, on ne comprenait pas comment tu avais pu devenir aussi petit.

Père : Je n'ai pas le temps pour ce genre de chose.

Il s'attend à/souhaite que l'Allemagne gagne la guerre. Il m'a demandé si tu as organisé des protestations dans le camp. Il dit que vous devriez entamer une grève de la faim. Il est pour fabriquer des martyrs. Ne fais surtout pas cette bêtise. Mange le mieux et le plus possible, pense à ton fils, tu dois garder tes forces. Un jour la guerre sera finie et il aura besoin de son père. Tu devras lui apprendre ce que tu sais sur le vent, les

marées, les étoiles, la navigation au près
serré, les haubans, les étais, le grand hunier
et tout ce dont je ne me souviens pas, il
deviendra un homme guidé par ta main sûre
et douce, ton sens du devoir et ta conscience.
Mon père est un patriote, mais il n'est pas à
sa place dans ce monde. Maigre comme un
coucou, solitaire comme un héron. Il envoie
des lettres sulfureuses au <u>Sligo Champion</u> et
je suis prête à parier qu'il aimerait se trouver
lui-même condamné à mort à la prison de
Kilmainham. Il en a peut-être assez de vivre
et refuse de l'admettre. Sa colère — contre les
Britanniques, les partisans de John Redmond
à la Chambre des communes, les éleveurs de
bétail, les recruteurs, les grands propriétaires
terriens anglais — retombe aussi sur mes
sœurs, la petite bonne et moi-même. La
fureur lui sert d'écran de fumée pour mieux se
cacher. Le seul à qui il manifeste une certaine
douceur est Billy.

Jeudi, nous sommes descendus à pied, le
petit et moi, nous promener le long de la grève
de Kilaspugrone, et j'ai bien failli m'envoler
<u>dans ce vent fou, ce vent qui décrasse, qui
lave au moins la suie de Londres de mes
pores.</u> Mais c'était un vent chaud, chaud
et humide. À part deux femmes au loin
ramassant du varech dans un chariot, il n'y
avait pas âme qui vive sur cette verte étendue
du bout du monde.

J'ai dit au petit que j'allais me déshabiller
pour prendre un bain de mer et que, s'il était

131

gêné de me voir nue, il n'avait qu'à marcher jusqu'aux cueilleuses d'algues et ne pas se retourner mais que j'étais sa mère, c'était la plage où je me baignais petite fille, c'étaient mes vagues, et il était normal que je m'y baigne de nouveau.

Il m'a regardée d'un air très grave et a répondu: Tu aurais dû apporter ton maillot de bain.

— Eh bien, je n'y ai pas pensé.

Puis il a ajouté qu'il n'avait pas peur, pas du tout, lui aussi allait se baigner, sauf que lui n'enlèverait pas ses habits.

J'ai expliqué: La mer ici n'est pas comme celle à laquelle tu es habitué sur notre île, elle est beaucoup plus forte.

Je sais, a-t-il dit, mais j'ai pas peur parce que tu laisseras rien m'arriver.

Il a ôté ses chaussures et ses chaussettes, son chandail et son tricot de corps, puis est descendu au bord de l'eau, et s'est mis à faire des ricochets avec des galets sur le dos des vagues, comme mes sœurs et moi autrefois. J'ai calé mes vêtements avec des bouts de bois et j'ai couru plonger dans les rouleaux.

Le petit m'a couru après et s'est jeté en bondissant dans les vagues, très audacieux... On criait tous les deux... de joie, je crois. De se sentir propre. La seule chose qui nous manquait, c'était toi.

Je suis allée deux fois à Wychwood rendre visite à ta mère. La maison tombe en ruine, comme tu me l'avais dit, horriblement

132

humide. Elle dit qu'elle a beaucoup de place, mais les chambres sont presque toutes inhabitables. J'ai l'impression que ta mère ne <u>voit</u> pas dans quel état de dégradation est sa maison. Autant que je sache, elle n'a aucun revenu autre que les misérables loyers que quelques fermiers veulent bien encore lui verser. Sa bonne gagne quelques shillings en vendant des œufs les jours de marché et elle raconte que certains anciens fermiers lui déposent du lard, des pommes, des pommes de terre, du lait, etc., non par devoir, mais par pitié. De nombreux fermiers dans ce coin du pays ont cessé de payer. S'ils payaient, le Sinn Féin pourrait leur causer des ennuis.

Ta mère monte chaque jour Clip, le vieux cheval avec lequel elle chassait à courre. Mon père dit qu'un « Shinner[1] » pourrait bien un beau matin l'abattre de derrière une haie.

Il faut maintenant que j'aille au bureau de poste voir si la pension est arrivée.

Les minoteries de Derry embauchent des auxiliaires temporaires, j'irai peut-être là-bas, mais je laisserai notre fils ici avec mon père et mes sœurs, je ne veux pas qu'il respire l'air vicié d'une ville comme Derry, pauvre petite âme.

Ich liebe dich,
E.

---

1. Un partisan de la lutte armée prônée par le Sinn Féin.

Je me souviens, à bord du train, au départ de la gare d'Euston, des tasses de thé fumantes et des couloirs bondés de soldats en kaki. La fenêtre sale de notre compartiment de troisième classe brouillait le paysage de brumes crasseuses et laides. Mais, pendant que le convoi traversait en cahotant l'Angleterre et le pays de Galles, j'étais captivé par ce qui défilait de l'autre côté de la vitre : non par la campagne ou la ville, mais par le chemin de fer lui-même. Ces rails d'acier qui s'étiraient comme des rubans sur le ballast nivelé. Les solides tranchées, les tunnels revêtus de briques, les robustes ponts ferroviaires. Les gracieux et verts méandres des remblais, la perfection du nivellement, tout cela me fascinait. On aurait dit l'œuvre titanesque d'ingénieuses créatures extraterrestres. Tailler une voie ferrée à travers une campagne vallonnée aux reliefs aussi variés, à travers des centres urbains aussi denses, tout en gardant la ligne vivante… ça ronflait, ça respirait, c'était merveilleux… j'en avais le souffle coupé. Je fus aux anges tout le voyage. Il se trouvait aussi que j'incubais la scarlatine, ce qui n'était sans doute pas étranger à mon état d'exaltation.

Le rail m'apparut comme une chose immense et magnifique. Avant de quitter Londres, je n'aurais jamais imaginé pareil prodige. Un jouet mécanique géant, fantastique, ou bien une bête puissante arpentant sans entraves le territoire à longues foulées.

Je n'en revenais pas que des gens aient pu construire et faire marcher quelque chose d'aussi complexe. Je me sentais tellement fier d'être un être humain.

Il n'y avait pas que la fièvre qui jouait, mais aussi le soulagement de me savoir de plus en plus loin de la mesquinerie terrifiante de Muswell Hill, de mes horribles camarades de classe et de ce sobriquet qui m'écorchait vif, Herm le Germain.

En Irlande, il leur faudrait m'inventer un nouveau surnom.

À cette époque, ma mère relevait ses cheveux bruns en un chignon qui dégageait son cou de cygne. Dans le train, on restait tous les deux à l'écart. On ne parlait à des inconnus que lorsqu'on ne pouvait pas faire autrement.

À Holyhead, nous embarquâmes à bord d'un vapeur pour Dublin. Mon premier voyage en mer, à moins de compter les trajets en bac entre Southampton et Ryde, sur l'île de Wight.

La traversée de la mer d'Irlande avec ma mère ne peut être comparée avec le voyage *in utero* de Buck autour du cap Horn, n'est-ce pas? Pourtant, on ne manquait pas d'audace. Elle, en tout cas. Eilín, vingt-six ans, voyageant avec son fils de sept ans, et cela m'étonnerait qu'elle ait eu plus de six shillings dans son porte-monnaie. Nous allions en Irlande attendre la fin de la guerre, si jamais elle se décidait à finir un jour. Elle avait écrit à son père pour lui demander s'il voulait bien l'accueillir et n'avait reçu aucune réponse. Après les funérailles de sa mère, elle était partie du domicile paternel en jurant qu'elle ne reviendrait plus.

C'était un pari.

Une mère et son fils. Le pont du Hibernia. *La mer d'Irlande, 1916.*

Nous avions eu une heure de soleil sur le pont avant de nous enfoncer dans le brouillard. Je sens encore sa main serrant la mienne, fort. Un vent froid soulevait sa chevelure.

J'eus soudain peur qu'elle escalade la rambarde et saute.

Peut-être n'était-ce pas du tout son intention. Je me faisais des idées. Sans doute la fièvre me faisait-elle délirer.

Peut-être mon effroi puisait-il ses racines dans le sentiment étrange et terrifiant que nous avions largué nos amarres, que nous voguions sur les vagues du grand large, que nous étions perdus.

Après tout, quelle sorte de femme se jette à la mer en tenant son petit garçon par la main?

Quelle sorte de femme songe à sauter d'un bus dans les encombrements de Londres en abandonnant son fils?

Une femme sans un sou en temps de guerre. Une femme dont la seule perspective est l'épreuve de l'exil. Une femme qui décèle dans les cernes rouges et la voix rauque de son fils les premiers symptômes d'une maladie parfois mortelle. Une femme dont le mari est prisonnier et dont le père est un tyran. Une femme au bout du rouleau.

La pension promise n'arrivait toujours pas. Aucun présage n'était de bon augure. Tête nue au vent, il lui est peut-être apparu que le seul moyen d'échapper à la honte était d'escalader le bastingage et, vite, avant qu'on puisse l'en empêcher, de sauter par-dessus bord.

A-t-elle envisagé de me prendre dans ses bras pour m'emmener avec elle dans l'au-delà?

Il est possible que oui, un instant, et c'est peut-être cette pensée justement qui l'a arrêtée. Elle était prête à en finir avec la vie, la sienne, mais pas la mienne. Et si elle disparaissait seule, que deviendrais-je? Orphelin.

Orphelin à Dublin? Ils me confieraient à mon grand-père Joseph McDermott. Elle ne voulait pas que son père élève son fils.

Avril 1916. Sa garde-robe a été presque entièrement mise au clou. Elle porte son ensemble gris dont le gilet boutonné souligne sa taille. Corsage blanc, bas en fil d'Écosse, bottines. Le chapeau qu'elle a laissé à l'intérieur, sur une banquette de la cabine de troisième classe, est un de ces chefs-d'œuvre de modiste, insensé, fabuleux, à la mode avant la guerre. On aurait pu y baigner un bébé. Elle l'avait acheté pour les réceptions en plein air qui concluaient les régates. Elle avait mis en gage son alliance, mais pas son chapeau. La bague rapportait sans doute plus, et elle estimait probablement avoir davantage usage de ce dernier. Ce splendide chapeau lui donnait, du moins de son point de vue, l'air d'une femme de courage, d'esprit et de goût. Une femme qui depuis son plus jeune âge est consciente que la vie peut, doit être une aventure. Un bien précieux à ne pas jeter par les fenêtres.

Le navire pénétra une nappe de brouillard. Le soleil s'éteignit d'un seul coup, comme si quelqu'un avait appuyé sur un interrupteur. Nous regagnâmes notre cabine et je m'endormis, la tête sur ses genoux.

Le soir venu, dans la lumière nacrée de Kingstown, Eilín McDermott Lange et son fils Billy, alias Herm le Germain, descendirent la passerelle en traînant leur bagage (minimal). Des retrouvailles qui avaient peut-être pour elle un arrière-goût d'exil. Une fois sur le quai, elle posa sa main sur mon épaule. Nous voilà tous les deux hésitant sur le seuil de son pays natal, tels des enfants qui après avoir couru sous le soleil vers les eaux fraîches d'un étang n'osent pas s'y plonger, de crainte que des créatures invisibles ne s'agitent sous la surface.

Tout ce que je vous raconte tenant en partie du rêve, ne vous y fiez surtout pas.

Cependant, j'ai la mémoire des dates, à un point inquiétant, d'ailleurs. C'était le samedi 22 avril 1916. Il était environ six heures du soir. Le samedi avant Pâques. Aux quatre coins du pays, des bandes de Volontaires, les nationalistes irlandais, discutaient pour savoir s'ils allaient mettre à exécution leur plan d'insurrection prévu pour le lundi de Pâques, mais bien entendu, nous n'en savions rien.

Et puis, là, sur le quai, je me suis évanoui. Mon corps en a eu assez de la station debout, je suis tombé comme une pierre. J'étais brûlant de fièvre, il fallait me trouver un lit quelque part, le plus vite possible. Un charretier voulut bien nous emmener, gracieusement, au couvent des Sœurs de Loreto, à Rathfarnham, où Eilín avait jadis été pensionnaire. Les religieuses nous recueillirent, nous passâmes deux semaines avec elles, en quarantaine à l'infirmerie, pendant que les insurgés occupaient les bâtiments stratégiques de Dublin. L'armée britannique amena l'artillerie lourde pour les obliger à capituler et démolit ainsi une bonne partie de la ville. Je n'ai pas entendu le bruit des bombardements. Une sœur aux joues roses me donnait à manger, me faisait prendre des bains, surveillait ma température, qui montait et descendait vertigineusement. Je me souviens de la texture rugueuse d'une couverture de la Compagnie de la baie d'Hudson et du spectacle du vol des nuages au-dessus de montagnes à travers la fenêtre.

Eilín devait être en contact avec ma grand-mère, parce que dès que je fus assez fort pour voyager, un vieil admirateur de Constance, sir Charles Butler, vint nous chercher pour nous conduire à la gare d'Amiens Street.

Charlie Butler était un hobereau anglo-irlandais, propriétaire d'une célèbre écurie de chevaux de course appelée Knockmealdown Stud. Les jambes arquées, le visage rougeaud, il arborait avec le même panache une moustache blanche et une humeur joyeuse et bon enfant. C'était la première fois que je montais dans une automobile. Dans le centre de Dublin, nous sommes passés devant la Poste centrale, qui avait été occupée par les insurgés pendant près d'une semaine. Le bâtiment n'était plus qu'une coquille vide, et O'Connell Street – à l'époque Sackville Street –, un amas de décombres. Les meneurs étaient enfermés dans la prison de Kilmainham. Charlie Butler nous apprit qu'ils allaient tous être fusillés, même les femmes.

Dans Dublin en ruine, le tumulte de voitures à chevaux et d'automobiles était extraordinaire. J'aperçus des jeunes garçons fouillant des monticules de gravats sous le nez des soldats qui les ignoraient. Les décombres avaient une odeur particulière, déplaisante – à la fois de poussière et d'humidité, avec en plus quelque chose de gluant et de suave, on aurait dit des relents de banane pourrie. Comme Eilín avait peur pour mes poumons dans cette poussière, elle me noua un mouchoir autour de la bouche et du nez.

Elle essayait de ne pas se mêler des passions et de la haine que la guerre avait déchaînées, pourtant la capitale de son pays était détruite, et les gens autour de nous ne parlaient que des prisonniers et des exécutions.

Charlie Butler prit un porteur pour hisser nos valises à bord du train postal pour Sligo. Nous lui serrâmes la main et, à ma stupéfaction, il m'offrit un souverain.

«Alors, Billy, mon ami, tu n'as encore jamais vu ta grand-mère, je crois?

— Non.

— Eh bien, tu vas bientôt avoir cette chance. Ta grand-maman a franchi le cap Horn à dix-neuf ans, avec un bébé dans son ventre, ce bébé était ton père.

— Je sais.

— Quand tu la verras, n'oublie pas ceci : elle aime les gars qui n'ont pas froid aux yeux. Elle aime ceux qui n'ont pas peur de faire le plongeon. Alors il faut pas que tu hésites, tu t'approches d'elle et tu lui donnes un premier baiser en lui disant que c'est de ta part. Ensuite tu lui en donnes un deuxième, de la part du vieux Charlie Butler à la plus belle femme d'Irlande. Tu le feras, chiche ?

— Oui.

— Tu es un as. »

Le souverain[1] représentait une progression géométrique de notre fortune. Eilín me le réclama à peine nos sièges trouvés. Pendant le voyage, nous fîmes honneur au somptueux panier de pique-nique que Charlie Butler avait fait préparer à notre intention par la cuisine de son club de Kildare Street. Après le régime de soupes et de toasts auquel j'avais été astreint au couvent, j'étais affamé. À Muswell Hill, on nous servait de maigres rations d'une fraîcheur douteuse, dont la fadeur un peu rance restera pour moi le goût de la guerre. Si bien que ce festin à bord du train postal irlandais – des sandwichs au jambon, des biscuits, du chocolat et même une orange, avec une citronnade pour moi et une bouteille de bière pour ma mère – me parut délicieux, copieux, du jamais vu.

Eilín n'avait pas envoyé de télégramme pour annoncer notre venue, sans doute en raison du coût, de sorte

---

1. D'une valeur de vingt shillings.

qu'il n'y avait personne pour nous accueillir à notre descente du train. Par bonheur, le chef de gare la reconnut.

« Vous êtes la fille de notre grand homme. Vous êtes l'Allemande.

— Pas du tout. Mais je suis mariée à l'Allemand. » Elle le fixa sévèrement, le mettant au défi de nous traiter de Boches. Il s'en garda bien. Il héla un fermier venu réceptionner un chargement de bidons de lait vides et lui demanda de nous emmener à Strandhill dans sa carriole irlandaise.

Au bout de trois kilomètres environ, sur la route qui longeait la mer, la carriole s'arrêta devant une villa rouge. Je vis un portail en fer forgé, une écurie en briques et un petit hangar qui avait l'air de pointer la tête sur le côté de la maison, laquelle était pourvue, en plus, d'une tour. J'espérais que cela signifiait que c'était un château.

La maison rouge était en fait une villa de banlieue datant de 1880. Mon grand-père l'avait achetée aux Pollexfen, la famille maternelle du poète W.B. Yeats. C'était là que ma mère et ses deux sœurs cadettes, Kate et Frances, avaient grandi. Toutes les trois avaient été envoyées en pension chez les Sœurs de Loreto, à Rathfarnham, et n'étaient revenues à Strandhill qu'au moment où leur mère était en train de mourir.

Quand il était encore célibataire, mon grand-père avait passé un été à apprendre le gaélique sur l'île d'Inishmore, où l'on s'exprimait encore exclusivement en irlandais. Là-bas, il avait séduit la fille d'un pêcheur, Noirín Flaherty, âgée de seize ans. Elle portait le costume traditionnel des femmes d'Inishmore, une cape rouge et des chaussons en peau de vache. Elle n'avait jamais dormi ailleurs que sur son île, jusqu'au jour où mon grand-père, sous la menace des frères de la jeune personne, l'épousa et la ramena à Sligo, où ma mère naquit sept mois et demi plus tard.

Noirín ne se remit jamais d'avoir quitté sa chère île et mourut à l'âge de trente-cinq ans, laissant Eilín et ses petites sœurs orphelines.

Quand elle était très vieille, ma mère répétait toujours que son père n'avait jamais aimé sa mère, il était tombé amoureux de son magnifique irlandais. Il avait exigé que ses filles s'expriment dans cette langue à la maison, même si, dans la ville de Sligo, on ne parlait en principe que l'anglais.

Nous étions donc assis dans la carriole irlandaise, Eilín et moi, l'un en face de l'autre. Elle avait épinglé une espèce de voilette imperméable sur son chapeau. Moi, j'étais déjà trempé. Je levai les yeux vers la maison, mais ma mère lui tournait le dos, comme si elle refusait de la regarder, même quand le fermier l'aida à descendre de voiture et se chargea de nos valises.

Sur Strandhill Road, sous l'averse, son indépendance et sa vie de femme mariée durent lui sembler horriblement lointaines, la vie d'une autre.

À travers le rideau de pluie, j'observe son visage sous le prodigieux chapeau. Je ne suis même pas certain qu'elle me voie. Elle tourne sur son doigt son alliance qui n'est plus là. Elle voudrait récupérer la vie qu'elle s'est construite en quittant Sligo, sa situation en Allemagne, son mariage. Tout ce qui fait son couple, la présence d'un compagnon. Elle voudrait que mon père fasse partie de son histoire, hélas! il s'est absenté du récit, du moins il est devenu mutique. Il regarde les oiseaux battre des ailes au-dessus des barbelés d'Ally Pally. Pendant un an, elle avait franchi cette enceinte chaque mois, puis chaque semaine, pour de brèves visites. Elle avait servi le thé à des suffragettes de renom. Elle avait essayé de persuader son fils que les étincelles dans le ciel nocturne de Londres n'étaient pas des êtres humains en feu. Elle avait échoué sur les rives de son pays natal avec un petit garçon brûlant de fièvre et à peine assez d'argent pour un billet de train. Elle avait été obligée d'accepter la charité de ses anciennes maîtresses d'école.

Pendant le court trajet qui nous avait menés à Strandhill Road, quelque chose lui avait sûrement rappelé que, dans ce coin de la planète, elle n'avait jamais goûté à la liberté.

Une pluie argentée. Des haies vertes. Une route mouillée noire. Les hanches décharnées d'une vieille carne, ruisselantes, luisantes.

À moi, la villa rouge me paraissait splendide. J'avais hâte de faire la connaissance de ma famille. J'étais sûr et certain qu'ils allaient m'adorer.

Seule, ma mère serait restée à Londres envers et contre tout. Elle n'était revenue que pour moi.

«Eh bien, nous y voilà», lâcha-t-elle.

Elle avait l'air étonnée, comme si elle ne croyait pas à ce qu'elle avait accompli. Comme si notre voyage avait été un rêve, et qu'elle se réveillait.

La pension finirait bien par arriver à la poste de Sligo, en tout deux livres sept shillings et quatre pence, versés chaque mois, jusqu'à la fin de la guerre.

Au même moment, mes deux jeunes tantes jaillirent de la maison et se jetèrent sur nous en riant, elles nous embrassèrent, nous serrèrent fort dans leurs bras. De ma vie je n'avais eu autant de contacts physiques. Pendant ce temps, le fermier emporta nos deux valises à l'intérieur et refusa gentiment la pièce que tante Frances lui offrait en guise de pourboire.

« Oh, mais si, il faut accepter ! s'écria-t-elle.

— Je ne peux pas.

— Il le faut !

— Non. »

Le fermier gagna la partie et s'en fut *sans**[1] le shilling. Tante Frances, cheveux noirs, yeux bleus, était celle qui avait les deux pieds sur terre. Elle s'occupait du ménage et faisait la cuisine. Au début, j'eus l'espoir qu'elle était une espèce de (très jolie) sorcière occupée à essayer de nouvelles recettes et potions, et que les casseroles bouillonnantes contenaient des herbes étranges.

Tante Kate, la cadette, aimait les belles choses et avait l'intention d'épouser un homme riche.

Nous voilà donc dans une cuisine où il faisait bien chaud, avec un feu qui grondait dans les entrailles du fourneau nickelé. Elles remplirent d'eau chaude un baquet en cuivre, me déshabillèrent et me trempèrent dans le bain. La petite bonne, Gráinne, me lava pendant que les sœurs papotaient. Après quoi, on prit le thé. Enveloppé dans une couverture, je fus installé sur une chaise près du fourneau, devant une assiette de scones tartinés de beurre et de miel. Une photo sépia, de la taille d'une carte postale, où figuraient Eilín et Buck en jeunes mariés sur la pelouse de Sanssouci, circula de main en main. Mes tantes s'exclamaient sur le bel homme que c'était, et quelle merveilleuse maison, et combien il était injuste que ce pauvre Buck soit emprisonné juste parce qu'il était allemand, alors qu'il n'y pouvait rien.

Débutait alors la controverse à propos de la conscription des jeunes Irlandais exigée par l'Angleterre. Mon grand-père était monté à Fermanagh faire un discours

---

1. Tous les mots et expressions en italique ou soulignés suivis d'un astérisque sont en français dans le texte [NDT].

anticonscription. Il devait d'ailleurs, au cours des deux années et demie suivantes, multiplier ses interventions oratoires dans le nord-ouest de l'Irlande.

Kate fut étonnée d'apprendre que leur père n'avait pas répondu aux lettres envoyées par Eilín de Londres. Elle était d'avis qu'il avait eu l'intention d'écrire pour nous inviter, mais qu'il avait ensuite oublié. « Les combats de rue à Dublin n'ont fait qu'empirer les choses. Il a tenu des propos républicains devant le conseil municipal. Il risque la prison. Rien n'ébranle ses convictions. Il est obnubilé par les idées politiques et ne pense en réalité qu'à lui-même. »

Le dîner fut servi dans la salle à manger glaciale. Un gigot d'agneau et des pommes de terre à l'eau. Je ne suis pas arrivé à manger la viande, elle avait un goût trop fort pour moi, mais je me suis régalé avec les pommes de terre luisantes de beurre, saupoudrées de sel et de persil. Après le repas, ma mère et les « filles » réintégrèrent la cuisine et prirent une tasse de thé pendant que Gráinne faisait la vaisselle. On ne me permit de rester que parce que mes tantes étaient folles de moi et que ma chambre se trouvait sous les combles, loin de la chaleur et du brouhaha de la cuisine.

Je me sentais entouré, admiré. La villa rouge était beaucoup plus confortable et sympathique que notre pension de famille de Muswell Hill.

Les sœurs feuilletaient l'album de photos d'Eilín à Sanssouci quand elles entendirent leur père rentrer.

« Va lui dire bonjour, Ellie. Et n'oublie pas les courbettes, sinon vous deux, vous n'allez jamais arriver à vous entendre. »

Mes tantes souhaitaient que leur sœur et leur père fissent la paix. Elles voulaient que nous restions. Elles avaient envie d'avoir un enfant sous leur toit afin d'ouvrir une brèche dans la réclusion forcée où les maintenait la tyrannie paternelle. J'étais sensible à la profondeur de leur affection et déjà l'estimais comme acquise.

Ma mère sortit accueillir son père. Gráinne, la petite bonne, fredonnait et grommelait alternativement en récurant les casseroles.

Quelques minutes plus tard, la porte s'ouvrit à la volée et un vieux monsieur de haute taille aux longs cheveux blancs fit son entrée, suivi par ma mère. Il portait un manteau de tweed style Ulster, avec une petite cape, et sentait le chien mouillé. Frances et Kate se levèrent prestement pour l'embrasser. Les semelles de ses bottes claquaient sur les dalles de pierre. Gráinne entrechoquait ses casseroles. Il l'embrassa.

Ce baiser mit hors d'elles mes tantes et ma mère. Même moi, je perçus leur colère. Gráinne ignora mon grand-père et continua à frotter. Debout nu-pieds sur les dalles de pierre de la cuisine, elle était toute petite, et sans doute n'avait-elle pas plus de seize ou dix-sept ans.

Mon grand-père s'approcha de moi et m'adressa la parole dans une langue que je ne compris pas. Il passa à l'anglais. Il avait une voix douce, persuasive, musicale.

«C'est vous, le gentleman appelé Hermann Lange?»

À l'exception de la maîtresse d'école de Muswell Hill, les autres adultes avaient toujours eu à mon égard une attitude protectrice. Je n'étais pas timide avec eux. C'étaient des autres enfants que je me méfiais.

«Oui. Mais ce n'est pas mon vrai nom.

— Ah bon? Quel est donc votre vrai nom, sir?

— Billy Lange, jusqu'à la fin de la guerre.

— Êtes-vous heureux d'être ici, sir? Ces femmes vous traitent-elles convenablement?

— Oui. »

Il me dévisagea encore quelques instants, puis se détourna et sortit de la pièce. Gráinne rangea les dernières casseroles, fit une brève révérence aux trois sœurs, et sortit à sa suite. Comme je tombais de sommeil, on me porta dans la chambre sous les combles que je partageais avec Kate, à côté du réduit où Gráinne passait ses nuits quand elle n'était pas dans le lit de mon grand-père.

1938

La blanchisserie de l'hôtel Adlon sécha et plia les vêtements de Karin. La femme de chambre rangea le tout
dans l'unique valise réchappée du désastre. C'était un
dimanche matin, mais Karin tint absolument à téléphoner à son associé Stefan Koplin et lui donna rendez-vous
au bureau. Elle portait une veste en daim verte et une
robe noir et blanc très chic qu'elle s'était fait faire par sa
couturière, Lulu, une expatriée parisienne dont le péché
mignon consistait en de chatoyantes soieries japonaises.
Karin avait toujours les cheveux coupés à la garçonne,
avec une frange qui lui voilait presque les yeux, un style
se réclamant du Berlin de la fin des années vingt.

Kop et elle passèrent la journée penchés sur sa table
de travail à revoir des dossiers, à prendre des notes, à
téléphoner à «ses» Juifs pendant qu'assis à un autre
bureau je lisais les journaux et faisais des mots croisés.
Notre train était à quatre heures, mais elle n'arrêtait pas
de repousser notre départ: il y avait toujours un dernier
dossier à examiner et à annoter, un coup de fil de plus à
passer. Je commençais à me dire que nous allions rater
le train. Et j'avais dépensé jusqu'à mon dernier mark,
sauf de quoi acheter les billets à la gare. Où allions-nous
dormir ce soir si nous restions à Berlin? Sûrement pas à
l'Adlon. J'étais rincé.

«Karin, c'est l'heure.

— Oui, oui, encore une minute.

— Karin! Il faut qu'on y aille… maintenant!»

Enfin, elle se leva et mit son manteau. J'embarquai sa
valise dans l'ascenseur qui descendit en tressautant dans
un bruit de ferraille. Le pauvre Koplin nous accompagna.

Une fois dans la rue, je serrai la main au petit avocat rondouillard puis hélai un taxi.

« *Auf Wiedersehen*, cher Kop! » Karin lui donna une affectueuse accolade. « S'il te plaît, je t'en supplie, mon ami, fais bien attention à toi!

— Ne te fais pas de souci pour moi! cria Kop alors que nous montions dans le taxi. Veille à garder tes papiers en règle! Tous mes vœux de bonheur dans le Nouveau Monde! »

Nous arrivâmes à la *Bahnhof* deux minutes avant le départ de notre train, mais il fallut absolument qu'elle achète le journal. Un journal américain.

« Je ne peux plus lire ces torchons nazis, les journalistes de ce pays sont décidément tous des poltrons finis. »

Bien entendu, aucun journal de la presse étrangère n'était plus exposé sur l'éventaire du kiosque de la gare. Lorsqu'elle lui demanda le *Paris Herald*, le marchand prit son temps pour en sortir un d'une pile derrière lui, et accepta son argent en ricanant. Même les kiosquiers étaient vendus au régime.

Ensuite elle voulut acheter des fruits. Il ne restait plus assez de temps. J'avais l'impression qu'elle essayait de retarder le moment du départ. Et sur le quai, au milieu de la cohue, son journal plié sous son bras, elle pila soudain.

« Je ne peux pas, Billy.

— Viens. On n'a plus qu'une minute.

— Je ne me sauverai pas.

— Ce n'est pas une fuite. »

Nous parlions en anglais, bousculés par les gens qui couraient pour ne pas rater le train.

« Si! Il y a des gens qui se noient et moi je me sauve. »

Un haut-parleur beuglait les arrivées, les départs, les changements de quai.

En désespoir de cause, je la tirai par le bras.

«Lâche-moi!»

Je refusai. Elle résista. Je tins bon. Elle finit par céder et je la traînai le long du convoi. Ayant repéré notre compartiment, je la poussai à l'intérieur puis flanquai notre valise sur le porte-bagages. Je me sentais à la fois furieux, effrayé et écœuré. Je ne l'avais jamais forcée à faire quoi que ce soit. Alors que le train s'ébranlait et sortait lentement de la gare, elle pleura en silence. Mais avant que nous ayons laissé derrière nous les laideurs de la banlieue, elle s'était endormie, la tête sur mon épaule.

Nous avions le compartiment pour nous seuls. Quel soulagement de rouler vers l'ouest! Je me figurais que cette traversée de l'Allemagne de nuit était la première étape d'un voyage qui s'achèverait sur la côte pacifique du Canada. J'avais l'intention de vider au maximum mon compte IG Farben afin d'acheter des dollars, malgré un taux de change défavorable. Je devais prévoir en plus des taxes et des amendes. Sortir de l'argent d'Allemagne, c'était une gageure. Dès maintenant, il fallait se serrer la ceinture.

On était secoués par les tressautements de notre compartiment de deuxième classe dans le wagon entièrement en acier, qui méritait bien d'être surnommé *Donnerbüchse*, boîte à tonnerre… Il y avait des bancs en bois en guise de sièges. Karin se réveilla au bout d'un moment et s'assit calmement, feuilleta son *Paris Herald*. Le sexe régnait au cœur de nos relations. Je n'oubliais jamais ses charmes, ses formes sculpturales, la courbe voluptueuse de son cul, la chaleur qui émanait de sa peau.

À Leipzig, une bande de jeunes filles appartenant à la Bund Deutscher Mädel, la branche féminine de la Jeunesse hitlérienne, monta dans notre compartiment.

«Ça sent la Juive là-dedans!

— Une robe de couturier français et du rouge à lèvres… c'est pas une Allemande!»

Je fis signe à Karin de changer de compartiment, mais elle refusa de bouger. Droite comme un *i*, sans un mot, elle fixa la cheftaine, une ménagère d'âge mûr à la grosse poitrine, apparemment gênée par la conduite de ses ouailles. Elle leur enjoignit de se taire. Finalement, elles ouvrirent leurs paniers à pique-nique et, tout à la mastication de leurs saucisses, de leur fromage et de leur chocolat, elles ne firent plus attention à nous.

Et Stefan Koplin? En dépit de toute son ingéniosité pour obtenir des visas sud-américains, il tarda trop à partir lui-même. Kop mourut à Terezín. L'hiver 1941-1942. Pneumonie.

SA PERLE

Lettre manuscrite de *Constance Ormsby Lange à C. A. Butler*. Archives Browne-Butler. T16-4-22-1. Collections particulières, bibliothèque James Hardiman, Université nationale d'Irlande à Galway.

WYCHWOOD
13 mai 1916

SIR CHARLES BUTLER
Army & Navy Club
Pall Mall, Londres

Charley, a stor[1]

Mon malheureux fils demeure prisonnier à l'Alex... Palace. Pendant que vous êtes à Londres, Charley, si vous pouviez lui rendre visite, ainsi les gardiens verront qu'il <u>ne manque pas</u> d'amis. Je ne peux m'empêcher de songer à la ballade de la geôle de Reading de ce pauvre Oscar Wilde qui y a perdu sa santé. Que penser d'un pays qui jette en prison les meilleurs de ses citoyens ? Quant à ma bru Eileen, elle compte rester à Strandhill chez son père. Je lui ai dit qu'elle pouvait venir habiter à Wychwood où j'ai des chambres à ne plus savoir qu'en faire et le

---

1. « Mon trésor » en irlandais.

garde-manger plein, même si la maison est humide et que les quelques hectares qu'il me reste vont à vau-l'eau car les hommes se sont presque tous engagés ou cultivent pour l'armée. Les foins vont être la croix et la bannière, il y a tellement peu de bras disponibles.

Je ne sais pas comment nous nous entendrions, ma bru et moi-même, elle est une petite personne tellement volontaire.

Pour le moment, ils ont l'air installés chez le père, ce vieux fenian, Joseph McDermott, Esq[1].

Les événements de Dublin sont encore le principal sujet de conversation. Eileen dit que Sackville Street est un champ de ruines. Par ici personne n'avait pris le parti des insurgés, mais à mesure qu'on entend parler des exécutions, le sentiment n'est plus le même. Personne à Sligo n'avait entendu parler de James Connelly, mais quand on a su qu'ils l'avaient fusillé sur une chaise parce qu'il ne tenait pas debout à cause de ses blessures !... Il est devenu un martyr doublé d'un saint. Et Constance Booth... la comtesse (!) Markevicz, comme elle se fait appeler maintenant, Madame M. la dernière fois que je l'ai vue... elle doit être fusillée. J'ai toujours trouvé les filles Gore-Booth autoritaires et fatigantes mais j'avoue qu'elle a fait preuve de courage et d'esprit. S'ils l'exécutent, ça va provoquer un tollé, les G-B à Lissadell ont été généreux

---

1. *Esquire* : terme honorifique dont on fait suivre les noms de famille des Anglais non titrés.

avec leurs fermiers. Le père d'Eileen, dans une lettre au Champion, écrit « <u>le cœur de l'Irlande chavire à chaque exécution</u> ». C'est exact. Au départ, les gens les traitaient d'imbéciles, mais à présent on se dit que ce sont peut-être des imbéciles mais qu'ils ont agi par amour pour l'Irlande.

J'espère que vous trouverez un emploi, Charley, ce serait bien dommage que le pays ne sache pas se servir de ses vieux combattants en temps de guerre. Ce sont les officiers de votre âge qui en ont vraiment dans le ventre et savent canaliser l'énergie de la jeunesse. Vous êtes trop vieux pour l'active, il ne faut même plus y penser, mon cher, mais je suis certaine que vous pourrez vous employer <u>utilement</u>, à entraîner les troupes, comme vous dites, ou à acheter des chevaux pour la cavalerie, personne de ma connaissance n'a votre œil pour les chevaux, Charley. N'hésitez pas à sonner aux portes de vos amis en leur faisant savoir que vous cherchez une situation.

Voilà toutes les nouvelles de notre pauvre vieux Wychwood. Écrivez vite et dites-moi si vous avez vu mon fils.

Votre vieille amie,
Constance

Un courant d'énergie émotionnelle circulait entre Gráinne et mon grand-père. Quand il la regardait, il donnait l'impression d'un affamé face à une friandise. Et dans son regard à elle, il était un grand homme, une sorte de roi. Elle prenait un soin minutieux de ses vêtements, les brossait, les lavait, les défripait. Elle cirait ses bottes et repassait ses cols de chemise d'une blancheur de neige. Un jour, je la vis nouer une cravate de soie autour de son cou, la scène la plus pure de ce qui les attachait l'un à l'autre et dont je fus le témoin. Elle était fière et radieuse, comme l'est l'enfant de chœur aidant le prêtre à revêtir sa chasuble dorée.

Mes tantes et ma mère étaient furieuses contre leur père de cette intimité avec une boniche. Ce qui compliquait les choses, c'était qu'elles aimaient beaucoup Gráinne, une jeune fille originaire de l'île d'Achill. Timide et joyeuse, elle leur rappelait leur mère. Elles essayaient de la persuader de quitter la villa rouge et de trouver du travail ailleurs. Je me rappelle la petite bonne assise sur un tabouret à trois pieds, devant les trois sœurs qui la grondaient. Gráinne pleurait. Elle n'avait aucun autre endroit où aller. Ses parents étaient morts, ses frères vivaient en Écosse ou à Boston. L'irlandais était sa langue maternelle, elle maîtrisait mal l'anglais. La villa rouge était sa première place, elle économisait chaque penny pour se payer un billet pour Boston, même si les lignes transatlantiques étaient interrompues par la guerre. Gráinne ne savait même pas où se trouvait l'Amérique. Je tentai de le lui expliquer en me servant de l'*Atlas de Cambridge* de mon grand-père, mais les cartes ne lui disaient pas grand-chose. Elle savait seulement que Boston et Sligo étaient extrêmement loin de son île natale, et c'est tout ce qui comptait pour elle.

Mon grand-père lui versait des gages généreux, extravagants même, et Gráinne était gourmande. De toute façon, aucune autre maison n'aurait employé une jeune fille qui parlait mieux le gaélique que l'anglais et qui ignorait les us et coutumes d'une ville comme Sligo.

Gráinne jouait au football avec moi dans la cour pavée de l'écurie. Mon grand-père méprisant ce sport parce qu'il était anglais, nous nous gardions d'y jouer quand il était là. Nous n'avions pas un vrai ballon, seulement une vessie de porc que ma mère s'était procurée auprès d'un fermier. Gráinne vivait nu-pieds. Elle frappait fort la balle et s'élançait vite après elle, en riant et en soulevant sa jupe pour courir plus vite. Elle ne lâchait pas, la poursuivait sans relâche.

Tante Frances faisait la cuisine. Gráinne rentrait des bûches et des briques de tourbe, elle s'occupait d'alimenter les différents feux, vidait les pots de chambre, s'occupait de la lessive, faisait tous les matins les lits et cirait nos bottines. Une vie entière à récurer, frotter, nettoyer.

Un soir, alors qu'elle me montrait comment construire un feu dans la cheminée du bureau de mon grand-père, celui-ci entra et vint se poster à côté de nous, nous dominant de toute sa hauteur. Il tendit le bras et posa la main sur sa nuque. Elle se pétrifia brièvement, puis continua à s'affairer, entièrement concentrée sur le papier et le petit bois.

Une fois qu'il se fut assis à sa table de travail, elle termina en me montrant comment allumer un feu sans gâcher d'allumettes.

Gráinne s'exprimait dans un irlandais superbe, le gaélique de l'île d'Achill étant proche de celui d'Ulster. Mon grand-père souhaitait que ses filles améliorent leur prononciation dans cette langue. Mais comme Gráinne voulait toujours pratiquer son anglais en vue de l'Amérique, elles ne communiquaient jamais autrement qu'en anglais lorsque mon grand-père n'était pas à la maison.

Gráinne n'avait pas de manteau, seulement un châle noir. Elle empruntait l'imperméable de tante Kate parce qu'elle détestait que les garçons dans la rue se moquent d'elle en la traitant de *shawlie*[1]. Aux pieds, elle ne portait jamais que des chaussons en peau de vache cousus main, le signe distinctif d'une fille des îles. De sorte qu'elle préférait aller pieds nus. Les chaussures de mes tantes étaient toutes trop petites pour elle.

«J'ai les pieds durs», dit-elle à ma mère.

C'était par un jour pluvieux. Nous prenions le thé dans la cuisine. Gráinne astiquait le dessus nickelé du fourneau. Elle adorait frotter, faire briller; sans doute rien ne brillait beaucoup dans sa masure sur son île.

«J'aime pas ces chaussons, j'ai l'impression d'être une vieille dame avec. Et je suis pas vieille, hein? Je suis votre Gráinne, je suis votre perle.»

Comme beaucoup de locuteurs du gaélique à l'époque, elle s'exprimait dans un anglais «exalté».

«Mes pieds me suffisent comme sol, et j'attendrai d'être en Amérique pour m'acheter de belles chaussures.»

Elle prononçait America: *Amerikay*.

Mon grand-père donnait Gráinne en exemple à ses filles. Elle symbolisait à ses yeux la nation avenante et pure qu'était pour lui l'Irlande future, l'Irlande de ses

---

1. De *shawl*, châle: porteuse de châle, terme péjoratif pour pauvre paysanne.

pensées. Mais il ne pouvait s'empêcher de la peloter. Tant son désir d'être proche de la «vraie» Irlande le tenaillait. Il devait avoir le sentiment qu'il avait le droit de la posséder.

Il n'a jamais essayé de dissimuler sa liaison à ses filles, si on peut la qualifier ainsi. Il croyait passionnément à tout ce qu'il faisait, sans se soucier des pots cassés. Pourtant, il devait se douter que si ses amours avec une bonne transpiraient dans le monde, il pourrait dire adieu à sa carrière politique. Frances, Kate et ma mère étaient trop orgueilleuses, ou trop honteuses, pour laisser l'affaire s'ébruiter.

Mon grand-père acceptait mal que Gráinne se promène pieds nus en ville. Sur les îles de l'Ouest, cela pouvait passer pour une preuve de pureté, mais à Sligo, cela signifiait seulement que vous étiez pauvre. Quand il la surprenait en train de sortir ainsi, il l'attrapait en criant très fort et elle montait en courant dans sa chambre, en sanglots, puis redescendait dans ses chaussons honnis, qu'elle cachait sans doute dans une haie dès qu'elle était hors de vue.

«Pourquoi est-il si important qu'elle porte des chaussures?» demanda ma mère. Elle était la seule à oser l'interroger.

«Cela jette l'opprobre sur cette maison.

— Dans ce cas, achète-lui-en une bonne paire!»

Mais il n'en faisait rien. Peut-être estimait-il qu'elle n'avait qu'à dépenser un peu de ses précieuses économies «bostoniennes».

On ne roulait pas sur l'or. Mon grand-père avait un métier, mais son père avait été un simple fermier, un *cottier*[1]. Un avocat dans cette partie du monde pouvait gagner convenablement sa vie en défendant les intérêts

---

1. En Irlande, surtout avant la grande famine (1846-1848), les paysans avaient droit à une masure et un lopin de terre. En échange de quoi

des propriétaires terriens, puis en obtenant une sinécure d'avocat de la Couronne. Il refusait de prendre ce chemin. Il était républicain, ses clients étaient de modestes fermiers. Chaque semaine, tante Frances devait quémander de quoi faire le marché. Tandis que chaque semaine, sa perle, Gráinne, recevait ses gages. Et il y avait toujours assez pour acheter la très onéreuse marmelade d'orange écossaise qu'il aimait.

Lorsque le *Sligo Champion* fit paraître un article où il était mentionné comme un «éminent avocat», Gráinne fut la seule à garder le journal, même si elle ne savait pas lire. (Il est inséré dans une des boîtes d'archivage de la bibliothèque McGill, mais le papier est devenu si rigide et jauni qu'il s'effriterait sans doute si on essayait de le déplier, et à qui viendrait une idée aussi saugrenue?)

Gráinne m'affirma que mon grand-père était l'homme le plus célèbre d'Irlande, ce que je savais, même en ce temps-là, être un mensonge. Les chefs des insurgés de Dublin étaient célèbres. En dehors des cours de justice du comté, qui avait jamais entendu parler de Joseph McDermott, Esq.?

Un jour, dans les rues de Sligo, il aperçut Gráinne avec une cigarette. Il fonça droit sur elle et la lui arracha de la bouche. Une femme fumant en public, ça ne correspondait pas à son idéal patriotique. Mais le soir, lorsque Gráinne fit son balluchon et annonça qu'elle partait, il fondit en larmes, la supplia de rester et lui proposa de devenir sa femme. Ma mère et mes tantes étaient consternées.

Gráinne fit la sourde oreille à la proposition de mariage, mais elle resta. Elle avait besoin de réunir dix

---

ils louaient pour une misère leurs bras, comme saisonniers, à leur propriétaire.

livres pour son billet, et un peu plus pour se retourner une fois là-bas.

Mon grand-père répétait souvent à Gráinne, et à moi, qu'elle courrait à sa perte en Amérique. Il ne professait que mépris pour les émigrants en route vers le Nouveau Monde. C'étaient des gens pour qui l'argent avait trop d'importance.

Il m'offrit un canif afin que je puisse tailler des bâtons et me fabriquer des lances. Il m'emmena me promener dans la campagne environnante. Il connaissait les noms de tous les prés que nous traversions. Même le plus petit champ avait un nom anglais et un nom irlandais.

Il s'arrêtait pour discuter avec les tailleurs de tourbe, les faneurs, les femmes qui récoltaient les pommes de terre. En pointant le pouce vers l'ouest, ils évoquaient Boston comme si c'était la ville la plus proche, ce qu'elle était pour des milliers d'entre eux.

Je me rappelle avoir traversé un après-midi une tourbière avec lui. En fait, je me rappelle surtout la lumière. Nous arpentons une bande de tourbe. Cela fait deux ou trois mois que nous sommes, ma mère et moi, à la villa rouge, assez longtemps pour que je me sois habitué à ses manies. Il fait peur à certains, mais pas à moi. Avec lui, je suis ce que je suis. Nous voilà donc mesurant le terreplein à l'aune de nos pas. Il plaide l'affaire d'un fermier qui en revendique la propriété. Je viens à peine de saisir le sens de cette notion. La lande, les rochers, les arbres tout rabougris… peut-être l'éclat de la lumière et les ombres sur la terre par ce jour venteux… tout cela appartient à quelqu'un, comme mon ballon m'appartient.

Mes parents et moi ne possédons aucun terrain. Pas un centimètre carré. La maison de Sanssouci n'a jamais été à nous. Ma mère m'a récemment expliqué cela. De plus, nous n'y retournerons jamais, même quand mon père sortira d'Ally Pally, où ils ne l'autorisent pas à construire une cabane pour être un peu tranquille. Il ne possède aucun coin d'Ally Pally, en revanche Ally Pally semble le posséder. Il n'est pas né sur la terre ferme mais à bord d'un voilier, à des milliers de milles dans l'océan Pacifique, au large du Mexique. Ma mère est née à la villa rouge, mais ne semble pas y être heureuse. Elle est partie rendre visite à ma grand-mère Constance à Wychwood. La maison n'est pas si délabrée que cela, l'ai-je entendue raconter à tante Kate.

«Il y a des parties vétustes. D'autres sont plutôt somptueuses. Elle a besoin d'aide pour les foins.»

Alors que nous traversons la tourbière, un flot de lumière nous arrive par vagues de l'Atlantique, le ciel est gris mais lumineux, un de ces jours d'été couverts dans le nord-ouest de l'Irlande, quand le vent d'ouest est chaud et vif et semble chargé de clarté. Mon grand-père porte une montre à gousset en or dont la chaîne est accrochée à un bouton de son gilet. On est en juin ou en juillet, parce que, au détour d'un champ, nous tombons sur deux hommes en train d'extraire de la tourbe d'une tranchée ouverte. Mon grand-père marque une halte pour leur parler, et, contents de souffler un peu, ils posent leurs pelles et allument des cigarettes : aucun problème, mon grand-père n'a rien contre cette habitude chez les hommes.

1938

Alors que nous entrions en gare de Francfort, les jeunes hitlériennes se chamaillaient à propos de qui allait porter les tentes et les affaires de camping. Leur cheftaine avait l'air exaspérée.

J'entraînai Karin vers la file de taxis. Comme nous n'avions pas de quoi payer la course jusqu'à Walden, la propriété de son père, elle proposa au chauffeur ses boucles d'oreilles, qu'il accepta.

En arrivant ce soir-là, Karin trouva son père endormi, allongé sur le canapé. Les autres pièces étaient vides, complètement vides. La seule domestique qui restait était Herta, la veuve du chauffeur du baron. Elle dormait sur un lit de camp dans la cuisine. Karin se fit un matelas de couvertures dans son ancienne chambre. Son lit à baldaquin avait été volé, avec la totalité de l'ameublement, les pur-sang de son père, et la collection d'art religieux médiéval de sa mère.

Pendant ce temps, je parcourus les rues silencieuses pour gagner mon appartement près du Römer, l'hôtel de ville de Francfort. Il avait fallu deux ans pour que ma logeuse me confie les clés de la maison. Je me glissai à l'intérieur et m'écroulai sur mon lit.

Le lendemain, à la sortie du bureau, je pris le tram pour la ville thermale de Bad Hombourg où mes parents habitaient un ancien palace, l'établissement même où le baron séjournait en 1895 quand il fut présenté à Lady Maire, qui visitait le « continent » avec ses parents.

Buck et Eilín avaient, au début, loué leur chambre au mois, mais ils avaient déchanté en constatant combien il était ruineux de vivre à l'hôtel. Quand la gouvernante avait donné sa démission, le directeur avait offert la place à ma mère, et elle l'avait prise. Mon père s'était mis pour sa part à travailler comme concierge de nuit.

Ils se révélèrent tout à fait favorables à ce que je quitte l'Allemagne, du moins en principe. En pratique, cela promettait de leur donner un coup. Je m'abstins de leur montrer la lettre de Günter Krebs me conviant à adhérer à son groupe de SS œuvrant à l'avènement d'un monde nouveau. Mon père connaissait cet individu. Je savais que ce torchon épistolaire ne ferait que les affoler.

En mars, des bruits de guerre nous parvenant du côté de la Tchécoslovaquie, mes parents avaient évoqué un départ pour l'Eire. Mais, même dans l'éventualité où ils obtiendraient des visas – obligatoires, Buck ne détenant qu'un passeport allemand –, l'Eire était désespérément pauvre. Et on ne pouvait pas prévoir quelle politique le pays adopterait à l'égard des ressortissants allemands en cas de conflit. Sans doute seraient-ils emprisonnés.

Buck était sûr et certain qu'il ne réchapperait pas à un nouvel internement. Ma mère et moi étions d'accord. Aussi avaient-ils fini par se résoudre à rester en Allemagne, quoi qu'il arrive. Mon père pensait qu'il était de toute façon trop vieux pour être rappelé sous les drapeaux.

L'ascenseur de l'hôtel était un monstre grinçant. Leur chambre se trouvait au dernier étage. Ma mère nettoyait des bijoux, pendant que Buck allongé sur le lit feuilletait *The Times*. Le journal de Londres était pro-allemand, ce qui déplaisait à Buck, mais, faute de mieux, il le lisait quand même lorsqu'il lui tombait sous la main. Ses journaux préférés, le *Vossische Zeitung* et le *Frankfurter Zeitung*, avaient eu leurs cerveaux rongés de l'intérieur par des insectes nazis.

En entrant dans leur chambre minuscule et, disons-le, miteuse, je respirai une odeur de poussière et de vieilles peintures.

Je les informai de l'offre d'emploi qui me venait de Vancouver – je n'avais pas officiellement démissionné d'IG Farben, mais j'avais pris rendez-vous pour le lendemain avec mon supérieur, le Pr Best.

«C'est drôle, Karin Weinbrenner va faire elle aussi la traversée, dis-je en me forçant à prendre un air dégagé. En fait, on sera sur le même bateau.»

Tout en leur cachant soigneusement ma liaison, depuis des années j'essayais de me persuader que mes parents savaient – forcément! – que je ne passais pas mes week-ends à faire de la randonnée dans le Taunus... mais à Berlin avec Karin.

Je voulais croire que les gens qui nous connaissaient le mieux n'avaient aucun mal à nous imaginer ensemble.

En même temps, dans un coin de ma tête, je savais que mes parents seraient contre. Ma mère en tout cas. Elle aurait craint un malheur pour l'un de nous deux.

«Karin Weinbrenner? s'étonna Buck, médusé. Elle part pour New York? Mais j'ai vu son père pas plus tard qu'hier. Il n'en a rien dit!

— Je la félicite! s'exclama Eilín. Il serait temps qu'elle quitte cet horrible pays. Sa mère voulait déjà qu'elle parte il y a des années. Je ne sais pas comment ils supportent ça. Si seulement le baron voulait bien entendre raison et partir.

— Il faudra que tu veilles sur elle...», me recommanda Buck.

Ma mère se tenait très droite, les mains croisées sur les genoux.

«... pour son père, continua Buck, en mémoire de sa mère, tu veilleras bien sur cette fille. On doit tellement à sa famille.»

Il secoua la tête. Il avait toujours l'air sidéré.

«Démissionner de l'IG, j'espère que tu sais ce que tu fais, Billy.

— Je ne veux pas rester coincé ici, papa, s'il y a la guerre.

— Bien sûr que non, approuva Eilín vivement.

— Il n'y aura pas de guerre, affirma mon père. Les généraux sont contre. Si ce type essaye de provoquer un conflit, ils n'en feront qu'une bouchée.»

Hitler était toujours «ce type». Buck ne prononçait jamais son nom.

«Oh, Buck, bien sûr qu'il faut qu'il parte.» Ma mère me regarda. «Quand est le bateau?

— Dans deux semaines demain, de Rotterdam.»

J'avais décidé de ne les mettre au courant de la grossesse que lorsque nous serions en mer. Une fois que nous serions mariés. Je leur enverrais un télégramme.

«Tu t'es renseigné sur le taux de change? me demanda Buck. Acheter des dollars, ça coûte une fortune. Ils te permettront de vider ton compte d'épargne? Combien tu as le droit de sortir du pays? Qu'est-ce qu'en pense Weinbrenner, tu as parlé au baron? Il est de bon conseil.

— Pas encore.

— Fais-le. Son opinion est précieuse, cet homme est un génie de la finance.»

Assis au bord de leur lit d'hôtel, mes parents me donnèrent l'impression d'être vieux et fatigués. Sans défense. Je ne les avais jamais encore vus sous ce jour.

Mon père se saisit soudain de mes deux mains.

À mon retour de mes escapades nocturnes de l'autre côté de la rivière, je trouvais toujours Buck en train de m'attendre en pyjama, pantoufles et robe de chambre. Mon père n'arrivait pas à dormir avant de me savoir sain et sauf à la maison. Sans un mot, il me prenait dans ses bras et me serrait quelques instants contre lui. Puis on pouvait tous les deux monter se coucher.

Dans cette chambre d'hôtel déprimante, mon père tint mes mains dans les siennes, puis Eilín joignit les siennes aux nôtres et nous restâmes ainsi, aucun de nous capable d'articuler la moindre parole.

Mon départ signifiait que la famille que nous formions se défaisait. Nous en avions tous conscience.

MICK

Journal intime. *Constance (Ormsby) Lange.* Manuscrit inédit. Archives Lange, 1882-1982, réf 556J. Collections particulières, bibliothèque de l'Université McGill, Montréal.

—

20 juin 1918

Aujourd'hui, nous étions 4 femmes et 2 jeunes garçons aux champs, à <u>Drom Breek</u>. On a mis en meule le foin fauché la semaine dernière. Grand air et belle lumière. Nous avons mangé nos sandwichs et bu notre thé froid au bord de la rivière. Et, pendant que les gamins chassaient la grenouille, nous avons piqué un petit somme là-haut sur la meule. C'est le troisième été de Billy parmi nous et il est aussi fort que les autres. Son camarade de classe, Mick McClintock, petit-fils du vieux Willy M'C., fait les foins depuis qu'il sait marcher. Les autres sont ma bru Eileen et ses deux sœurs. Ces 3 jeunes femmes sont une bénédiction pour la maison et je ne crois pas que je pourrais continuer à Wychwood sans elles. Je me suis enterrée dans ce pays où je suis née, mais je n'ai pas les moyens d'empêcher la maison de se désagréger. L'ombre de la mort est souvent présente dans mes pensées. Toutefois, je ne suis pas encore morte. Je peux construire une

meule aussi bien qu'une autre. Je pourrais
danser la nuit entière si quelqu'un me le
proposait.

Nous dressons des tas de foin de près de trois
mètres de haut, lestons les cordes de pierres
et les lançons en travers du monticule afin
d'empêcher le vent d'emporter l'herbe sèche.
Eileen dirige les opérations en ratissant le
sommet et nous sanglons les côtés.

23 juin 1918

Dimanche, vacances. Le temps est toujours
beau, le foin retourné hier à Rath, nous
pourrons construire les meules demain. Pat
Lillis les transporte sur son traîneau. Il dit
que c'est la plus jolie moisson qu'il a tirée de
ces prairies depuis des années.

Cet après-midi, le grand-père de mon
petit-fils, le McDermott en personne, est
venu prendre le thé. Il dit que les troupes
britanniques sont en train de battre en
retraite dans les Flandres. Les Allemands
entreront dans Paris d'un jour à l'autre,
les Français doivent demander l'armistice,
les Allemands leur fixeront des conditions
honorables, c'est seulement l'acharnement
sanguinaire de l'Angleterre qui fait que
la guerre continue. Et l'Amérique ? l'ai-je
interrogé. Elle se fourvoie ! a-t-il répliqué.
L'Amérique n'aurait jamais dû s'engager
dans la guerre, surtout dans le mauvais
camp, dit-il. Ce sont les banquiers juifs qui
ont prêté la fortune américaine à l'Empire

britannique. Et le roi d'Angleterre est lui-même juif au huitième degré. Une fois que l'Angleterre sera anéantie par l'Allemagne, alors l'Irlande sera libre. Dixit Jos. McDermott, Esq.

24 juin 1918
J'espère et je prie pour que Buck retrouve les siens en Irlande une fois la guerre finie et lui libéré.

24 juin Fête de la Saint-Jean
À l'école nationale de Calry, mon petit-fils est cerné de sacré-cœurs, de statues de plâtres de vierges pomponnées et de dogmes catholiques. À la maison, nous n'émettons aucune critique, pour ne pas rendre sa situation plus difficile qu'elle ne l'est. Les sœurs McDermott sont athées, ce qu'elles ont en commun avec leur père, même s'ils doivent tous le taire. Dans ce pays, personne n'est plus haï que les catholiques qui n'ont pas la foi. Les papistes respecteront le plus bigot des pasteurs méthodistes plus qu'un des leurs si celui-ci a quitté le troupeau. Mon petit-fils s'est confessé pour la première fois à ce cul-bénit de père Griffin, il a aussi fait sa première communion avec lui.
Billy, Eileen et les deux sœurs ont assisté à la messe chaque semaine à Saint-Patrick. Le premier vendredi de chaque mois et les autres jours saints, on les attend à la cathédrale. Moi, je fais comme bon me semble, tout le

monde s'en fiche qu'une protestante aille à l'église. Eileen est une libre penseuse, mais elle s'en cache à cause de Billy.

Billy a appris avec Mick M'clintock les vieux noms irlandais des champs de Wychwood. Mick... l'orphelin aux pieds nus, cigarette au coin des lèvres. Il a dessiné une magnifique carte du domaine en soulignant le chemin que les gens d'ici appellent le <u>chemin de la messe</u> et a écrit les noms de tous les coins, collines et prairies. Aussi ce qu'il pense être les ruines d'une ancienne église, <u>Teampull a Chlocaire</u>.

<u>1er juillet 1918</u>
Le foin de Triangle, le champ de ce nom, a été fauché et retourné, il est prêt à être mis en meule.

Mon petit-fils et Mick McClintock sont couchés à plat ventre au soleil et étudient sur leur carte un sentier oublié qui mènerait aux ruines de l'église. Je me rappelle Jack et moi-même dans le magasin de fournitures du port de Hambourg, penchés sur les cartes — l'Atlantique sud, le détroit de Magellan, le passage de Drake... Le chemin de la messe n'est plus visible (ou bien je ne le vois pas), mais Mick jure qu'il est là et Billy dit qu'ils l'ont suivi tous les deux, ils ont croisé des maisons et des masures, et le coin de notre grange. Sur la feuille, Mick M a dessiné le chemin qui traverse le verger qui, paraît-il, a été planté par mon arrière-arrière-arrière-grand-père. <u>À qui appartient cette terre ?</u>

Voilà notre sujet. Les pas de milliers de pèlerins il y a cinq cents ans, ou mille ans, sont, d'après les gens d'ici, un argument puissant en leur faveur.

16 juillet 1918
Nous adressons nos lettres à Buck CAPITAINE HEINRICH LANGE, camp d'Alexandra Palace, Londres. Eileen dit que Buck n'aime pas qu'on se serve de son titre, sauf à bord d'un navire dont il est le commandant. À mon avis, ce doit être bon pour lui qu'on lui rappelle sa vie d'avant et que le souvenir adoucisse l'austérité présente.

4 août 1918
Jos. McDermott, Esq. est venu prendre le thé et admet que l'armée allemande a bel et bien amorcé sa retraite et que la guerre doit se terminer dans quelques jours ou semaines, sans vaincus ni vainqueurs, sous l'effet de l'épuisement et du flot de sang versé. Il y aura une élection, le Sinn Féin se battra pour obtenir un maximum de sièges et ce sera la naissance d'une nouvelle Irlande. Il dit que les Anglais seront obligés de céder et de nous laisser nous gouverner nous-mêmes, qu'ils n'auront pas le courage de mener le combat qui les attend s'ils refusent. Pendant qu'il m'entretient ainsi, ses filles l'observent intensément, visages durs et pâles.
J'ai entendu dire par Mrs McCaffrey, la femme du boucher, que le vieux est fou

amoureux de sa bonne, une autre fille des îles aux pieds nus, comme feu son épouse. Un miracle qu'elle n'ait pas accouché d'un enfant. Penchés sur les cartes avec des visions de châteaux de glace et de rêves de Pacifique, Jack et moi pensions autrefois que nous étions les peintres de notre destin. Mais nous n'en étions que le matériau, la peinture.

4 août 1918
Quatre ans depuis la décl. de guerre et la détention de Buck.

Une fois que nous fûmes installés à Wychwood, mes tantes Kate et Frances vinrent nous voir en été. Elles restaient plusieurs semaines et aidaient à rentrer le foin. Ma grand-mère m'apprenait à monter à cheval, elle me guidait de la voix pendant que mon poney Punch tournait en rond au petit trot. Au début, je montais sans selle. D'après elle, c'était la meilleure façon d'acquérir une bonne assiette. « Le dos droit, Billy ! » Ensuite seulement, elle me montra comment harnacher et seller Punch. Ajuster tout seul les étriers.

« Ne reste pas collé à ta selle ! Un ! Deux ! Talons baissés ! »

J'appris à donner à manger et à panser mon poney de manière à ce qu'il ne s'énerve pas ni ne prenne peur. « Les chevaux aiment le calme, expliquait ma grand-mère. Tout en douceur. Les mains, la voix. Ils s'effarouchent facilement. »

Pat, un des vieux garçons de ferme, installa deux obstacles. Punch pila, je manquai de faire un vol plané.

« Cet obstacle, c'est la peur par-dessus laquelle tu dois sauter, dit Constance. Allez, reprends-le, fais-lui comprendre qu'il n'est pas question de se dérober et tu me diras ce que tu as ressenti. »

J'eus l'impression de voler. Le lendemain, les obstacles étaient un peu plus hauts, et je n'avais plus peur. Personne ne chassait à courre, à cause de la guerre, mais ma grand-mère et moi partions parfois une journée entière à cheval, sur les routes. Nous déjeunions sur les talus herbeux, le dos contre les pierres sèches des murets réchauffées par le soleil.

«Buck n'a jamais vu ce pays, me raconta-t-elle. Ton père a l'Irlande qui coule dans ses veines, mais il n'a jamais posé les yeux sur elle. Il viendra quand la guerre sera finie. Il a une formidable assiette, ton père, tu seras fier de lui.»

Mon maître d'école, le père Coughlin, écrivit sur le tableau noir *an buachaill coigríche*, le petit étranger... c'était moi. J'avais un seul ami en classe, Mick McClintock. Il avait deux ans de plus que moi. Frances disait qu'il était un *gurrier*, un vaurien, et signala à ma mère que je méritais d'avoir un ami qui, au moins, portait des chaussures. Mais ma grand-mère avait Mick à la bonne. Il fumait des cigarettes quand il arrivait à s'en procurer et m'emmenait à la pêche – braconner, en fait. Personne, même ma grand-mère, n'était au courant. Il s'impatientait avec ceux qui pigeaient moins vite que lui, ou n'évaluaient pas aussi bien les risques.

Un matin, alors que nous traversions Sligo à dos de poney, sabots cliquetant sur les pavés, en route pour Rosses Point, nous fûmes arrêtés par des policiers. Leur véhicule blindé barrait la rue. La veille, un de leurs collègues avait été tué d'un coup de pistolet à Ballina, et ils avaient les nerfs en boule.

Les sacoches de Mick recelaient plusieurs bouteilles de poitín distillé par son grand-père, qu'il devait livrer à Rosses Point. Un policier s'avança vers lui. «Où est ton papa ce matin? On veut pas perdre notre temps à le chercher.»

Le père de Mick était supposé être un des chefs des Volontaires. Par la suite, des années plus tard, à New York, Mick devait m'avouer qu'il n'était qu'un ivrogne aimant entonner les chants guerriers de l'insurrection. En fait, c'était son grand-père, le bouilleur de cru, qui avait prêté serment à la Fraternité républicaine irlandaise et qui était un des chefs des Volontaires.

Le flic nous fusillait du regard. Son holster était ouvert et il tenait dans son gros poing blanc un revolver bleu. Il puait l'alcool. En arrivant, nous les avions vus flirter avec deux filles. Ils riaient, mais les filles, elles, ne riaient pas. Elles avaient l'air effrayées.

Il leva son revolver vers l'oreille du poney de Mick. «Dis-nous où se planque ton vieux ou tu peux dire adieu à ton canasson.»

À l'idée qu'il allait abattre l'animal, je fermai les yeux.

«Je peux pas parce que j'en sais rien, entendis-je Mick répondre d'une voix raisonnable. Et si vous tirez sur mon cheval, il va tomber et les bouteilles vont se casser.

— Et qu'est-ce qu'il y a dans ces bouteilles?

— Du poitin, j'imagine.»

Silence. Je sentais que le policier réfléchissait.

«Donnes-y voir», conclut-il en bougonnant.

Mick sortit une bouteille de sa sacoche. Le *peeler* fit sauter le bouchon et but une gorgée.

«Donnes-y les autres.»

Mick ne se fit pas prier deux fois. Le policier rengaina son revolver. Il eut bientôt des bouteilles de whiskey plein les bras.

«On aura une amende? demanda Mick.

— Ahh, va-t'en, toi.»

Je ne sais pas si Mick s'est fait gronder par son grand-père pour avoir lâché le poitin, mais c'était de toute façon mieux que de perdre un poney ou de dénoncer son père. Mick était très débrouillard. Je ne l'ai jamais vu se démonter. Le braconnage était une entreprise risquée. Les saumons appartenaient toujours à quelqu'un d'autre.

Les gardes-pêches ne faisaient pas de quartier. La mort d'un braconnier abattu par un garde était un incident si banal qu'elle servait parfois de couverture à des meurtres aux mobiles politiques ou relatifs à des conflits liés à la terre.

Les meilleurs braconniers étaient ceux qui connaissaient la montaison des saumons et étaient capables d'«écouter la rivière», ceux qui connaissaient le pays comme leur poche. Mick disait que les gardes-pêches étaient soudoyés par la police pour abattre les braconniers qui étaient aussi des Volontaires. Ils n'étaient pas poursuivis par la justice, mais tout le monde savait de quoi il retournait, et, tôt ou tard, ils finissaient par payer.

Je me rappelle avoir fait le mur une nuit, et suivi Mick dans des ténèbres de laque... pluie fine, boue glissante, odeurs de marée. J'avais huit ou neuf ans. Les braconniers ne s'encombraient pas de leurres, c'était trop cher, et l'élégante pêche au lancer était proscrite comme trop dangereuse, les vibrations sonores de la ligne pouvant attirer l'attention. On opérait sur les berges de la Ballisodare, en contrebas de la cascade, avec des filets et des bouts de bois taillés comme des harpons.

«Le braconnage, c'est une affaire de vie ou de mort, disait Mick. La vie pour nous, la mort pour les poissons, voilà comment ça marche. Et les gardes sont des fripouilles.»

Il ne pêchait pas pour le plaisir, mais pour la magnifique chair rouge du saumon, dont il tirait parfois des sommes rondelettes.

Dans l'estuaire cette première nuit, la chance n'était pas au rendez-vous. «On n'y arrivera pas. Ce qu'il nous faut, c'est une barque... un currach, finit par constater Mick. Mon grand-père en cachait un par là, sur la berge, mais il doit être pourri, rien ne dure éternellement. Essayons plutôt vers l'amont. T'es partant, mon vieux ? »

Je l'étais, quoique terrifié de tout ce qui menaçait dans la nuit, gardes-pêches, voyous, balles perdues… j'avais même peur des saumons qui, à en croire Mick, étaient longs comme le bras, musclés par l'âge et la sagesse, avec de féroces mâchoires et des dents.

La semaine d'après, nous avons écumé l'eau vive des hauts-fonds de la Ballisodare, un fleuve de la largeur d'une petite rivière plus longue de huit kilomètres à partir de Collooney. Mick debout dans le courant levait son bâton pointu pendant que, à croupetons sur la rive, je tenais le filet prêt. C'était une première pour moi. Sauf Mick, personne ne savait où j'étais. Je me demandai ce que mon père dirait s'il savait. Il serait d'accord, décidai-je, il ne serait pas du côté des gardes et des voyous. Ma mère, mes tantes et ma grand-mère me croyaient au lit, bien au chaud, en train de dormir. Elles me prenaient encore pour un enfant, alors que j'avais assez de cran pour accompagner Mick. J'avais gardé mon sang-froid devant les policiers soûls et leur véhicule blindé. Et maintenant je risquais ma vie pour attraper un saumon.

J'admirais Mick McClintock, sa grâce, son savoir. Je lui étais reconnaissant de bien vouloir de moi comme ami.

On gelait. On ne pouvait ni bouger ni parler. Au moindre bruit, le poisson filait. L'oreille tendue vers les eaux qui ruisselaient autour de ses jambes, Mick écoutait la rivière. Il devait être paralysé par le froid, mais il était disposé à souffrir : c'était le prix à payer.

Les lueurs de l'aube déroulaient un papier d'étain dans le ciel quand notre saumon fit son apparition. Mick le harponna et le hissa hors de l'eau, un monstre vert argenté qui frétillait et battait de la queue en nous éclaboussant tous les deux. « Grouille, le filet ! »

Je ne fis qu'un bond. Notre poisson était vigoureux et j'eus un mal de chien à le caser dans le filet. Et ce n'était qu'un spécimen parmi des centaines d'autres, la rivière palpitait sous l'effet de ce flux d'énergie.

Nous regagnâmes la rive avec de l'eau à mi-cuisse. « Et voilà, déclara Mick en s'adressant au saumon, tu vas mourir, mais c'est pour de bonnes raisons. » Il le tua prestement et le vida sur place. Le lendemain, il le vendit au vicaire de l'église presbytérienne en face de la cathédrale catholique de Sligo.

Ma grand-mère Constance était née à Wychwood. Je n'ai pas connu son père, Hugh Ormsby, baronnet et arrière-petit-fils du comte de Tireragh – ce qui faisait de Karin et moi de lointains cousins.

Je n'étais pas encore né quand sir Hugh s'était rompu le cou en faisant une chute de cheval. Les gens de Sligo n'en gardaient pas un souvenir positif – il n'avait pas été un bon propriétaire. Pendant notre séjour à Wychwood, ma mère et moi entendîmes des histoires de propriétaires terriens assassinés, de maisons brûlées, de vendettas dont le mobile remontait parfois à plusieurs siècles. Constance raffolait de ces récits de haines anciennes, de représailles impitoyables, ainsi que des chants traditionnels de la montagne et des chants des rebelles, même quand ceux-ci s'en prenaient à son clan. Ils lui donnaient l'impression d'être en symbiose avec le pays. Au nord-ouest de l'Irlande, la vie n'a rien de très excitant, mais la population y a développé l'art d'embellir la réalité de détails fantastiques et de mensonges qui la rendent beaucoup plus intéressante. Ils mettaient à la disposition de ma grand-mère autant de folklore qu'elle le désirait.

Constance se considérait comme une aristocrate. Elle n'avait pas un sou devant elle, mais peu lui importait. Une aristocrate n'avait que faire des choses ordinaires, comme d'acheter des vêtements neufs ou de payer ses factures ou encore de tenir ses comptes. Qu'on n'attende pas d'elle qu'elle fasse son lit ou sa lessive, ou qu'elle nettoie sa salle de bains. À la rigueur, elle pouvait disposer des briquettes de tourbe dans sa cheminée et craquer une allumette, mais pas question d'aller en chercher dehors, pas plus qu'elle ne ferait la vaisselle après le repas. Une aristocrate était dévouée aux chevaux, à la lecture et à la conversation avec des gens qui en avaient. Elle se fichait bien de surveiller le ciel et le temps qu'il faisait. Elle n'écoutait jamais la radio. Elle conduisait parfois une automobile, mais toujours très mal. Les chiens et les chevaux adoraient les aristocrates. Et ceux-ci adoraient leurs enfants, qui, souvent, les comprenaient de travers.

Par une douce journée de fin d'octobre, ma mère, ma tante Kate et moi assistâmes dans le comté de Leitrim à une de ces courses hippiques «amateurs» connues en Irlande sous le nom de *point-to-point*, dans laquelle courait ma grand-mère. Constance montait un grand étalon de chasse, Dan of the Mountains, qu'on lui avait confié parce qu'elle était la seule capable de le dompter. Même l'armée britannique n'avait pas voulu de lui.

Constance avait conseillé à ma mère de parier tout ce qu'elle avait sur Dan. Eilín n'était pas une joueuse, comme mon père n'était pas un joueur. Ils avaient déjà assez d'incertitudes dans la vie comme ça et n'avaient pas envie de prendre plus de risques que le strict nécessaire. Toutefois, Eilín était émerveillée par le charme de ma grand-mère, son côté béni des dieux. Et elle faisait une si fabuleuse cavalière, montée sur ses grands chevaux fougueux.

Les courses de Leitrim n'avaient rien d'un rendez-vous prestigieux, mais à cette époque en Irlande, les gens prenaient au sérieux tout événement en rapport avec les chevaux. Des bookmakers de Sligo et d'Enniskillen, debout sur leurs caisses, engrangeaient les paris. Eilín misa onze livres et onze shillings, soit la totalité de notre fortune, sur Dan of the Mountains gagnant. L'étalon arriva en tête sur la ligne d'arrivée et nous procura de quoi voir venir. Quelques jours plus tard, il fut annoncé que la guerre était finie : nous avons dû retourner avec précipitation à Londres.

Les canons se sont tus à 11 h du matin, le 11 novembre 1918. Trois jours plus tard, Eilín et moi embarquions sur le train postal à destination de Dublin. Si j'ai dit au revoir à mon grand-père McDermott, je n'en ai aucun souvenir. Il est mort à Londonderry l'année suivante, renversé par un camion devant la caserne de la police royale irlandaise de Leckey Road. Il a eu droit à des funérailles républicaines en grande pompe à la cathédrale de Sligo. Gráinne était déjà partie pour Boston.

1938

Le Pr Anton Best, mon patron, lorsque je lui présentai ma démission d'IG Farben et lui annonçai que j'émigrais au Canada, se borna à se renfoncer dans son fauteuil et à me dévisager intensément.

On ne savait jamais ce que pensaient les administrateurs comme Best, à moins qu'ils ne vous le disent, et encore, quelle était la part de vérité dans leurs paroles?

À ma connaissance, Anton Best n'était pas un membre du parti. En apprenant mes liens avec le baron von Weinbrenner, dont la société Colora GmbH avait contribué à la fondation du cartel IG Farben, il avait eu des mots respectueux à son égard.

« Ce vieux baron, il était fort. Il doit bien avoir cinquante brevets à son nom. Les couleurs qu'il a su mettre sur le marché… Jamais on ne fera mieux. C'est une honte de voir qu'il est si mal traité. »

Cela faisait huit ans que je travaillais dans cette boîte. J'avais été très bien traité quoique récemment, notre service, chargé de l'exportation, fût passé au second plan, la direction s'étant alignée sur la politique d'autarcie nazie. On investissait des millions de marks dans le développement du caoutchouc et de l'essence synthétiques. Vendre au reste du monde des produits pharmaceutiques et des colorants n'était plus d'actualité.

En réalité, ils s'étaient attelés aux préparatifs de guerre.

J'avais toujours été fort bien rémunéré. Mes promotions étaient tombées à point nommé. En fait, si vous passiez le cap des deux ans, ils estimaient que vous resteriez dans la maison jusqu'à la fin. Il était tentant d'abonder dans leur sens, sauf qu'après la lettre de Günter Krebs, je savais que j'avais intérêt à tirer ma révérence si je ne voulais pas me retrouver plongé dans les sombres turpitudes qui se préparaient.

« Si la guerre est déclarée, moi qui suis détenteur d'un passeport britannique, je risque d'avoir de graves ennuis. »

Le P\ Best m'invita à m'asseoir, ce qui était déjà en soi une entorse à la règle puisque aucun supérieur hiérarchique n'était censé traiter les sous-fifres d'égal à égal.

« Inutile de vous expliquer.

— Pour quelqu'un dans ma position, c'est une situation difficile.

— Je comprends parfaitement. N'en dites pas plus. Dois-je considérer que vous ne serez plus de la maison à partir de la fin de cette semaine ? Cela vous convient ?

— Tout à fait.

— Il ne vous reste plus qu'à aller au service de comptabilité pour voir ce que peut vous verser la *Pensionskasse.* »

Un chimiste brillant, ce P\ Best. Avant d'entrer à IG Farben, il avait enseigné à l'Université de Marbourg. Lui-même avait à son nom un certain nombre de brevets.

En 1944, il fut transféré dans l'usine d'IG Farben à Monowitz, un des trois camps d'Auschwitz – j'ai découvert ça dans un livre en cherchant son nom dans l'index. J'ai l'habitude de feuilleter les index à la recherche de noms. Pendant six mois, le P\ A. Best a dirigé la production de méthanol grâce au travail forcé. Ensuite, il est tombé malade – d'une maladie non spécifiée – et a été renvoyé à Francfort.

« Si vous voulez savoir, je suis étonné que vous ayez attendu aussi longtemps, ajouta-t-il.

— Mes parents sont ici, il est difficile pour moi de les laisser.

— Vos parents sont anglais, si je ne me trompe? Ils devraient quitter ce pays pendant qu'il est encore temps. Cela ne va pas s'arranger ici pour eux. Bien, je vous souhaite bon voyage… *viel Glück.* Bonne chance. »

Je suis allé directement du bureau à l'agence de voyages de la Zeil afin de confirmer nos réservations sur le paquebot hollandais.

« Mon ami, vous avez de la veine d'avoir déjà pris vos billets, me dit le préposé, j'aurais pu les vendre le triple du prix.

— Vraiment? »

C'était un jeune type aux cheveux blonds plaqués sur le crâne, arborant épinglé, sur le revers de son costume gris bien coupé, un minuscule insigne de membre du parti : la croix gammée au milieu d'un cercle rouge.

« Il ne reste plus rien au tarif que vous avez payé. Tous les bateaux en partance du Havre, de Rotterdam, d'Anvers, de Belgique pour New York, Montréal, Halifax, La Nouvelle-Orléans… ils sont tous complets. Il y a des Juifs qui me supplient à genoux… ils sont prêts à payer de grosses sommes… »

J'ai demandé à consulter les horaires des trains. J'étudiais les changements sur le trajet Francfort-Rotterdam pendant qu'il recevait une famille juive dont la maison à Giessen avait brûlé. Ils voulaient se rendre à Madagascar via Lisbonne.

Leur maison avait sans doute été incendiée par une bande de nazis, coutumiers de toutes sortes de persécutions contre les Juifs dans les régions rurales de la Hesse.

Le guide des horaires était aussi épais qu'une bible, une bible de poche, douce au toucher, imprimée en lettres minuscules, bourrée d'informations rédigées dans un langage codé.

J'écoutais d'une oreille le préposé sermonner les Juifs de Giessen. «Combien de fois faut-il que je vous le répète? Ils voudront voir toutes vos pièces d'identité avant de vous autoriser à monter à bord.»

Ils avaient l'air de campagnards. Le père et le fils aîné pouvaient être des vendeurs de bétail ou de matériel agricole. Ou bien bottiers ou épiciers…

Je me concentrai sur les horaires. De Francfort à Mayence à Cologne à la frontière néerlandaise, changement à Utrecht pour Rotterdam.

Il était temps de partir.

Rotterdam-New York-Texas-Hollywood-Vancouver.

Nous serions libres, enfin. Ou du moins en sécurité.

C'est ce qui était prévu.

LES DÉPORTÉS

Lettre manuscrite. Signée *M v. Weinbrenner*, adressée à *Mrs H. Lange, Villa Moselle, 9 Dukes Avenue, Londres N10*, cachet poste *Francfort-sur-le-Main 28.12.1918*. Archives Lange, 12C-12-1918. Collections particulières, bibliothèque de l'Université McGill, Montréal.

———

HAUS WALDEN
Francfort
Noël 1918

Ma chère Eileen,

Nous sommes soulagés d'avoir eu de vos nouvelles et espérons que le capitaine Lange ne tardera pas à être libéré. Le baron dit que vous devez venir en Allemagne dès que vous serez aptes au voyage. La petite maison que nous mettons à la disposition de nos amis, Newport, vous attend. Vous aurez toute la place dont vous avez besoin. Depuis 1915, elle sert d'infirmerie pour les officiers blessés, mais nous ne tarderons pas à la récupérer. Ici, les gens meurent de faim. Ce matin, notre cuisinière nous a annoncé que le boucher a des corbeaux suspendus dans sa vitrine et qu'il y a la queue pour les acheter. Le baron a été légèrement blessé il y a deux ans, sinon nous allons bien. Tout ce que je peux vous dire, ma chère petite, c'est qu'il faut venir, nous vous attendons.

Affectueusement,
M. v. Weinbrenner

Lettre manuscrite. *Eilín McDermott Lange* [?] à *Heinrich Lange* [?], non datée, sans enveloppe, sans cachet de la poste. Archives Lange 12C-01-1919. Collections particulières, bibliothèque de l'Université McGill, Montréal.

Mon chéri,

Je ne crois pas que ce soit une bonne idée. Les W sont des gens de la haute, les bolcheviques vont leur tomber dessus et alors qu'adviendra-t-il de nous... tu me demandes l'impossible. Garde ton calme, me dis-tu, mais toi tu dors depuis quatre ans alors que j'ai épuisé ma réserve de calme... C'est un fleuve glacé, cette Allemagne, un piège d'acier, ils nous détestent. Je le sens. B a une horrible toux.

J'entends le bruit des canons.

Je sais, Lady M fera de son mieux, je le sais, mais et après ? Je suis au désespoir en ce matin mouillé, je te l'avoue.

Ta
E.

Lettre manuscrite. *Heinrich Lange* à *Eilín McDermott Lange*. Archives Lange 12C-01-1919. Collections particulières, bibliothèque de l'Université McGill.

———

PÉNICHE SAINT-ANTONIUS
sur le Rhin
à l'approche de Sankt Goar,
42 heures 19 min de Rotterdam
8:31
7 janvier 1919

Ma chérie,

Ne te laisse pas gagner par le désespoir. Lady M est sincère quand elle nous offre de nous réfugier à Walden. Quant à ce que je vais trouver pour mettre du pain sur la table, j'ai confiance. Je peux être skipper de nouveau, ou valet de chambre, ou garçon d'écurie... Ça m'est égal. Ce qui compte, c'est qu'on soit tous les trois ensemble et en sécurité. Je pense que le petit va très bien s'en sortir, il est robuste, tu n'as pas à t'inquiéter comme tu le fais. Il est en train de boire le chocolat chaud de la gentille Vrouw van Plaas. Il m'a l'air de fort bonne humeur. Tu vas t'abîmer la santé à te faire un sang d'encre chaque fois qu'il tousse.

Mais je comprends. Il a besoin de vêtements plus chauds pour l'Allemagne. En effet. On va arranger ça...

Bon, ce voyage fatigant tire à sa fin. Je lève les yeux et te vois à l'autre bout du pont et que tu es belle. Courageuse, loyale. J'espère être digne de toi.

J'aimerais te connaître mieux encore mieux.

Passe une bonne journée, ma chérie, ma merveilleuse femme.

Ton
Buck

Ils ne se parlent pas, ils sont juste assis sur le même banc, pourtant ils forment de toute évidence un couple, même si ma mère ne porte pas d'alliance. Un vent du nord souffle sur Londres. De la bouche de mon père s'échappe de la buée blanche. Il n'a pas l'air bien costaud, mais il est élégamment mis, manteau en cachemire, écharpe en soie, chapeau Homburg en laine feutrée grise.

Buck a tellement maigri qu'il flotte dans tous ses vêtements. Deux jours avant sa sortie, ma mère avait confié son plus beau costume au tailleur d'Ally Pally, qui était aussi un détenu. Il avait effectué les retouches nécessaires.

Dans la poche de mon père, il y a une lettre du ministre de l'Intérieur lui ordonnant de quitter le Royaume-Uni. Nous sommes déportés en Allemagne.

Mon père espère qu'on lui permettra d'aller plutôt en Australie. Il a déposé une demande au haut-commissariat d'Australie, sur le Strand.

La main gantée de gris de ma mère est posée sur le genou de mon père, et il l'a couverte de la sienne. De son autre main, il serre la poignée en argent de sa canne, le cadeau de mariage que lui a fait ma mère. Où a-t-elle passé la guerre?

Ou bien : ils sont assis tout près, mais ils ne se touchent pas.

La scène se présente à moi telle une photographie. Cette immobilité suggère-t-elle une union paisible, sans histoire, une mutuelle appréciation? Ou bien un malaise, de la méfiance, de la peur?

Je ne suis pas sur la photo; je me tiens à la lisière du champ, je les observe, j'essaye de voir où est ma place. Y en a-t-il une pour moi sur ce banc, entre mes parents ?

Dois-je me rapprocher ? Il lèvera les yeux et me sourira gentiment, mais je sais combien chaque sourire lui coûte, et je veux qu'il économise ses forces. Il est âgé de trente-quatre ans.

Assis sur ce banc à la nuit tombante, mes parents doivent s'interroger : qu'est-ce qui nous attend maintenant ?

Leur fils, qui se prend pour leur garde du corps, leur éclaireur, leur ange gardien, veut les préserver, les tenir hors du danger. La nuit est froide, humide. Eilín redoute d'amener Buck chez nous, sur Dukes Avenue, où le couloir pue la vieille soupe et les tapis crasseux, où les autres pensionnaires risquent de nous créer des ennuis. Avant Ally Pally, il n'avait aucun accent, à présent il en a un. Il est à tout point de vue beaucoup plus allemand.

Ses sentiments doivent être tout aussi embrouillés que les barbelés du camp de détention. Elle ne sait plus ce qu'il attend d'elle, ni ce qu'elle peut attendre de lui.

Ils finissent par se lever, il fait trop froid pour rester assis longtemps. Elle appelle leur fils qui joue non loin. Tous les trois traversent les ténèbres moites du parc. À l'arrêt d'autobus, ils patientent en silence. Ils grimpent dans le bus, elle paye le contrôleur, ils trouvent à s'asseoir. Elle sort de son sac un paquet de biscuits et en propose à son mari et à son fils. Ils en prennent chacun un, on dirait qu'ils sont heureux ; ils ont tiré un brin de plaisir de la nuit et du brouillard tandis que l'habitacle du véhicule s'allume et qu'ils se dirigent cahin-caha vers le nord de Londres.

Mes parents avaient besoin de retrouver leur vie de couple : une chambre à deux, un seul lit. À la pension de famille de Dukes Avenue, je fus envoyé dans une chambre sous les combles, jusqu'ici occupée par une bonne qui était rentrée en Irlande quand son frère avait été tué sur le front, en France, le dernier jour de la guerre. Tout dans cette pièce – le lit en fer, les murs, le sol, le plafond – était peint en blanc. Sur la commode, un chapelet formait un petit tas de perles de verre blanches. L'air était encore imprégné de l'odeur d'une autre personne. Je surnommai ce fantôme Lily et lui présentai des offrandes, chapardées à la cuisine ou dans la chambre des autres pensionnaires. Je déposai sur la commode : un morceau de chocolat, une orange, une pomme que je coupai avec un canif que j'avais volé.

Bien sûr, je finissais toujours par les manger. J'adorais la solitude dont je jouissais dans ces hauteurs. J'y croisais seulement, et encore rarement, la nouvelle bonne irlandaise qui occupait la deuxième chambre et ne faisait pas attention à moi. Je me plaisais à imaginer que la mienne était un lieu oublié dont nul n'avait connaissance, dont nul ne se rappelait, et qu'on ne découvrirait jamais. Mon existence même était un secret – ce qui justifiait dans mon esprit mes chapardages. En fait, c'est à peine si j'étais là, à peine si les gens me voyaient. J'étais le seul à savoir qu'il y avait un *moi*. Il y avait des souris dans les murs, je les sentais courir sur mon lit la nuit, mais ça m'était égal. J'étais la caisse de résonance d'un bien-être que rien n'entamait. Du moment que je vivais caché.

Avec les tiroirs de la commode, je me fabriquais une échelle pour atteindre le vasistas. Comme le chambranle collait, je me débrouillais pour l'ouvrir en m'aidant de mon canif, puis je sortais en rampant sur les ardoises du toit pentu.

Un brouillard épaissi par les fumées noires de charbon enveloppait le nord de Londres. Perché sur le toit de la villa Moselle, 9, Dukes Avenue, Muswell Hill, le regard tourné vers le halo lumineux de la grande ville, j'allumai une cigarette de l'étui en fer-blanc Sweet Afton que Mick m'avait offert avant mon départ de Sligo. J'avais neuf ans, mais en Irlande, les jeunes garçons fumaient le tabac qu'ils trouvaient, sous forme de cigarettes ou en vrac dans des pipes en terre cuite.

J'étais content que mon père occupe ce qui avait été ma place dans le lit de ma mère ; je ne lui enviais pas la chaleur dont il me privait. J'étais soulagé d'avoir de nouveau mes deux parents. Peut-être lui en aurais-je voulu s'il n'y avait pas eu ces moments où je l'avais sentie s'éloigner de moi, se préparer à faire le grand saut. Ces moments où, par une sorte de télépathie émotionnelle, j'étais parvenu à la retenir au bord du gouffre.

Je savais qu'elle avait besoin de mon père. Nous avions tous les deux besoin de lui.

———

L'Australie avait refusé de nous ouvrir ses portes. Nous étions donc bons pour partir en Allemagne, même si ma mère parlait très mal l'allemand et moi, pas du tout.

Nous avions des riches cousins Lange à Hambourg, seulement ils n'avaient jamais pardonné au capitaine Jack le désastreux pari sur le commerce de céréales californiennes qui avait mis en faillite la société familiale. Buck était catégorique, il n'y avait rien à espérer de leur côté. Il pensait que nous devrions nous installer dans un port maritime – Bremerhaven, Kiel ou même Hambourg – où il essayerait de trouver une situation dans la marine marchande.

Il devait se douter qu'il serait en compétition avec des milliers d'anciens officiers de la marine impériale allemande bien-aimée du Kaiser qui avaient sabordé leurs propres vaisseaux à Scapa Flow, dans l'archipel des Orcades, au nord de l'Écosse, plutôt que de les céder à la marine britannique.

L'accent allemand de Buck était plus prononcé quand il était fatigué, ce qui était souvent le cas. Ma mère s'en irritait, ainsi que de certaines mauvaises habitudes prises en détention, comme de fourrer dans ses poches les reliefs du dîner, des croûtes de pain, même des petits bouts de viande. Il ne se levait jamais avant 10 h du matin et faisait une sieste prolongée l'après-midi. Sans doute le sommeil lui avait-il servi de forteresse, il s'était entraîné à en faire son refuge contre l'ennui mortifère de la prison. Mais désormais ma mère et moi l'entourions, et il nous semblait qu'il nous fuyait, nous évitait, se cachait de nous.

Un matin, il descendit à la salle à manger tiré à quatre épingles mais les joues couvertes de poils argentés. À Ally Pally, on ne se rasait pas tous les jours ; pas question d'user la précieuse lame de son rasoir.

Ma mère lui jeta un regard glacial. Elle détestait voir transparaître en lui le prisonnier.

En attendant son passeport provisoire, Buck passait ses après-midi assis sur les bancs des parcs londoniens. Noir de fumée et pluie fine. Je le revois sur un banc vert de Hampstead Heath, drapé dans son manteau, sa canne à la main, et les yeux portés vers… vers quoi ? Les canards dans l'étang ? L'herbe verte luisante de vapeur d'eau? La liberté de ces oiseaux bruns affamés? Il est trop bien habillé pour être pris pour un vagabond ou un marin naufragé.

Eilín était retournée récupérer son alliance. Le vieux prêteur sur gages juif l'avait scrupuleusement mise de côté. Je la regardai la passer à son doigt. Nous reprîmes le bus en sens inverse pour trouver dans le panier qui servait de boîte aux lettres une superbe enveloppe en papier de lin portant le blason de Walden – le trèfle irlandais enroulé autour d'un brin de bleuet allemand.

Le timbre était légendé Deutsches Reich.

C'était l'invitation de la mère de Karin, Lady Maire, la baronne Weinbrenner.

Ma mère était à la fois folle de joie et soulagée. Par la suite, pendant le voyage sur le Rhin, elle se laisserait parfois gagner par la fatigue et le découragement, mais elle n'avait pas oublié la bonté de Lady Maire à son égard alors qu'elle était une toute jeune fille fraîchement débarquée d'Irlande. S'il y avait un endroit en Allemagne où nous pourrions nous sentir chez nous, ce ne pouvait être qu'à Walden.

Après avoir lu la lettre, mon père se persuada que le baron devait projeter de commander un nouveau yacht de course en remplacement d'*Hermione II*, sans doute à un chantier naval américain. Il aurait besoin d'un skipper, il pouvait compter sur mon père.

Les Quakers nous payeraient une troisième classe en train jusqu'à Hull, puis en vapeur jusqu'à Rotterdam. À partir de là, à nous de nous débrouiller.

Au cours de ces derniers jours déboussolants à Londres, pendant qu'Eilín payait des factures et emballait tout notre bien dans une seule malle, mon père nous entretenait d'une vision de lui-même à la barre d'une belle goélette yankee aux hunes élancées filant à travers la baie de Narragansett, avec devant elle une vague de proue blanche d'écume, tel un os entre ses dents.

Nous aurions dû être américains.

Une très vieille dame quaker nous conduisit en fiacre à la gare de King's Cross. Je regardais les voitures dans la rue en marmonnant un charabia germanique. Une ligne d'ambulances attendait devant la gare. Cela faisait des semaines que la guerre était finie, mais on rapatriait encore des grands blessés des hôpitaux militaires de France.

Chaque fois que la dame quaker adressait la parole à Buck en allemand, il répondait en anglais. Il avait une conscience aiguë de notre vulnérabilité.

«*Auf Wiedersehen!*» s'écria-t-elle alors que nous grimpions à bord du train. Je vis ma mère tiquer. Le hall de gare glacé était plein de fumée, d'Union Jack et de civières. Les Allemands étaient plus détestés que jamais. Je le sentais, et j'étais moi aussi près de les détester.

Déporté. Qu'est-ce que cela signifiait?

J'étais un habitué des voyages. En plus, je préférais avoir mes deux parents avec moi, plutôt que d'être juste avec ma mère. Et ils n'avaient pas peur eux non plus, puisque nous étions tous les trois ensemble. J'avais l'impression d'être le seul à supporter le poids de l'inquiétude et de la fatigue. Ils pouvaient compter sur moi, je les protégerais contre les menaces, j'absorberais le danger.

Le train jusqu'à Hull. Janvier 1919. La dame quaker avait donné à Eilín un panier avec des sandwichs au corned-beef, des pommes, des œufs durs, du chocolat et un thermos de thé.

Buck, assis dans un coin du compartiment, jambes croisées, lisait le *Times* qu'il avait soigneusement plié.

Une révolution déchirait l'Allemagne. Un mouvement d'extrême gauche, la ligue spartakiste, s'opposait aux milices de droite, les *Freikorps*, les corps francs. Les combats de rue faisaient rage à Berlin, à Munich, à Brême. Des massacres.

«Le pays est plongé dans le chaos», dit Buck.

Le *chaos*. Un mot nouveau pour moi. Avec le recul, je me rends compte que le chaos régissait déjà en grande partie ma vie quotidienne, mais que personne ne l'avait encore fait remarquer.

Nous avions tous les trois envie de retrouver une intimité familiale.

À Hull, nous embarquâmes à bord d'un petit bateau à vapeur, le *Jervaulx Abbey*, pour une traversée de nuit à destination de Rotterdam. Les passagers de l'entrepont dormaient entassés sur le pont inférieur, les hommes séparés des femmes. Trois lits superposés. J'étais couché à quelques centimètres de mon père. Un air raréfié, des grognements. Cela lui rappelait-il Ally Pally? Mais Buck était un marin dans l'âme. Il était peut-être rassuré d'être en mer. Je n'avais même pas le pied marin, j'avais horriblement mal au cœur. Tout le monde dans l'entrepont souffrait du mal de mer, sauf mon père. Un ragoût de vomissures glissait avec le roulis du bateau sur l'acier du plancher. À deux reprises, Buck m'enveloppa dans nos manteaux et me porta par l'échelle de l'écoutille jusqu'au pont.

Notre petit navire fendait en cahotant la houle de la mer du Nord. Il faisait trop froid pour rester là-haut plus de quelques minutes ; la température glaciale était une toxine. Mais tant que nous la supportions, nous étions mieux sur le pont qu'à l'intérieur. On y respirait un air vif et féroce. L'eau salée avait déposé sur le plancher une pellicule poisseuse et les lumières brillaient sur la passerelle. J'avais la sensation de participer à une aventure. Mais bientôt, le froid intenable nous chassait de nouveau dans notre infâme entrepont.

Mon père m'allongea sur ma couchette, mais je n'arrivais pas à dormir. Et puis je vomis, je ne sais combien de fois, un filet de liquide noir qui pouvait être du sang aussi bien que de la bière irlandaise. Buck m'emmitoufla de nouveau et remonta l'échelle avec moi dans les bras. Il était fort, mon père, quoique ayant vécu de rations de viande de cheval, de chou et de thé pendant quatre ans. Vers la fin de sa détention, il ne consommait plus que les pommes de terre qu'ils faisaient pousser dans leurs carrés et le lait frais qu'on leur distribuait une ou deux fois par semaine.

Je restais accroché à son dos comme un singe alors qu'il escaladait l'échelle de l'écoutille. Sur le pont, je ne tenais debout que s'il se mettait derrière moi, les mains sur mes épaules. Sans lui, je me serais envolé.

Dans la lumière brouillée de l'aube, nous longeâmes le brise-lames en béton qui protégeait le port de Rotterdam des eaux. Dans le calme revenu, je me sentis beaucoup mieux. Le *Jervaulx Abbey* traversa le bassin et aborda au quai. Les amarres volèrent, la sirène lança son appel, les dockers levèrent la passerelle. J'observai trois douaniers hollandais en contrebas sur le quai, képi blanc et uniforme gris. Ils tiraient tranquillement sur leurs pipes en écume de mer. Émergeant des vicissitudes de la nuit, je me sentais en forme, l'esprit clair, et j'avais une faim de loup. J'étais avide de découvrir des nouveautés, et décidé à attirer le moins possible l'attention.

Les douaniers annoncèrent à Buck que le chemin de fer en Allemagne était paralysé par une grève générale. Hélas, nous n'avions pas les moyens de séjourner à Rotterdam. Buck nous laissa dans un café non loin de l'agence de la Holland-America Line et partit en quête d'une péniche remontant le Waal jusqu'au Rhin et qui voudrait bien prendre à son bord trois passagers n'ayant pas peur de voyager à la dure.

L'air polaire soufflait sur les quais une odeur de fumées noires et d'eau fétide. À la cantine des dockers, ma mère et moi nous blottîmes devant le poêle en fonte émaillé dont émanait une merveilleuse chaleur. Nous partageâmes un bol de café. Les ouvriers et les serveuses avaient des mines épanouies et leur bonne humeur était contagieuse. Oubliant nos maigres ressources, nous mangeâmes des harengs et des petits pains toastés. La serveuse sortit une orange sanguine, spécialement pour moi, offerte par la maison. Ma mère la pela et on en garda quelques quartiers pour Buck, qui arpentait les docks en discutant avec les mariniers.

Il revint pour nous dire qu'il nous avait trouvé de la place sur une péniche. Il avala en vitesse son café. Un jeune garçon trimballa notre malle sur son chariot. Notre chaland transportait des fûts, des caisses et soixante bicyclettes hollandaises à destination de Coblence. Dans la soute, il y avait des sacs de jute gonflés de grains de café et des meules de gouda de Hollande recouvertes de paraffine et emballées dans de la mousseline.

Le capitaine van Plaas, le maître de la *Saint-Antonius*, avait une belle barbe blonde. Avec son épouse, ils habitaient à bord en compagnie de leur chat noir, Stocksi. Le capitaine descendait d'une longue lignée de mariniers. Il était né à bord d'une péniche sur le Waal, entre Tiel et Nimègue. Ils nous donnèrent une petite cabine douillette sur le pont. Eilín et Buck prirent la couchette et me firent à même le sol un matelas de sacs de jute vides, de manteaux et de couvertures.

Il fallut la matinée pour terminer le chargement. La *Saint-Antonius* s'écarta du quai et traversa lentement le port. Pendant que la péniche remontait les complexes ramifications du delta du Rhin, Vrouw van Plaas posa devant nous une soupe de champignons, de la purée avec du lard et du chou rouge.

Le paysage était plat, le ciel, plus vaste que celui de Londres. La lumière, grise mais douce, les champs, détrempés et d'un vert intense. Le jour, plus généreux qu'il ne l'avait été en Angleterre pendant la guerre.

Je ne passais pas trop de temps à contempler les ciels de Rembrandt. Je me régalais de choses délicieuses, je jouais avec le chat et remarquais à peine le glissement lent des champs néerlandais. Au village de Rossum, notre capitaine fut obligé de faire halte pour avarie. Mon père, qui savait ce que c'était qu'un moteur de bateau, lui donna un coup de main. Après ça, ils restèrent assis dans la cabine de pilotage à siroter du genièvre dans des tasses en porcelaine de Delft.

Quand je montai lui dire bonsoir, Buck posa sa tasse, ouvrit grand ses bras et me serra si fort contre lui que ses joues râpaient les miennes. Il sentait l'alcool frais et le tabac capiteux de la pipe du capitaine. Je m'endormis beaucoup plus facilement qu'à Londres, bercé par le ronron du moteur et les clapotis de l'eau vive contre la coque.

En longeant la ville de Nimègue, nous essuyâmes une averse de grésil et bûmes un chocolat. Ensuite, le ciel s'éclaircit. Bientôt nous fûmes en Allemagne. À Duisbourg, des soldats nous envahirent. Laissés-pour-compte de la grève des chemins de fer, ils s'étaient lancés sur la rivière dans une barge. Dès qu'ils avaient aperçu la *Saint-Antonius*, ils avaient abordé. Van Plaas n'essaya pas de les arrêter. Sans doute estimait-il que ce serait prendre de trop gros risques. Ils étaient plutôt amicaux. Sa femme leur proposa du pain et de la soupe. Ils avaient abandonné leurs fusils quelque part en cours de route mais gardaient leurs casques M16 accrochés à leur barda. Le vert-de-gris de leurs uniformes était délavé, l'étoffe s'en allait en lambeaux. Assis sur le pont avant au milieu des caisses, des bicyclettes et des barriques, ils buvaient de l'eau-de-vie de pomme et jouaient aux cartes. Buck discutait avec eux.

Les soldats dirent à mon père qu'on était plus en sécurité sur la rivière qu'à terre. Pendant la traversée de Cologne, d'étranges bruits saccadés nous parvinrent de la ville. À en croire les soldats, ces drôles de sons étaient produits par des fusils-mitrailleurs. Alors que nous allions passer sous le pont Hohenzollern, un sniper nous prit pour cible. Au début, je crus que des insectes crissaient au-dessus de moi, seulement en hiver il n'y a pas d'insectes sur le Rhin. Buck se dépêcha de nous pousser, ma mère et moi, à l'intérieur. Les soldats se planquèrent derrière les barriques, les caisses et les bicyclettes. L'instant d'après, l'un d'eux reçut une balle en pleine tête… Nous entendîmes les autres crier. Buck remonta voir ce qu'il pouvait faire. Dès que nous laissâmes Cologne derrière nous, la pétarade cessa. Eilín et moi refîmes surface. Ils avaient étendu le mort sur le pont en écartant les barriques. Mes parents auraient préféré que je ne voie pas le cadavre, mais c'était inévitable. Le bateau était trop petit. Ils lui avaient étendu les jambes et posé son casque sur la blessure mortelle. Sa tunique vert-de-gris était boutonnée jusqu'au col, il avait les yeux fermés, les mains croisées sur la poitrine. On voyait que les soldats étaient habitués à voir mourir leurs camarades. Du sang s'était répandu sur le pont, que Vrouw van Plaas s'employait à nettoyer en frottant avec une brique de grès. À Coblence, ils ligotèrent le corps à une planche et le transportèrent à terre. D'autres soldats montèrent à bord. Sales, mal rasés, ils dormaient sur le pont avant, enveloppés dans leurs manteaux, ou dans la soute, parmi les sacs de café javanais et les meules de gouda.

Je remarquai que, depuis le départ, mes parents se tenaient à l'écart l'un de l'autre. Nous dormions tous les trois dans notre petite cabine, mais le jour venu, mon père montait bavarder avec le capitaine à la barre et ma mère se plongeait dans l'étude de la grammaire allemande avec un petit manuel que Lady Maire lui avait offert des années auparavant. Un jour, je surpris Buck en train de lui passer un morceau de papier plié. Le lendemain matin, je la vis glisser un billet semblable sous sa tasse de café, dans la cabine de pilotage. Ils s'échangeaient des mots comme des écoliers! Une drôle de façon de communiquer pour un couple, mais c'était ainsi qu'ils avaient fait pendant ses quatre années de détention. Le pli était pris.

Après Coblence, son lit devenant plus étroit, le fleuve sembla se ruer vers nous. La rapidité du courant me rappela la Ballisodare et je songeai avec nostalgie au souvenir de mes nuits de braconnage avec Mick McClintock.

Nous croisions d'autres péniches. S'il y avait des enfants à bord, ils me saluaient par de grands signes des bras. Depuis l'Irlande, je n'avais pas beaucoup fréquenté mes pairs et cela ne me manquait pas.

Mick McClintock n'aurait pas hésité à envoyer sa ligne et à pêcher à la traîne dans cette partie du Rhin. Aux yeux de Mick, toutes les eaux tumultueuses, même celles du ruisseau qu'est la Garavogue après le lac Innisfree, étaient des viviers riches de promesses, où truites et saumons attendaient d'être pris à l'hameçon, au harpon, au filet ou même à mains nues. Selon la philosophie de mon ami, le braconnage était peut-être une activité dangereuse, mais n'était-ce pas le cas de tout ce qui était agréable dans la vie ?

Un matin, à mon réveil, je montai sur le pont. Une brume blanche flottait sur le fleuve, débarrassée des noires scories qui l'avaient salie à Düsseldorf et à Cologne. Nous naviguions au fond d'une gorge profonde, dominée çà et là par des châteaux. Vrouw van Plaas, vêtue d'une cape rouge à capuche, nous distribua des tasses de café. Le capitaine van Plaas proposa à mon père de prendre la barre.

Buck était de nouveau dans son élément, un skipper en manteau et feutre de laine gris pâle. Il souriait en manœuvrant à contre-courant, une navigation moins paisible que sur le Bas-Rhin.

Nous déchargeâmes à Sankt Goar. Un officier français sauta à bord avec une escouade de tirailleurs africains, des hommes costauds dans de grands manteaux bleus et des bandes molletières vertes, le fusil en bandoulière. L'officier exigea de voir les certificats du capitaine van Plaas. Comme ils n'étaient pas en français, il les déchira en mille morceaux. Les soldats allemands, surpris dans leur partie de cartes, étaient montés sur le pont. Ils se mirent à narguer les soldats noirs, lesquels reçurent l'ordre de mettre la baïonnette au bout du fusil, ce qu'ils firent prestement. Eilín essaya de m'éloigner, mais je ne me laissai pas faire ; le spectacle était trop intéressant. Le soleil perçait et la brume fluviale prenait des teintes dorées. Les soldats allemands furent repoussés vers la proue. Deux Africains furent dépêchés dans la soute pour vérifier s'il n'y avait pas de la marchandise de contrebande. L'officier français examina les papiers d'identité de Buck. Notre malle fut sortie de notre cabine. Le Français ordonna à ma mère de l'ouvrir puis, sous les regards de tous, en brassa le contenu. Sur le dessus était pliée la lingerie blanche de ma mère, ses combinaisons, ses caracos, ses culottes. Il prit deux culottes courtes et les leva en l'air dans l'intention, sans doute, de l'humilier devant tous ces hommes. Mais c'était mal la connaître. Elle qui avait appris le français au couvent, auprès des Sœurs de Loreto à Rathfarnham, lui lança : « Si vous cherchez un cadeau pour votre chère mère, capitaine, vous n'avez qu'à vous servir, je vous en prie. »

Le sourire railleur de l'officier s'effaça. Il fit descendre la malle à terre cependant que nous restions sur le pont, sous bonne garde. Cette malle contenait la totalité de nos biens, hormis les habits que nous avions sur le dos. Quinze minutes plus tard, deux Africains la rapportèrent. Deux soldats allemands bondirent sur le quai pour la hisser à bord. Puis, les soldats nous aidant à récupérer les amarres, nous reprîmes notre route.

Ma mère ouvrit la malle afin de vérifier si rien n'avait été volé. Un étui à argenterie, un collier hérité de sa famille et une broche que Constance lui avait offerte avaient disparu.

Il n'y avait aucun recours possible. Mes parents s'étaient d'avance résignés à ce genre de mésaventure. C'était notre lot de réfugiés, un point c'est tout.

À Wiesbaden, quelques heures plus tard, il fallut faire nos adieux aux van Plaas et débarquer.

« *Auf Wiedersehen !* » nous crièrent les soldats. Et cette fois mes parents répondirent « *Auf Wiedersehen !* » parce qu'on ne risquait plus rien désormais à parler allemand.

1938

Karin me téléphona au bureau où je venais d'avoir un entretien détestable avec le vieux comptable de la *Pensionskasse*. Quand je lui avais expliqué que je démissionnais, il avait commencé par faire semblant ne pas comprendre. Impossible! Impensable! Consternant! Personne ne quittait volontairement l'IG.

Il m'avait rudoyé, presque insulté.

Bon débarras... Il n'avait pas prononcé ces mots, mais son attitude ne trompait pas.

«Je sais que je ne dois pas te téléphoner au bureau.» La voix de Karin me coulait dans l'oreille comme du miel, à la fois chaude et fraîche. Jamais je ne m'y habituerais.

«Ça n'a pas d'importance.

— Je l'ai dit à mon père.

— Alors?

— Je lui ai expliqué le parcours que tu envisages. J'avais l'impression de lui raconter le scénario d'un film. Pas tout à fait dans la réalité. Ah! Billy, je ne sais pas. Je devrais peut-être rentrer à Berlin.

— Il n'en est pas question! On n'est pas au cinéma... tout ça est vrai. New York dans trois semaines. Qu'est-ce que pense ton père?

— Il demande que tu viennes à Walden.»

———

Le tram traversa le Main et je longeai la rue animée de Niederrad jusqu'à Walden. Il y avait longtemps que le portier avait déserté. Je tirai le lourd battant en fer forgé et me coulai dans l'entrebâillement du portail.

L'entretien du domaine était négligé depuis déjà des années. Des herbes folles poussaient dans le gravier de l'allée. Le jardin, délaissé depuis 1936, était devenu une friche. La pelouse n'était pas tondue. Au fond de la piscine stagnait une eau répugnante, gluante de feuilles mortes. Personne n'avait songé à la vider complètement.

Au lieu d'entrer dans la maison, je me promenai en songeant que je voyais sans doute ce lieu pour la dernière fois. Dans l'écurie déserte, je respirai une légère odeur de crottin, de graisse pour sabots, de savon glycériné pour nettoyer les selles, d'avoine…

Au moins les foins avaient-ils été faits. L'herbe était rase dans le pré, qui semblait le seul coin de la propriété à être encore l'objet de soins attentifs.

La villa néoclassique mise à la disposition des invités, qui nous avait accueillis en 1919 et avait dès lors été notre foyer pendant tant d'années, Newport, paraissait à l'abandon au milieu du bois, avec son volet décroché qui battait à la fenêtre de mon ancienne chambre.

La vieille Mercedes du baron et la Ford noire de Lady Maire étaient toujours dans le garage/remise à calèche. Un ponte du parti les avait réquisitionnées en 1936, mais ne s'était pas donné la peine de les prendre.

En cet après-midi de la fin d'octobre, entre les bouleaux scintillants de lumière, Walden était semblable à une maison fantôme. Je revoyais les magnifiques chevaux, mes parents aux jours heureux, même mon ami perdu depuis longtemps, Mick, curieux d'en savoir plus sur la belle héritière Karin von.

Peu importait qu'elle fût ou non prête émotionnellement à quitter l'Allemagne, le moment était venu. Et j'étais bien décidé à lui faire traverser l'Atlantique, à lui faire gagner la sécurité et l'Amérique, où notre avenir nous attendait de l'autre côté d'El Llano.

Je m'y prenais à ma façon, avec cet indéchiffrable mélange d'expérience et de flair, comme un chien bien dressé, un chien de chasse qui tressaille d'impatience d'aller chercher le gibier à plumes abattu et qui le rapportera dans sa gueule, avec douceur, presque tendresse, sans le blesser. C'est la tâche qui lui est allouée. Il est né pour ça.

N'essayez pas de lui barrer le passage.

N'AIE PAS PEUR

Arten von Licht Buch *[Variétés de lumières]*, Karin v Weinbrenner. Non paginé. En anglais avec des occurrences en allemand. Archives Lange, 12 C-12-1988. Collections particulières, bibliothèque de l'Université McGill, Montréal.

~

Souvenirs des lumières pendant la guerre : Walden (1914-19)

Les couleurs sont FORTES : le noir/le blanc/ le vert sapin foncé/le vert-de-gris des uniformes, beaucoup/le rouge, pansements ensanglantés. Notre nourriture, grise. Navets, pommes de terre, bouillie d'avoine. On tue les oiseaux pour les manger : moineaux pinsons alouettes corbeaux aux pattes noires. Les officiers au visage de pâte à modeler jaune ont été gazés. Certaines blessures sont violettes. La sœur Zukermann a une tenue d'infirmière rose, elle prétend que c'est la couleur la plus pratique, où les taches de sang ne se voient pas, l'idéal serait écarlate, seulement une religieuse ne peut pas porter de rouge vif !
— La croix de fer de père. La Eiserne Kreuz. W pour Wilhem. Noire bordée d'argent avec un ruban blanc, rouge et noir. L'uniforme de père : passepoil rouge sur gris verdâtre. Il dit

au tailleur « Zu eng ! Zu eng ! J'arrive pas à respirer ! »

— Il neige beaucoup pendant la guerre.

— Je suis couchée parmi des coussins sur le tapis de la bibliothèque et je bois du thé en lisant <u>Les fils du chasseur d'ours</u> et <u>Le trésor de Silver Lake</u>[1], cela grâce au petit Oberleutnant. Après la guerre, dit-il, il partira en voyage et ira jusqu'au Llano, pour que la lumière le guérisse. Hélas, une des tombes qu'ils sont en train de creuser, d'avance, avant que le gel rende la terre trop dure, sera pour lui.

— Les magnifiques bottes de cheval du petit Oberleutnant. Noires, un cuir de qualité, souple, à peine portées. Que faut-il en faire ? Les cirer ! Les cirer... il les portera dans seinem Grab !

---

1. Ces romans de Karl May dont les titres allemands sont ici traduits en français pour les besoins de la traduction n'ont pas été publiés dans notre langue.

Lettre manuscrite. Signée *K. v. Weinbrenner*, adressée à *M. Billy Lange Walden 60529 Francfort-sur-le-Main Allemagne*, cachet poste *Sherborne Dorset, 12 nov. 1920*. Archives Lange, 12 C-11-1920. Collections particulières, bibliothèque de l'Université McGill, Montréal.

—

PENSIONNAT POUR JEUNES FILLES SHERBORNE
Sherborne, Dorset
11 novembre 1920 anniversaire de l'Armistice

Mon cher,

Si tu es vraiment capable de tirer un lapin en train de courir, tu vaux au tir à l'arc un Apache de ton âge. Sauf que ce sont les enfants qui chassent les lapins... quand tu seras grand... les bisons. N'empêche, je suis contente de toi. Toi le petit Anglais à Walden avec ses charmants parents et moi en internat avec 209 horribles petites Anglaises. Nous ne sommes ni l'un ni l'autre « chez nous ». Dans mon dortoir, nous sommes 17 filles. Une seule Irlandaise. Tu ne les aimerais pas du tout. La grosse fille Belinda Morgan-Grenville, une laideronne, toute rose avec des grandes dents, et quelle brute, m'a flanqué un coup dans les tibias avec son bâton de hockey... deux fois.

La deuxième fois, je lui suis tombée dessus. Qu'est-ce que j'ai pas entendu! Sale étrangère sale boche mauvaise joueuse! Notre déléguée, Rita Vanderheuven, m'a punie. À moitié Hollandaise, elle est pas si épouvantable que ça. Mais voilà, maintenant je suis privée de sortie. Je ne peux même pas aller faire des courses au village... Pendant deux semaines. Au village, on achète des bonbons... et des Zigaretten! Juste avant 11 heures, la cloche sonne... Deux minutes de silence. Est-ce qu'on peut se souvenir d'un soldat allemand ici en anglais. Oui... le lieutenant Fröhlisch.

Incroyable ce que ces Anglaises font comme raffut. C'est drôle parfois. Lis, lis donc mon cher. Où en est Winnetou? Si tu m'écris, attention que ce soit en bon allemand s'il te plaît,

Ta vieille amie la chasseresse,
K. v. Weinbrenner

Lettre manuscrite. Signée *K. v. W*, adressée à *Herr B. Lange Walden 60528 Francfort-sur-le-Main Allemagne*, cachet poste *Lausanne 11 Gare Exp, 11.11.1925*. Archives Lange, 12 C-11-1925. Collections particulières, bibliothèque de l'Université McGill, Montréal.

———

INSTITUT CHÂTEAU MONT-CHOISI*

Lausanne Suisse
11 novembre 1925

Guillaume, mon frère*

Le ciel est gris EN SUISSE mais dans mon rêve : EL LLANO ESTACADO. Ne serait-ce pas épatant, mon frère. N'est-ce pas. Ces jours suisses, tout est organisé sombre bien rangé le nec plus ultra. Si mon petit père était madame la directrice il ne ferait pas mieux. La terminale! Nous dormons dans des draps repassés, nous faisons du sport, nous sommes bien nourries*, nous étudions les caractères, les bonnes manières, apprenons à danser, à tenir à jour l'inventaire de l'argenterie et du linge. À faire la révérence*. Hormis qu'on ne s'occupe pas de reproduction, le pensionnat ressemble à un haras de première classe. Les filles savent qui elles vont épouser. Je n'épouserai personne. L'hon. Jane Pitney m'a invitée en Angleterre pour Noël. Mon hon. Mère a accepté que j'aille chasser avec l'hon. Cottesmore en janvier.

La Terminale! C'est vrai! Mais je n'en aurai pas terminé pour autant, mon Billy! Après ce couvent helvétique (pas si mal en fait, mais pas formidable non plus), j'irai vivre à Berlin. Je louerai un appartement à Berlin. Je n'y serai plus pour personne. Mais loin d'être une fin, ce sera un <u>commencement</u>.

Jeudi a passé comme l'éclair. Au Kino, en ville. <u>Le Fantôme de l'opéra</u>, américain, superbe, captivant, ce film c'est comme un rêve immense — Alpträume... On en ressort titubant dans la rue, secoué, encore plein d'extraordinaires sensations. Rien ne vaut le cinéma, n'est-ce pas.

AUJOURD'HUI: Le jour des morts. Il n'y a pas les 2 minutes de silence à Lausanne mais ce matin à 11:00 les Anglaises se sont figées, totalement immobiles. Des mortes debout.

Ta seule et unique sœur,
KvW

Arten von Licht Buch [*Variétés de lumières*], Karin v Weinbrenner. Non paginé. En anglais et en allemand. Archives Lange, 11 C-12-1988. Collections particulières, bibliothèque de l'Université McGill, Montréal.

Une chevauchée nocturne dans le désert au clair de lune! Combien je souhaiterais que mes chers lecteurs ressentent cette majesté qui élève les âmes vers des cimes inviolées. Cependant, cette âme, il faut l'avoir libérée de tout souci, de tout ce qui peut l'oppresser et la restreindre... Si seulement on pouvait me donner une plume d'où ruisselleraient les mots justes pour décrire l'impression que produit la traversée de nuit du désert sur un cœur sincère!

Der Geist des Llano Estacado
Karl May

— La traduction est de moi! kvw

Joues creuses, lèvres minces, vêtements gris – les Allemands ressemblaient à des loups, pensai-je alors que notre petit train interrégional entrait en gare de Francfort. Deux mendiants en guenilles vert-de-gris – l'un d'eux n'avait plus qu'une jambe – harcelèrent un couple qui descendait d'un wagon de première classe. Le gentleman, de forte corpulence, portait une écharpe en soie blanche et un manteau en poil de chameau posé coquettement sur ses épaules. Sa compagne, plus jeune, mince, était très belle. Je ne parlais pas assez bien l'allemand pour comprendre ce que criaient les mendiants, mais à voir leurs visages grimaçants et les postillons qui jaillissaient de leur bouche, je me doutais que leurs invectives étaient ignobles. Le couple hâta le pas devant eux.

Un porteur en blouse bleue, une rangée de médailles sur la poitrine, proposa avec insistance ses services et allait hisser notre malle sur sa brouette quand Buck l'arrêta d'un geste et dit à ma mère : « Mon briquet ! Tu l'as vu ? On m'a aussi volé mon briquet ? »

Je vis que ma mère était perplexe. On nous avait volé notre argenterie et un collier de son héritage irlandais, alors pourquoi faire une histoire pour un briquet ?

Buck ouvrit la malle et se mit à retourner fébrilement les différentes couches de vêtements, nos affaires, là, devant tout le monde, sur le quai. Il respirait avec un bruit rauque saccadé. Cela me fit peur. Après tout, nous étions en Allemagne, le pays des Boches.

« Ça ne fait rien ! » murmura ma mère entre ses dents.

L'Allemagne nous avait peut-être jeté un mauvais sort ? La vie allait-elle devenir pour nous de plus en plus dure ?

«Buck, Buck, laisse ce briquet, je t'en prie, on verra ça plus tard, il ne faut pas tarder.»

Il ne réagit pas. À genoux, il s'obstinait à fourrager dans la malle. Des voyageurs pressés d'attraper leur train le contournaient. De jeunes soldats nous observaient par-dessous leurs casques d'acier. Coups de sifflet, grincements de freins, appels de contrôleurs, l'air retentissait de forts accents gutturaux germaniques. Pour moi, les halls de gare étaient des chaudrons d'angoisse, chaque voyage en train étant une nouvelle version de la même chose: l'exil. Je me sentais désemparé en voyant mon père si gentil creuser comme un chien qui cherche un os. Eilín avait si bien tout rangé; le désordre l'effrayait, elle ne savait pas quoi faire. Les officiers français à Sankt Goar avaient déjà forcé la serrure et mis le contenu sens dessus dessous. Et voilà maintenant que Buck remettait ça. Nous étions en territoire allemand depuis seulement deux heures, et déjà tout allait à vau-l'eau.

Le porteur regardait mon père s'affairer avec un large sourire supplanté par instants par des froncements de sourcils désapprobateurs.

«Laisse tomber! chuchota Eilín. Buck, mon chéri, sortons d'abord d'ici! Il le faut, enfin! Ne fais pas ça maintenant…

— Ah! Le voilà! La seule chose qu'ils n'aient pas volée!»

Il avait mis au jour son petit briquet. Il luisait au creux de sa main. Un mince objet d'argent… Je l'ai encore. Il y a une inscription.

HERMIONE II
Vainqueur
Régate autour de l'île
1913

Autour de nous, les gens criaient « *Auf Wiedersehen !* »
– les premiers mots allemands dont j'avais compris le
sens. Combien de millions d'*Auf Wiedersehen* avaient été
gueulés en sanglotant sous la voûte de la gare centrale de
Francfort ? L'air enfumé en était saturé, ils barbouillaient
le fer forgé, ils opacifiaient la verrière plus que les fientes
des pigeons.

Buck brandit triomphalement son briquet, en fit
jaillir une petite flamme, puis le lâcha dans la poche de
son manteau. Il n'avait plus de cigarettes, ayant fumé ses
dernières Player's à bord de la *Saint-Antonius*, en compagnie de van Plaas.

Après avoir rangé un peu, Eilín referma la malle en
toute hâte, et le porteur la hissa enfin sur sa brouette puis
fila à une telle allure que nous eûmes du mal à le suivre.
J'étais mort de faim et je grelottais de froid. L'Allemagne
me semblait en proie à une effervescence extraordinaire,
presque agressive. Dans la gare, toute cette vapeur, tous
ces rais de soleil me piquaient les yeux. Je trouvais que
les gens avaient l'air de mendiants.

S'il y a un endroit où je me suis senti à la fois
incroyablement vivant et terriblement conscient de
la certitude de la mort, c'est bien sur les quais de la
Frankfurt Hauptbahnhof. J'y retourne souvent dans mes
rêves. Je cours pour attraper l'express « FD » pour Berlin
ou bien j'attends un train pour Utrecht et Rotterdam.
J'y suis toujours seul. Même les pigeons roucoulent *Auf
Wiedersehen, Auf Wiedersehen* pendant que j'arpente le
quai, ne sachant pas à quelle heure il arrivera, ne sachant
pas si mes renseignements sont exacts, j'attends sans être
sûr que cela vaut la peine.

Une grosse Mercedes rouge 28/95 nous attendait, dans un nuage de fumée, sur le parvis de la gare. La puissante automobile paraissait s'impatienter. Un peu terrifiante, je dois dire. Je goûtai pour la première fois au mode de vie Weinbrenner. Un chauffeur bourru et borgne sangla notre malle sur le marchepied. Et nous voilà franchissant à vive allure le pont sur le Main, traversant un quartier délabré appelé Sachsenhausen puis un autre encore plus sordide, Niederrad. Les garçons dans la rue avaient le visage crispé et les cheveux tondus, parfois rasés. Les filles aussi. Tous ceux que je voyais par la fenêtre étaient d'une maigreur effrayante. Les chevaux qui tiraient les voitures n'avaient plus que la peau sur les os et des crinières filasse. Solomon Dietz, le chauffeur du baron, portait un bandeau en cuir sur l'œil gauche et un képi de fantassin. Tout en posant des questions à mon père, il faisait claironner son klaxon pour encourager les attelages à s'écarter ou bien en guise d'avertissement, à l'attention des piétons qui avaient l'audace de traverser devant nous. Avec un sursaut, ils couraient se mettre à l'abri. Ma mère et moi ne comprenions pas un mot de ce qu'il racontait, mais sa faconde semblait amuser mon père.

Plus tard, il nous apprit que Solomon lui avait demandé s'il était un socialiste, «parce que ceux qui ne le sont pas ont la tête dans le cul!».

À trois kilomètres environ au sud du Main, la Mercedes s'arrêta devant un portail en fer forgé arborant le blason de Walden. Un portier ouvrit les lourds battants et s'écarta aimablement pour laisser le passage. Le gravier crissa sous nos pneus. Nous roulâmes au milieu d'un bois d'épicéas et de bouleaux, pour émerger dans une clairière où l'on apercevait des paddocks cernés de clôtures blanches. Après avoir longé une immense demeure intimidante, notre chauffeur s'arrêta devant une maison en bois, assez grande elle aussi mais d'allure beaucoup plus charmante. Solomon coupa le moteur, mit le frein à main et s'écria : « Newport ! »

Nous descendîmes de la vieille Mercedes, une auto incroyablement tape-à-l'œil avec sa carrosserie rouge et ses cuivres rutilants. La porte d'entrée de la maison n'était pas fermée à clé. Le chauffeur et mon père portèrent la malle à l'intérieur, puis Solomon nous serra la main à tour de rôle. Je le regardai faire démarrer l'auto à la manivelle. Il me fit un salut poing levé, grimpa dans la voiture et s'éloigna dans un bruit de tonnerre.

Newport, d'un style néoclassique inspiré de l'architecture des stations balnéaires de la Nouvelle-Angleterre, paraissait d'autant plus excentrique qu'elle était plantée au milieu d'une forêt de la Hesse. Une prolifération de tourelles, de coupoles et de bow-windows disposés de manière faussement spontanée. On aurait pu se croire dans le Maine, à Northeast Harbor, sur l'île des Monts Déserts, ou à Kennebunkport. En Allemagne, c'était une maison bizarre pour gens bizarres. Une curiosité qui en irritait plus d'un, Longo, par exemple, le prétendant de Karin, qui avait un jour qualifié Newport de « bicoque ». Il préférait l'esprit pavillon de chasse de la maison principale, même s'il faisait remarquer qu'il fallait être vraiment juif – il parlait du grand-père de Karin, le roi de la teinture – pour construire un pavillon de chasse dans une banlieue où les lapins constituaient le seul gibier.

L'architecte américain de Newport, M. Bailey Wemyss, était un jeune ami de Henry James. Le baron avait rencontré l'écrivain alors que celui-ci faisait une cure à Bad Homburg. James lui avait présenté l'architecte et le baron lui avait passé commande peu après.

Buck aima d'emblée la maison. Le fait qu'elle soit américaine la lui rendait familière et accueillante. Après tout, il était né à quelques encablures de San Francisco. Eilín était enchantée. Newport était plus aérée, plus lumineuse et beaucoup plus propre que tous les endroits où elle avait habité depuis Sanssouci. Comme la maison était réservée aux invités, et fermée le plus clair de l'année, personne n'y avait vécu longtemps. Tout y paraissait neuf. Les lambris de cèdre et autres bois légers étaient presque dorés dans la lumière de l'après-midi.

Pendant que Buck partait s'entretenir avec le baron dans la maison principale, ma mère se mit à déballer, et moi, à explorer. Je songeais au fils des Weinbrenner, Hermann, dont on m'avait dit qu'il était enterré quelque part dans la forêt de Walden. J'avais été Hermann autrefois, il y avait si longtemps que je ne m'en souvenais pratiquement plus.

À bord du petit train de Wiesbaden à Francfort, alors qu'il y avait à peine assez de charbon pour faire marcher la locomotive, j'avais demandé à ma mère si j'allais redevenir Hermann un jour. Elle s'était tournée vers mon père, qui avait répliqué qu'un changement de nom suffisait.

«Billy est ton nom à partir de maintenant, et c'est réglé.»

Ma mère avait fait observer que le baron allait être déçu. Après tout, j'avais été prénommé ainsi en son honneur.

«Weinbrenner pourra l'appeler Hermann si ça lui chante, avait répondu Buck. Mais son nom est Billy.»

À bord de ce train, mon père avait parlé anglais ouvertement, sans se soucier qu'on l'entende. Je crois que pour la première fois depuis cinq ans, il se sentait libre et avait pris la résolution de ne pas se laisser emprisonner dans une langue ou une autre. Mon nom germanique, Hermann, avait disparu pour de bon, tout comme les objets qu'on nous avait volés dans la malle, ou le sillage d'écume blanche du vapeur en mer du Nord.

Je découvris une cabane remplie de bûches et aidai ma mère à allumer le fourneau, puis à construire un feu dans la cheminée de la bibliothèque et un autre à l'étage, dans celle de la grande salle de bains. La maison craquait et grognait de plaisir en se réchauffant. Les tiroirs de l'office étaient bourrés de pièces d'argenterie portant le poinçon des Weinbrenner, les placards, de vaisselle décorée de leur blason, trèfle et bleuet. Les armoires en cèdre recelaient édredons, couvertures en laine douce, draps de lin.

La maison n'était pas vaste comme celle de ma grand-mère – qui était aussi complètement délabrée et dont certaines parties avaient même été aménagées en écurie et en porcherie. À Newport, tout était balayé, clair, astiqué, tout embaumait le feu de bois. Lorsque je m'aventurai dehors, je fus frappé par la forte odeur de sapin. Je repérai les alentours afin de mieux m'orienter. Les chemins et les allées cavalières étaient tapissés d'aiguilles de pin.

Je ne vis pas Karin. Elle n'était pas cachée, pas vraiment, seulement debout, immobile, entre des bouleaux dépouillés de leurs feuilles. Son immobilité absolue me l'avait rendue invisible.

Il y avait dans ces bois glacés un mystère qui stimulait l'imagination. Le bourdonnement lointain de Francfort faisait du silence plus qu'une absence de bruit. Je me promenais d'un pas vif quand je sentis le vent d'un projectile à quelques centimètres de mes sourcils, projectile qui se ficha dans le tronc d'un bouleau. S'ensuivit une vibration, un fredonnement, comme si l'air, pris au dépourvu, mettait quelques instants à retrouver son quant-à-soi.

Je me tournai vers la tige rouge et noir d'une flèche d'une trentaine de centimètres, dont la pointe était enfoncée dans l'écorce. Des plumes noires et blanches servaient d'empennage. La hampe frissonnait encore.

« *Guten Tag.* »

Une fillette se dressa soudain au milieu du chemin.

Si j'avais été plus attentif, peut-être aurais-je flairé sa présence plus tôt, mais je n'avais rien d'un homme des bois. Elle avait un court manteau en laine et l'odeur de la laine m'était si ordinaire, si liée à ma vie quotidienne, qu'elle passait inaperçue, même dans la fraîcheur de ces bois. Tout dans ma vie sentait la laine : mes moufles, mon tricot, mon bonnet, mon manteau, mon linge de corps.

Elle se tenait devant moi avec dans la main son magnifique arc (apache) en mûrier, dont la corde était un tendon. Elle avait des tresses brunes et des joues roses. Un caban, une jupe, des chaussettes en laine, des bottines rouges et un carquois sur l'épaule attaché par une sangle en peau de vache.

« C'est toi le garçon… Hermann. » Elle me défia du regard. « Mais ce n'est plus ton nom. Tu en as pris un autre ? Un truc bien anglais ? George ? C'est George que tu es devenu, toi, l'Anglais ?

— Non.

— Alfred ?

— Non.

— Tom ? »

Je fis non de la tête.

« Alors ? »

Je n'avais aucune envie de lui livrer mon nom.

« Tu ne peux pas être un peu poli ? On se présente. Quel malotru, alors. Tu as oublié tes manières dans les tranchées ?

— J'étais pas dans les tranchées.

— T'étais pas un soldat ? »

Elle me taquinait. Ça ne me plaisait pas du tout. Je ne répondis pas à sa question.

« Tu ne te rappelles pas du tout de moi ? demanda-t-elle.

— Je sais qui tu es.

— Alors ?

— La fille du baron. Karin. On est nés dans la même chambre.

— Ah bon ? C'est vrai. J'avais oublié. Je m'en vais en pension. » Sa voix s'était faite soudain plus chaude, plus humaine. « Un pensionnat pour jeunes Anglaises, qu'est-ce que tu dis de ça ? »

Elle parlait couramment l'anglais, mais avec une pointe d'accent, comme si elle avait commencé par formuler ses pensées en allemand avant de les recouvrir de mots anglais.

Ils ne vont pas te trouver très sympa en Angleterre, pensai-je.

« On va me détester parce que je suis boche. Tu aimes lire ? Tu as lu *Winnetou* ?

— J'ai lu *Le livre de la jungle* de Rudyard Kipling.

— Ah, opina-t-elle, c'est pas mal. Qu'est-ce que tu sais sur les Indiens ? Pas ceux de Kipling. Les autres, les Américains. Winnetou est le chef des Apaches Mescaleros. Je pense que tu es peut-être un Indien, toi. Tu sais pourquoi ? »

Elle n'était pas plus grande que moi, malgré son année de plus. Maintenant qu'elle était plus gentille, je la craignais moins. Il y avait chez elle quelque chose qui me rappelait un oiseau, un petit oiseau affamé, vif et rapide.

Elle me dévisagea d'un air pensif. «Les Indiens ne révèlent jamais tout de suite leur nom. Ils le gardent *wertvolle*, comme toi.»

Je cédai. «Billy. Je m'appelle Billy.

— Parfait. Tu pourras lire mes *Winnetou*. L'auteur est Karl May. Ils sont sur mon rayonnage, dans la bibliothèque de mon père. Je lui dirai que tu as le droit de les emprunter. Karl May est un écrivain génial. Pour moi, il n'y a jamais rien eu d'écrit d'aussi beau. Comment c'était, en Angleterre? Je me rappelle plus très bien. Tu crois que les autres vont me détester?

— Je sais pas. T'es allemande.

— Je les déteste pas, même si à cause de la flotte anglaise, on est presque morts de faim ici. Les gens du quartier mangent des corbeaux. Les gens mangent leurs chiens et leurs chats. Je déteste pas les Anglais, même s'ils ont tué plein de bons Allemands.»

Elle s'approcha de l'arbre où s'était plantée sa flèche. D'un coup sec, elle l'arracha et en inspecta la pointe avant de la lâcher tête en bas dans son carquois.

«Quand deux inconnus se rencontrent, ils devraient fumer. C'est la coutume sur El Llano Estacado.»

El Llano Estacado. C'était la première fois que j'entendais ces mots.

«Mais il y a pénurie de tabac en ce moment. Mon père se fait donner ses cigares par un général américain.» Soudain, elle me tendit son arc. «Tiens. Prends-le. Il est à toi.»

Je ne comprenais pas. «Mais non, il n'est pas à moi.

— Si. Je peux pas l'emmener avec moi en pension, non? Il est à toi. »

Sidéré, j'acceptai la mince et pesante arme, un mètre cinquante de bois dur incurvé. La tige lisse, tachée d'ocre, s'élargissait au niveau de la poignée et s'amincissait élégamment à chaque extrémité.

Elle souleva le carquois de son épaule et me le tendit. « Les flèches se brisent, et parfois se perdent. Quand tu n'en auras plus, il y a un garde forestier, le vieux Rudi, il est trop vieux pour être soldat, il t'en fabriquera des aussi belles. Maintenant je vais te montrer les tombes. Tu t'en occuperas jusqu'au retour du personnel. »

Sur ces paroles, elle s'éloigna d'un pas rapide.

Je n'étais pas certain de vouloir voir les tombes. Le jour diminuait, le froid s'intensifiait. Je n'avais aucune envie de m'égarer dans la nuit.

Mais je ne pouvais pas supporter l'idée qu'elle me prenne pour un trouillard, même si j'avais peur. Je mis le carquois en bandoulière et courus après elle, l'arc au poing. Mes mains étaient frigorifiées, mes yeux larmoyaient, mon nez coulait. En réalité, je couvais la grippe, cette grippe espagnole abominable qui en 1918-1919 fit un plus grand nombre de morts que la guerre. Peut-être est-ce pour cela que cette scène s'est inscrite dans ma mémoire avec autant de netteté, et pourquoi j'ai l'impression que quelque chose m'a été infligé : l'odeur entêtante de terreau, même si le sol était congelé, la lumière faible et pourtant pénétrante, le craquement des brindilles, le bruit rauque de mon souffle alors que je faisais de mon mieux pour ne pas me laisser distancer. Si je la perdais de vue, me disais-je, jamais je ne la rattraperais.

L'allée cavalière déboucha sur une petite clairière festonnée de touffes d'herbe jaunes. Six croix métalliques étaient disposées de façon ordonnée. Un cimetière. Un cimetière militaire.

Karin s'arrêta devant une pierre tombale dressée à l'écart des croix de fer identiques qui marquaient les autres sépultures. Je vins me figer à côté d'elle, toujours le carquois sur l'épaule et l'arc apache au poing.

«Voilà, Billy. C'est mon frère.»

Un morceau de granit tavelé de lichen fauve. L'écriture gothique en lettres de fer incrustées dans la pierre n'était pas facile à déchiffrer dans cette mauvaise lumière.

HIER RUHT IN FRIEDEN
Hermann
von Weinbrenner
7.9.96-2.2.97

«Tu viendras ici de temps en temps, hein, Billy, tu veux bien?» Son expression était grave. «Mes vieux parents ne viendront jamais. Alors, il faut que tu viennes, de temps en temps… d'accord? Quand il neige, tu essuies la neige. Au printemps, tu peux déposer un petit bouquet. Il n'y a rien d'autre à faire. Il est mort, après tout. Mais tu viendras? T'oublieras pas?

— Non… Je viendrai.»

Elle se tourna vers les croix. «Les pauvres, tous des soldats. Je les connaissais. Il y en avait des gentils. Celui-là… le troisième de la première rangée, le petit *Oberleutnant*, Fröhlisch… c'est lui qui m'a offert les *Winnetou*. Il m'a donné des livres qu'il aimait, sa mère les lui avait apportés de Bavière. Nous parlions souvent d'El Llano Estacado.»

Elle imitait la prononciation espagnole.

« Il aurait tellement voulu franchir El Llano avant de mourir, mais il n'a pas pu. Tu crois qu'il y est arrivé maintenant ? Ce serait bien, mais j'y crois pas. Fröhlisch m'a aussi appris à jouer des airs au piano. Du ragtime ! Tu en joues, toi ?

— Non.

— Tu es bon en quelque chose ?

— Je monte bien à cheval.

— Ils ont emmené tous les chevaux à la guerre. Sauf le cheval de chasse de ma mère. Mais mon père en achètera d'autres, et le maréchal-ferrant va revenir du front, tout comme le bourrelier et le véto. Mais moi je serai en Angleterre. Quelques-uns de nos garçons d'écurie sont rentrés la semaine dernière. Y en a un qui a perdu un bras. Un autre était soûl. Il faut que je m'en aille maintenant. On m'attend pour le goûter. »

Et brusquement, elle me tourna le dos et partit en courant. Je m'élançai derrière elle dans l'allée cavalière. Le ciel était d'un bleu froid, un soleil anémique sombrait derrière les arbres. À la croisée de deux chemins, elle me montra du doigt l'un d'eux. « Tu vas par ici, moi, par là. Au revoir. Oublie pas ta promesse.

— J'oublierai pas.

— Pas de neige sur mon frère. Des fleurs au printemps. J'espère que tu manges à ta faim. En Allemagne, on se nourrit que de patates et de navets. On n'a pas vu de viande depuis des lustres. Quelquefois un peu de lard. Ma mère dit qu'en Angleterre les gens manquent de rien.

— C'est vrai.

— Pourquoi ils partagent pas, alors ? »

Elle fronça les sourcils, puis s'enfonça dans l'obscurité cristalline de l'hiver.

« *Auf Wiedersehen !* m'écriai-je.

— *Auf Wiedersehen!*» Sa voix me renvoya mes paroles, un écho de solitude, aussi émouvant que le vol du hibou dans la forêt.

Le baron reçut mon père dans la bibliothèque. Walden était une imposante demeure, construite par le grand-père de Karin dans les années 1880, sur le modèle d'un pavillon de chasse de Prusse-Orientale mais quatre fois plus grand, avec des poutres massives, des trophées de cerfs et une salle à manger propre à engloutir une armée de chevaliers teutoniques.

Le père de Karin était persuadé que Walden était non seulement la plus vaste mais aussi la plus belle des grandes maisons de Francfort. Quand elle était petite, il lui rappelait souvent combien elle avait de la chance de grandir au milieu de cent quatre-vingts hectares de forêt et de pâturage, au contact d'œuvres d'art et de chevaux splendides. Tandis que les enfants de Niederrad, en bas de la rue, s'estimaient heureux d'avoir des chaussures aux pieds et du chou dans leur assiette.

Dans sa bibliothèque, par cet après-midi glacial, peu après notre arrivée en Allemagne, Hermann Weinbrenner montra fièrement à mon père ses croix de fer (de 1re et de 2e classe) au creux de l'écrin en cuir qu'il gardait exposé sur son bureau d'acajou, lequel bureau avait jadis été la propriété de l'amiral von Spee.

Puis le petit baron lui montra sa main droite à laquelle manquaient deux doigts emportés sur le front de l'Est, dans le Kurzeme, où son escadron de réservistes uhlans avait été pris dans une échauffourée. Une fois rétabli, on ne lui avait pas permis de retourner se battre, il avait été envoyé diriger une équipe de chimistes afin de développer de nouveaux toxiques dans sa propre teinturerie, Colora GmbH.

Le baron était un passionné de géographie et de cartographie. Il possédait une collection de mappemondes, atlas et index, dont certains très anciens. Il collectionnait par ailleurs des ouvrages sur l'évolution de la chimie organique, l'histoire navale germanique et l'histoire des Juifs. Il avait été chimiste, homme d'affaires, champion de polo, yachtman et soldat, mais là où il se sentait le plus à l'aise, c'était dans sa bibliothèque à Walden, en compagnie de ses *Eisernen Kreuz* dans leur écrin et de son sabre de uhlan à la lame gravée de la devise *IN TREUE FEST* – ferme dans la foi – accroché au mur.

Pendant la guerre, à l'époque où Walden servait de maison de repos aux officiers blessés, la bibliothèque avait été la seule pièce de la demeure à être réservée à l'usage de la famille. Karin y passait le plus clair de son temps, plongée dans la série des *Winnetou*.

Le baron présenta à Buck une boîte de havanes ouverte : un cadeau d'un général américain. Il se mit ensuite à maudire l'état-major de la marine britannique qui avait réquisitionné sa merveilleuse goélette yankee, *Hermione II*, au début de la guerre puis, par la suite, sa villa balnéaire, Sanssouci.

« Vous m'accorderez que cette maison était la plus belle, la plus moderne, la mieux située de toute l'île de Wight.

— C'était une maison admirable.

— Le toupet de ces messieurs les Anglais, des individus que je considérais comme mes amis ! Ils se sont levés à la Chambre des communes pour m'accuser d'être un maître espion ! C'est vous, mon pauvre capitaine, qu'ils auraient fusillé. Mais c'est moi, capitaine, qu'ils détestaient… Ce salopard de Boche qui leur avait trop souvent fauché la victoire à la voile ! Je vous jure que

jamais plus je ne mettrai les pieds dans le port de Cowes.
Ça m'a dégoûté du yachting. Ces satanés Anglais et leur
Royal Yacht Squadron peuvent aller griller en enfer!»

Buck fut saisi d'un vertige. Plus de yachting signifiait… plus de skipper. Comment allait-il gagner sa vie
en ces circonstances? Nous n'allions pas rester à Walden
comme des sortes de parents pauvres. Et l'Allemagne,
dont il avait eu un aperçu entre la gare et le portail de
Walden, ressemblait à une terre ravagée.

Et s'il prenait l'envie à ma mère de retourner en
Irlande en m'emmenant avec elle, de sorte qu'il ne nous
verrait jamais plus?

«Évidemment, après toutes ces horreurs mons-
trueuses, il serait mesquin de ma part, ridicule même,
de me plaindre, fit remarquer le baron. Sans parler de
ce qui vous est arrivé, capitaine, quatre ans et demi de
fichus à cause de moi.

— Il y en a beaucoup qui ont perdu infiniment
plus.»

Le baron gratta une allumette et approcha la flamme
du cigare de mon père. «Sans aucun doute. Je voudrais
vous faire une proposition… Au fait, c'est du bon tabac,
n'est-ce pas? On n'en a pas eu du comme ça depuis le
début de la guerre. Vous êtes d'accord?»

Mon père, malade de déception mais s'efforçant de
ne pas le laisser paraître, ne trouva rien à répliquer. Il
n'aimait pas tellement fumer le cigare.

«Capitaine Lange, pour en venir à ma proposition.»
Hermann Weinbrenner se plaisait à endosser un personnage de Prussien raide et gueulard, mais son attitude était
sujette à de brusques revirements. S'asseyant derrière le
bureau d'acajou de l'amiral Spee, il entreprit d'offrir à
Buck – à nous trois – une nouvelle vie.

«Je compte monter ici à Walden un élevage de chevaux de course. Le meilleur d'Allemagne. D'Europe, peut-être. En bref, je souhaite que vous en soyez le responsable : des hommes, des chevaux, de la reproduction, du dressage, de l'entraînement. J'ai l'intention de vous confier le soin de cette affaire.» Le baron lécha l'extrémité de son cigare et gratta une allumette. Il sourit. «Vous acceptez ?

— Vous plaisantez», dit mon père.

Il pensait que Weinbrenner le taquinait, il était furieux.

Ramassant son chapeau, il chercha des yeux un cendrier où poser son cigare. Il détestait qu'on se fiche de lui, surtout quand le plaisantin était son bienfaiteur de toujours.

Vous devez vous rappeler combien nous étions vulnérables en qualité de déportés. Et bien sûr, mon père se sentait responsable de notre situation précaire et de notre pauvreté générale.

«Croyez-moi, capitaine, je ne vous ferais pas cette proposition si ce n'était pas du sérieux. Si vous êtes d'accord, nous commençons demain.»

Avec dans une main le cigare – aussi gros qu'un bras de nouveau-né – et dans l'autre son chapeau, Buck avait la tête qui lui tournait, comme s'il s'était levé trop vite. Alors qu'il ne s'était même pas assis.

«Mais pourquoi ? Comment ? Il y a sûrement des…

— Mon cher capitaine, vous êtes le meilleur cavalier, le meilleur connaisseur de chevaux de tous nos uhlans. Et cela, mon cher, n'est pas rien.»

Buck n'y pensait plus, mais le fait était que leurs relations remontaient au tournant du siècle, où ils faisaient tous les deux leur service militaire dans un régiment de uhlans. Weinbrenner avait été le premier officier (de réserve) juif de l'histoire du régiment, et Buck, une jeune recrue. Le baron avait connu mon père en tenue de cavalier avant de l'apprécier dans celle de skipper.

Mon père avait monté à cheval dès son plus jeune âge. À l'époque où le capitaine Jack naviguait sur les mers australes pour le commerce des céréales, Buck et Constance habitaient Melbourne, non loin du célèbre hippodrome de Flemington. À douze ans, mon père gagnait son argent de poche en faisant faire des galops d'entraînement aux chevaux. À quinze, il fut jockey sur un étalon appelé War God qui arriva deuxième à la Melbourne Cup.

Dans leur régiment de uhlans, Buck avait la réputation d'être un dresseur et un entraîneur hors pair. Même les vieux de la vieille, les sergents instructeurs et les vétérinaires lui demandaient conseil. C'est là que Hermann, Freiherr von Weinbrenner, alors un joueur de polo renommé, doublé d'un officier de réserve, le remarqua.

«Tout ce que je sais de votre carrière militaire, sans parler de nos virées à bord de mes yachts, me fait penser que vous êtes le manager qu'il me faut.

— Je ne sais pas. Franchement, monsieur le baron… »

Ce n'était pas du tout à quoi il s'était attendu. D'émotion, il se laissa choir dans un fauteuil en cuir. Dans son poing, le cigare exhalait une fumée argentée odorante.

Le cigare sent la jungle en flammes, m'a-t-il dit un jour. La jungle incendiée.

«Et vous n'avez pas de situation pour l'instant, capitaine, du moins, c'est ce que j'ai présumé. Ou ma femme. Mais peut-être suis-je mal informé?»

C'est là que mon père soupçonna que Weinbrenner lui faisait la charité. Il lui inventait une fonction, sous le coup de l'inspiration. Par amitié… gratitude… pour se racheter ? Cette écurie de course était-elle une idée en l'air, un caprice, un projet dans lequel il ne s'investirait jamais vraiment ?

Pourtant, Weinbrenner n'était pas le genre à poser des gestes gratuits, de générosité ou autre. Il était avant tout un homme d'affaires.

« Que les choses soient bien claires entre nous, cher capitaine Lange. J'ai besoin de vous pour une seule et unique raison. Je pense que vous allez me décrocher des premiers prix. Je vous ai vu mener un équipage de voilier de course. Je connais vos capacités de chef. Pour le reste, je fais confiance à votre flair. Vous sélectionnerez les poulinières et les meilleurs étalons reproducteurs, vous dresserez leurs poulains. »

Karin m'a dit un jour que son père aimait le mien parce que le baron était habitué à ce que les gens veuillent obtenir des choses de lui, alors que Buck, lui, ne voulait presque rien. Ce n'était pas tout à fait juste : il voulait gagner les courses. Sauf que le baron aspirait encore plus fort à ces victoires, et était prêt à payer pour les obtenir.

Pour en revenir à la scène de la bibliothèque, Buck écouta le baron lui exposer son plan pour faire de Walden le plus beau haras d'Europe. Avant la guerre, il avait élevé des poneys de polo et des chevaux pour la cavalerie, mais à cause de sa blessure à la main, il ne pouvait plus tenir le manche d'un maillet. Quant à ses précieux uhlans, ils étaient été décimés sur le front de l'Est et massacrés à Verdun. Plus de yachting, plus de poneys de polo, plus de chevaux de cavalerie – le baron avait l'intention d'appliquer au sport des rois la méthode scientifique et financière qui avait fait de lui le teinturier le plus prospère de l'histoire de l'humanité.

En tant que manager des Rennstall Walden, Buck Lange serait chargé du choix des chevaux, des entraîneurs, des jockeys, des garçons d'écurie et de tout le reste, avec à la clé de généreux appointements et un pourcentage sur les bénéfices. Pour la plus grande gloire de leur Allemagne, ils allaient obtenir les pur-sang les plus performants d'Europe.

Notre premier dîner à Newport se composa – Karin avait eu raison – de navets et de pommes de terre. Buck et Eilín sortirent une bouteille de champagne du cellier du baron, et j'eus le droit d'y tremper mes lèvres. Ce soir-là, ni l'un ni l'autre ne parvint à manifester un semblant d'intérêt pour mon arc apache.

Nous avions tous les trois vu en arrivant de la gare la face lugubre de l'Allemagne vaincue, les visages émaciés, les devantures vides, les carnes à moitié crevées tirant des chariots pleins de détritus. Mais désormais mon père avait une situation et, l'après-midi même, Lady Maire était passée à Newport dire bonjour à Eilín et lui demander de l'aider à établir un catalogue raisonné de la collection Walden.

Nous avions de nouveau un avenir devant nous.

Pendant que je jouais avec mon arc et examinais mes ravissantes flèches si fines, je ne pouvais m'empêcher de penser que je devais quelque chose en échange à Karin, mais que donner à une fille qui avait un jour tenté de gagner l'Amérique à la nage ?

Il y avait vingt-deux flèches dans le carquois, rayées rouge et noir (les pigments venaient de la teinturerie Colora GmbH). Les empennages en plumes étaient parfaits et la pointe en fer martelé. Le cuir du carquois sentait bon le jambon fumé, plus appétissant que le plat de légumes racines qui fumait sur la table. Les flèches avaient un aspect d'une fragilité troublante. L'arc était le premier objet que je possédais qui ne fût pas un jouet mais un instrument conçu pour accomplir une certaine tâche précise... une espèce de machine, au fond. Le baron avait obtenu auprès d'un ethnologue de l'Université de Heidelberg le dessin exact d'un arc apache. L'artisan des modèles réduits de bateaux exposés dans sa bibliothèque avait sculpté l'arc et courbé le bois à la vapeur. Avec une puissance de quinze kilos, je pourrais m'exercer à chasser avec. À l'hiver 1919, aucun gibier ne subsistait sur le domaine, mais l'année suivante, on vit quelques lapins. J'étais devenu assez bon tireur («à l'Apache», en tenant la corde avec trois doigts) pour tuer certaines des proies que je prenais pour cibles.

Pendant que mes parents sirotaient du champagne dans des tasses en porcelaine en pensant à l'avenir, je me demandais où ranger mon arc pour ne pas l'abîmer. J'avais peur qu'il lui arrive malheur sans que j'aie le temps d'apprendre à m'en servir.

Lorsque ma mère suggéra le grand pot en laiton très laid où l'on déposait les parapluies et les cannes, ou, pire encore, la penderie qui accueillait nos bottines et nos manteaux, j'eus presque envie de vomir. Pas question de mélanger mon arc apache avec des objets ordinaires.

J'avais neuf ans. J'étais en plus, sans doute, à bout de forces, écœuré par un trop-plein de bouleversements et de dépaysement.

Mais dans presque toutes les cultures, des rituels et des tabous ancestraux règlent l'entreposage des armes.

Finalement, mon père proposa qu'on remplace la reproduction du Dürer sur le mur au-dessus de mon lit par mon arc. Là, il était splendide et imposant. En outre, il serait à portée de main. Je suspendis le carquois au crochet, et soudain, ma chambre ne fut plus celle d'un déporté, d'un réfugié, de Herm le Germain, mais la hutte spartiate d'un chasseur et d'un guerrier.

Puis je me rappelai l'étui en fer-blanc Sweet Afton que Mick m'avait offert à mon départ de Sligo. Il restait encore quelques cigarettes, desséchées, friables, un peu tordues... mais Karin avait dit que le tabac était une denrée rare.

J'enfilai mon manteau et traversai la large allée gravillonnée, l'étui en fer-blanc dans ma poche. Je ne crois pas que mes parents s'aperçurent de mon absence. Je devais déjà avoir de la température, parce que je n'avais pas froid du tout.

Je frappai avec le marteau en bronze qui avait la forme d'une tête de cerf hérissée de bois. Pas de réponse. Je cognai à nouveau. Une bonne pointa la tête à une croisée à l'étage et me dit quelque chose en allemand. Je répétai plusieurs fois le nom de Karin. La croisée se referma.

La porte s'ouvrit sur Karin. Elle portait une robe de velours bleu nuit avec des bas blancs. Je lui tendis l'étui à cigarettes. Sans hésiter, elle le prit.

«Bravo. Maintenant rentre vite avant d'attraper la mort.

— *Auf Wiedersehen.*

— *Auf Wiedersehen.*»

À mon retour, mes parents buvaient du champagne et faisaient la vaisselle. J'apportais une brassée de bûches. Ils ne me demandèrent pas où j'étais passé. Ils étaient contents et bavardaient gaiement. Ils avaient tourné la page de la guerre. Nous étions une vraie famille vivant dans une vraie maison.

J'aidais mon père à faire partir un feu dans la cheminée de la chambre quand nous parvinrent simultanément le crépitement caractéristique des fusils-mitrailleurs et un sinistre *tchak-tchak-tchak*, que je ne tardai pas à identifier comme étant de rapides tirs de mortier. J'avais déjà entendu, lors de notre traversée de Cologne, des mitrailleuses. Dans les illustrés anglais que je lisais, ils se mettaient toujours à «crépiter» ou à «aboyer», mais le bruit de la MG08, à une distance d'environ deux kilomètres, faisait plutôt penser à un grognement. De plus près, on distinguait la cadence de tir en staccatos, comme des coups de marteau en accéléré, surtout lorsque le servant était expérimenté et ne vidait pas trop vite sa bande à munition. Une MG08 dégageait une odeur forte. Et quand les tirs étaient proches, je pouvais en sentir l'air puant.

———————

Newport ne serait jamais nôtre, mais nous prîmes vite le pli de nous y croire chez nous. Même son côté américain, pour bizarre et déplacé qu'il fût, nous plaisait. Entièrement en bois, il n'en resta plus que des cendres lorsqu'à la fin de 1944 des bombes incendiaires tombèrent dans la forêt pendant un raid allié au-dessus de Francfort, où furent engagés mille bombardiers.

Les joues roses et les bottines rouges d'une fille. La courbe élégante d'un arc apache. Un étui en fer-blanc Sweet Afton défoncé. Des tirs lointains, l'arôme des sapins, la lumière hivernale filtrant à travers les branches. C'est tout ce dont je me souviens. Ah, et aussi l'odeur âcre des flambées devenues froides lorsque mon père et moi nous agenouillions, froissions des *Frankfurter Zeitungen* datant d'avant la guerre, ajoutions des copeaux de bouleau, du petit bois, des bûches, puis allumions cet échafaudage d'un craquement d'allumette. L'odeur du feu mort s'échappait par la cheminée, remplacée par la chaleur et la luminosité de flammes qui pétillaient dans l'âtre de notre maison au cœur de l'Allemagne.

Lieber Leser, weißt du, was das Wort Greenhorn bedeutet?

J'avais du mal à déchiffrer l'écriture gothique, mais je persévérais. J'étais résolu à maîtriser l'allemand avant la rentrée scolaire. C'était pour moi une question de vie ou de mort. Par chance, et grâce à Karin, j'avais la série des *Winnetou* de Karl May.

Cher lecteur! Connais-tu le sens exact du mot «greenhorn»?

J'avais passé mes trois premières semaines à Walden, cloué au lit par la grippe. Un jour, enfin, le médecin du baron, le Dr Solomon Lewin, a décrété que j'étais assez bien pour sortir et aller jusqu'à la grande maison à travers les bois enneigés. Lady Maire avait en effet invité Eilín à prendre le thé.

Pendant que les dames papotaient, je m'ennuyais ferme. Après m'être gavé de toasts beurrés et de gâteau, je rassemblai mon courage et demandai à Lady Maire si je pouvais regarder les livres dans la bibliothèque.

Permission accordée.

Je trouvai les livres sur leur rayonnage, là où Karin avait dit qu'ils seraient. Sur la couverture du premier *Winnetou* que je sélectionnai figuraient un Indien et un trappeur assis autour d'un feu de camp. En toile de fond, deux beaux chevaux. Les hommes étaient vêtus de peaux de bête et armés de poignards à la ceinture et de fusils. Je m'assis en tailleur sur le tapis persan et ouvris le livre dont la tranche émit un léger craquement.

A. FRÖHLISCH

était-il inscrit sur la page de garde, à l'encre noire, d'une écriture soigneuse d'écolier. J'avais vu la tombe de l'*Oberleutnant* dans la clairière.

FRÖHLISCH, AUGUST
Oblt 1.6.99-24.2.18
Königlich Bayerisches Infanterie

Il avait dix-huit ans. Savait-il qu'il allait mourir ? Son nez, sa joue, son oreille gauche avaient été réduits en bouillie par des balles de mitrailleuse légère. Il avait dû être horrible à voir, même avec son masque en métal, mais aux yeux de Karin, qui avait grandi au milieu d'images de saints suppliciés et de stigmates, son apparence n'était peut-être pas si effrayante que ça.

« On pourrait croire que cet art religieux que ma mère collectionne est sa marque de rébellion contre son éducation protestante, ou contre mon père qui est juif, m'a expliqué Karin bien plus tard, sur une terrasse de café à Berlin. En fait, elle est attirée par ces œuvres pour les mêmes raisons que moi. Elle y cherche la traduction exacte et fidèle du monde qui l'entoure. Le retable avec ses femmes en pleurs, par exemple. C'est une scène dont elle a souvent été témoin à Walden, pendant la guerre. »

Le retable dont elle parlait s'intitulait *La lamentation*. Nos mères l'avaient découvert dans le fenil d'une étable des environs de Ségovie. Cinq femmes entouraient le corps sans vie de Jésus à la descente de la croix. Adolescent, j'avais vu deux garçons d'écurie le sortir d'une caisse, consterné d'apprendre que la baronne l'avait payé deux mille marks, deux fois le prix de la motocyclette BMW R47 que je convoitais à l'époque.

« La mère et les sœurs de Fröhlisch sont venues à son chevet alors qu'il agonisait, me raconta Karin. Elles ont lavé elles-mêmes son pauvre corps. Je les ai regardées pendant qu'elles l'enveloppaient dans un linceul. C'était tout à fait *La lamentation*. »

Fröhlisch avait prié sa mère de lui apporter de Bavière sa collection de *Winnetou* pour qu'il puisse la donner à Karin. Après sa mort, cette dernière avait veillé seule, nuit après nuit, dans la bibliothèque de son père, dans la maison remplie d'hommes blessés, à tourner lentement les pages, à s'immerger dans le rude univers des romans de Karl May dominé par l'éclat du soleil, le pin du Mexique et la fumée de poudre noire, où le chef apache mescalero Winnetou monte un cheval appelé Iltschi, le vent, et parcourt El Llano, une contrée décrite par l'auteur avec une passion surréaliste.

Tout ce qui nous manquait en Allemagne – les grands espaces, l'horizon infini, la lumière crue, les caractères altiers – aiguisait notre envie d'un ailleurs. La lumière des hautes plaines devint celle de nos rêves au fond des ténèbres germaniques. Nos aînés avaient beau jeu de nous rappeler que Karl May – « ce charlatan ! » – n'avait jamais mis les pieds outre-Atlantique à l'époque où il écrivait ses romans. Qu'est-ce que ça pouvait faire ? Le monde dont il nous ouvrait la porte était plus cohérent et plus compréhensible que le nôtre.

Je rapportai trois *Winnetou* au salon et demandai à Lady Maire si je pouvais les emprunter.

Elle parut étonnée. « Des histoires du Far West ? Mais ces romans sont tous en allemand. Tu lis l'allemand, Billy ?

— Pas encore. »

La rentrée se profilait déjà. Je ne voulais surtout pas être de nouveau *an buachaill coigríche*, le petit étranger.

Le soir, je montai dans ma chambre muni d'un vieux dictionnaire Muret-Sanders et m'attelai au déchiffrage des pages en gothique du premier volume des *Winnetou*. Les débuts furent épineux, mais le chef apache et son frère de sang allemand, Old Shatterhand, s'exprimaient avec la clarté limpide des héros. Une des leçons du livre était que le rite de passage est quelque chose d'ardu. Karin, dans la marge, avait traduit certaines phrases en anglais. Ainsi, avec l'aide de mon dictionnaire, je suivis le sentier qu'elle avait tracé, à travers El Llano Estacado et dans la langue allemande.

———

Février 1919. Par un après-midi de grisaille, le tram nous emmena, ma mère et moi, sur l'autre rive du Main. Un ancien combattant réduit à la mendicité monta à bord, le regard voilé par des verres fumés, secouant sa timbale en fer-blanc. Le contrôleur le saisit par le col. Il s'apprêtait à le pousser dehors quand des passagers l'en empêchèrent. D'autres gens s'en mêlèrent et s'ensuivit un concours de cris tandis que les voitures brinquebalantes traversaient le pont. Eilín nous fit descendre au premier arrêt. Mon manteau militaire était lourd comme du plomb. Propriété du baron, il avait été retouché à ma taille.

Le blocus naval britannique était levé, mais il n'y avait toujours pas grand-chose dans les magasins, et des mendiants à tous les coins de rue.

Nous avions, ma mère et moi, passé un accord : nous parlerions exclusivement allemand pendant cette excursion. Elle avait envie de reprendre ses marques à Francfort, la première ville étrangère où elle avait vécu. Elle voulait me montrer les endroits qu'elle avait aimé fréquenter : l'opéra, où Lady Maire l'avait souvent emmenée écouter des œuvres de Wagner, le Römerberg, la place centrale de Francfort, l'Institut d'art Städel.

Au cours des derniers mois de la guerre, des avions britanniques avaient lâché quelques petites bombes sur Francfort, avec des dommages minimes. C'était encore une cité médiévale aux ruelles étroites et sinueuses bordées de maisons à colombages. La révolution allemande se déroulait pour l'essentiel à Berlin et à Munich, même si de temps à autre des camions non bâchés bourrés de soldats terrorisaient les habitants. On ne savait jamais distinguer les partisans du nouveau gouvernement des insurgés. Les uns et les autres étaient vêtus d'oripeaux vert-de-gris.

Nous visitâmes l'opéra et le zoo, explorâmes la cathédrale, collâmes notre nez aux petites croisées de la maison de Goethe pour regarder à l'intérieur. Je lançai nos derniers pennies dans la fontaine du Römerberg. Nous avions l'intention de retraverser le pont à pied, elle voulait me montrer les tableaux du Städel et que l'on prenne un bon goûter avant d'attraper le tram pour rentrer à Walden.

À l'abord du pont, alors qu'on tournait le coin de la rue, c'est là que nous tombâmes sur eux. Les cadavres. Il est possible qu'ils aient été exécutés sur place. En y repensant, nous n'avions entendu aucun coup de feu. Ils avaient pu être jetés d'un camion.

Six corps jonchaient le trottoir. Des hommes, des femmes. Le sang coulait sur le pavé, épais, noir, luisant.

Il n'y a pas plus rouge que le sang frais, mais sous un certain angle, sous l'effet de la réfraction de la lumière, il peut paraître noir.

Un manteau fauve trempé de sang. Un chapeau Homburg qui avait roulé dans le caniveau. Les semelles jaunes des chaussures.

Une des raisons qui avaient poussé les parents de Karin à envoyer leur fille en pension en Angleterre était qu'ils la voulaient en sécurité si jamais la révolution allemande tournait comme la russe.

Eilín m'agrippa le bras et me fit faire demi-tour. Nous rebroussâmes chemin en toute hâte. Même dans ce chaos, les trams étaient à l'heure. Je ne me rappelle pas le trajet de retour ni que nous ayons décrit à Buck ce que nous avions vu. Ma mère ne lui a peut-être rien dit, de crainte qu'il ne se barricade de nouveau derrière ses barbelés.

Je suis sûr que j'ai passé la soirée sur la plaine d'El Llano Estacado, à traquer le texte centimètre par centimètre, me frayant une piste dans le cœur de l'Allemagne.

———

À Francfort, comme sans doute aussi en Angleterre et en France, les morts étaient ceux qui nous gouvernaient. Les millions d'êtres humains qui parcouraient les rues de nos villes avaient sans cesse à l'esprit la mémoire de leurs fils, pères, frères, maris engloutis par le conflit.

Par une matinée grise et brumeuse, dans la cour de récréation de notre *Grundschule*, un garçon nommé Günter Krebs – mince, blond, en short – se mit à se moquer de moi.

« *Billy Billy Billy! Billy das verdammte Engländer!* »

La rentrée datait déjà de deux semaines. Jusqu'ici, Günter Krebs m'avait fichu la paix, mais quand les morts sont au poste de pilotage, on ne sait jamais à quoi s'attendre.

El Llano Estacado était devenu mon refuge, les hautes plaines, assez vastes et vides pour que j'y perde de vue mes terreurs. C'était en guerrier brûlé par le soleil, mocassins aux pieds, que je me rendais à l'école, armé de mon arc ou bien de mon fusil magique. Mes camarades de classe étaient presque tous sous le charme de *Winnetou*. À la première occasion, je leur rappelais que mon père né à bord d'un navire en route pour le Texas avait toujours sur lui deux revolvers, deux « six-coups », un dans chaque poche de son manteau, et m'apprenait à monter à cheval sur une selle à garnitures en argent qu'il avait gagnée au poker à un employé du chemin de fer à Santa Fe.

Les garçons respectent les pères de leurs amis. Ne pas en avoir est un handicap dans une cour d'école. Un bon nombre d'élèves se les étaient fait broyer par la machine de guerre ; ils avaient sauté sur des obus, été gazés, transformés en passoire par des tirs de mitrailleuse. J'avais été orphelin de père à Muswell Hill et Sligo, mais désormais je l'avais récupéré. En plus, il était le patron des écuries de pur-sang de Walden. Il avait un prestige fou.

Grâce au statut de mon père et parce que je savais prononcer *llano* à l'espagnole, ce qui à leurs oreilles sonnait américain, et que je ne me faisais pas prier pour leur décrire mes chevauchées à travers la plaine (pas de clôtures sur *el llano*), mes camarades m'avaient adopté sans discuter.

Niederrad, le village de la banlieue de Francfort où j'allais à l'école, était couleur poussière. Les rues, l'air, le ciel, les tuniques en lambeaux des soldats rescapés des tranchées, trop pauvres pour s'acheter des vêtements neufs, tout était gris. Pour jouer, les gosses n'avaient que la rue : les grilles en fer forgé de Walden, surmontées d'un blason orné du trèfle à trois feuilles irlandais et du bleuet prussien, leur étaient fermées. Mais moi j'avais le droit d'inviter mes amis à jouer, du moment que nous n'allions pas enquiquiner les chevaux.

Ce premier été, dans les bois de Walden, nous nous transformâmes en Apaches, en Comanches, en Comancheros de Taos, en trappeurs. Nous étions des éclaireurs et des justiciers traquant les hors-la-loi et montant des embuscades. Nous avions un bivouac où nous construisions des feux de camp pour envoyer des signaux avec la fumée. Nous peinturlurions nos visages avec des échantillons de pigment que le baron rapportait des laboratoires de Colora GmbH.

Mes camarades de classe, vite devenus mes copains – Robert Briesewitz, Hans Fischer, Bernard Färber, Anselm Schuster, Hermann Fleck, Hermann Metzger, Joseph Baumberg – adoraient les rituels. Nous respections un code de l'honneur et souhaitions posséder la vaillance d'un guerrier. Dans les bois, nous faisions des serments du sang. Malgré tout, il y en avait encore quelques-uns, comme Günter Krebs, pour qui je restais un maudit Anglais.

Un guerrier doit se montrer audacieux et impitoyable envers ses ennemis. Un certain matin glacial, en entendant Günter chanter de sa voix nasillarde « *Billy Billy Billy ! Billy das verdammte Engländer* ! » je baissai la tête et lui fonçai dessus à toute allure. Le coup qu'il reçut en pleine poitrine le déséquilibra et il tomba à la renverse sur le pavé de la cour. Et tout le monde avait pu assister au spectacle.

Krebs resta assis là, à pleurnicher, peinant à retrouver son souffle. Mes frères d'armes à présent m'entouraient, et se fichaient de lui. De *lui*, pas de *moi*. Pour une fois, j'avais eu de la présence d'esprit. J'étais l'homme de la plaine, le prédicateur du culte en vogue, et je me prêtais à toutes leurs fantasmagories à mon sujet.

Pendant ces premières semaines d'école, j'incarnais le Far West, et cela me suffisait. Lorsque la cloche sonna, annonçant la fin de la récréation, les garçons me tapèrent dans le dos et me sourirent.

Ma tribu.

Le culte de Winnetou perdit de son éclat avec le temps, mais il ne disparut jamais vraiment. Certains de mes anciens camarades de classe, des braves jusqu'au bout, avaient sûrement glissé un *Winnetou* dans leur sac à dos quand vingt ans après, sur la steppe gelée, ils attaquèrent et furent attaqués, tuèrent et périrent.

Mon père sélectionnait les reproducteurs – Hesperide, Festino, Henry de Navarre – qui ont fait la réputation de l'écurie Walden. Banni d'Angleterre et d'Irlande, il étudiait le *Stud Book*, l'épais volume répertoriant les pur-sang anglais, afin de choisir les poulinières et les étalons que Weinbrenner achèterait à Doncaster, Newmarket et Kildare. À la fin de notre première année en Allemagne, Buck se trouva à la tête de vingt entraîneurs et garçons d'écurie. Il y avait aussi un vétérinaire, un maréchal-ferrant, un bourrelier, chacun secondé par ses ouvriers et apprentis. Au milieu de l'été, des paysans descendirent des collines faucher les prairies et rentrer le foin.

En mars 1920, la ridicule tentative de putsch de Kapp se déroula pour l'essentiel à Berlin. Pour nous autres petits écoliers, cet événement se traduisit par trois jours de vacances. Je me rappelle la nuit, dans mon lit, je tendais l'oreille vers les coups de fusil sporadiques de l'autre côté du Main, et rêvais du fusil Henry d'Old Shatterhand qui pouvait tirer vingt-cinq coups sans qu'on ait besoin de recharger.

Le gouvernement refusa de verser les réparations de guerre et, en avril, les troupes françaises occupèrent brièvement Francfort. Notre maître d'école nous recommanda de ne pas faire attention aux soldats, nous n'avions qu'à faire comme s'ils étaient invisibles. Pourtant, ils existaient bel et bien, qu'on les regarde ou pas. Un jour, des soldats coiffés de képis, acculés sur la Schillerplatz, tirèrent dans la foule et tuèrent cinq civils. Mes camarades de classe pleurèrent des larmes de haine. Des gamins de dix ans sanglotaient, leurs amis essayaient de les consoler. Ces garçons haïssaient avec une telle intensité qu'ils ne pouvaient plus parler, seulement beugler.

Prenons par exemple une journée particulière. Vingt et un mois se sont écoulés depuis l'armistice. C'est l'été. Walden a vu naître ses premiers poulains et pouliches.

Walden. 11 août 1920. Tôt le matin.

Tout est tranquille, silencieux. Une lumière oblique. Une légère vapeur court sur l'herbe scintillante de rosée.

Deux garçons d'écurie sont en train de seller pour la première fois deux jeunes chevaux.

On leur a mis leurs mors, ils ont accepté les selles. On fait la courte échelle à deux jeunes cavaliers, les plus légers du haras, Karin Weinbrenner et moi.

Karin est rentrée pour les grandes vacances. Les premiers jours, elle ne m'a parlé qu'en anglais. Puis seulement en allemand.

« *Deutsch ist die richtige Sprache des Waldes* », me déclara-t-elle. L'allemand est la langue de la forêt.

Elle voulut savoir si j'avais chassé avec l'arc apache et testa mes connaissances en Winnetou.

« *Was ist der Name von Winnetous Pferd?* Le nom du cheval de Winnetou ?

— Iltschi.

— Celui d'Old Shatterhand ?

— Hatatitla.

— Qu'est-ce ça signifie ?

— L'éclair. »

11 août 1920. Tôt le matin, la mi-été. Les insectes vrombissent dans les bois. Je suis un cavalier de onze ans.

La journée promet d'être caniculaire, mais pour l'instant il fait bon. Karin et moi portons les mêmes culottes de cheval marron, chemises en coton bleu pâle et bottes en cuir acajou de chez le bottier belge de Francfort. Mes parents, le baron et Lady Maire, tous les quatre nous observent.

Mon père a une méthode de débourrage en douceur. Une fois que nous sommes en selle, les chevaux sont simplement menés autour du manège, un garçon d'écurie de chaque côté. Tout ce qui nous est demandé, c'est de rester calmes et sûrs de nous, de communiquer à l'animal la confiance qu'on a en lui. Nous ne devons rien faire qui puisse l'effrayer, ou le programme de mon père serait bouleversé, et le cheval n'aurait jamais la volonté d'aller jusqu'à la victoire.

Je n'ai aucune envie de décevoir mon père. Tout se passe très bien. Au bout de quinze minutes, nous descendons de cheval et les garçons d'écurie ramènent nos montures dans leurs stalles, où ils vont les panser et leur donner à manger. Comme depuis leur naissance les chevaux sont accoutumés à être manipulés et qu'on leur a appris à obéir, ils n'auront pas besoin d'autre forme de débourrage. Après deux ou trois séances de manège avec nous, toujours à la fraîche, des entraîneurs professionnels commenceront à les monter. Un mois plus tard, ils accepteront la proximité en promenade d'autres chevaux. Avant de partir pour l'hippodrome, ils feront de nombreux galops sur la piste du haras qui est toute droite, mais avec des boîtes de départ réglementaires, de sorte que, lorsqu'ils se retrouveront pour la première fois sur une vraie piste, ils ne se sentiront pas dépaysés.

Les Weinbrenner nous ont invités à prendre le petit-déjeuner dans la grande maison. Eilín et Lady Maire remontent bras dessus, bras dessous l'allée gravillonnée. Mon père et le baron comparent leurs notes sur leurs futurs champions. Et moi j'écoute avec délectation le gravier crisser sous mes bottes pendant que Karin se chamaille avec sa mère, laquelle tient absolument à ce que sa fille se change avant de manger.

« Mais pourquoi ? Billy, lui, se change pas.

— Fais ce que je te dis. Brosse-toi les cheveux et, pour une fois, lave-toi les mains. »

Karin détale en courant.

J'adorais ma tenue d'équitation. La souplesse du cuir de mes bottes gainant mes jambes était divine. Je me sentais à la fois agile et fort.

« Quelle forte tête ! dit Lady Maire à Eilín. Je me demande si je n'aurais pas mieux fait de l'envoyer dans un pensionnat religieux français. Pendant la guerre, il s'est passé de telles horreurs ici, je n'arrivais pas à trouver une gouvernante convenable, seulement une midinette de Vienne qui ne pensait qu'à flirter avec les officiers. Karin a eu une éducation "à trous". C'est ma faute.

— Elle finira par s'amadouer.

274

— C'est le sang juif. Elle me rappelle horriblement son père. »

Dans la salle à manger nous attendent des œufs, du jambon, du pâté en croûte ; différentes sortes de fromages, des petits pains frais dans un panier, de la marmelade dans des pots en argent et une délicieuse confiture de fraise ; du café dans une cafetière en argent, de la crème fraîche et du lait frappé ; pour les grandes personnes, du champagne. Cette petite salle à manger est plus lumineuse et a plus de charme que les autres pièces de la maison, à l'exception de la bibliothèque.

Je suis en train d'avaler goulûment des tartines à la confiture de fraises quand Karin entre discrètement et commence à se servir au buffet. Elle est vêtue de son insipide uniforme d'écolière anglaise : une marinière, une jupe plissée bleu marine, des sandales rouges. Autrement, elle a toujours sa tignasse mal peignée, châtain clair avec des mèches blondes.

Les adultes discutent pour savoir quels chevaux de quels propriétaires vont courir cette année le Grand International d'Ostende. Je surprends le regard exaspéré que Lady Maire jette à sa fille. Karin l'ignore, s'assied à table et attaque son repas avec appétit. Nos parents parlent encore courses hippiques quand, une fois son assiette vide, elle se lève sans un mot et sort.

————— · —————

Même moi, j'avais du mal à croire qu'une personne comme Lady Maire existait vraiment. Sa froideur aristocratique, son sens du devoir rigide et son attitude excessivement réservée, tout cela faisait d'elle un personnage aussi décalé dans le temps qu'un des saints en bois sculpté qu'avec l'assistance de ma mère elle dénichait un peu partout.

Pourtant, elle était bien réelle. Elle s'intéressait au catholicisme, alors qu'elle venait d'un milieu protestant irlandais, à l'art médiéval et aux chevaux. Elle était plus à son aise d'ailleurs avec les chevaux qu'avec ses semblables. Elle savait ce qu'il fallait faire avec eux, elle devinait leurs états d'âme, elle savait toujours ce dont ils avaient besoin.

Dans sa petite enfance, Karin avait cherché désespérément un contact physique avec sa mère. D'après ce qu'elle m'a dit, c'était comme une soif terrible, intense et inextinguible qui la poussait au bord de la panique. À l'écurie, elle voyait sa mère panser son vieux cheval de chasse Paddy avec un soin méticuleux et, surtout, des gestes pleins de tendresse. Après, au salon – la baronne visitait rarement la nursery –, Karin grimpait sur ses genoux et la suppliait de lui brosser les cheveux. Lady Maire obtempérait, mais Karin sentait qu'elle était gênée, à croire qu'ayant épuisé ses réserves d'affection pour son fils défunt, il ne restait plus rien pour sa fille.

Sa mère se lassait vite et la repoussait. «Bon, voilà. Tu es très jolie. Va demander à nounou de te mettre ton ruban.»

En plus, elle se servait de la même brosse à cheveux pour donner la fessée à Karin quand elle avait fait une bêtise.

Elle ne parlait doucement qu'à ses chevaux. Je l'entends encore brailler au milieu de la pelouse. C'était toujours pour gronder Karin. Avec son mélange d'accent anglo-irlandais et bas saxon, sa voix hérissait tout le monde.

«Ma mère a peur que personne ne l'écoute, m'a dit un jour Karin. Elle y croit dur comme fer. Du coup, c'est devenu vrai.»

Un autre jour, je regardai Karin déblayer énergiquement la neige de la pierre tombale de son frère à l'aide d'un balai de brindilles.

Il n'avait pas survécu à son premier hiver.

«C'est tellement typique de mes parents. Ils n'auraient pas pu chauffer leur grande maison pour leur petit garçon?»

Karin pouvait être amère.

La tombe de Lady Maire se trouve dans le cimetière de la petite église dont elle a été la bienfaitrice, dans un quartier ouvrier de Niederrad. La dernière fois que j'y suis passé, l'église paraissait faire le dos rond sous le vacarme des avions qui décollaient et atterrissaient sur la piste de l'aéroport de Francfort. Seuls ont survécu de sa collection d'art un crucifix et un retable du XVe siècle qui se trouvent justement dans cette église, l'un et l'autre originaires de l'Istrie; six pièces environ conservées aux Cloisters, à New York; un chemin de croix au musée Paul-Getty, à Los Angeles; et une poignée de calices et chasubles au musée Walters, à Baltimore. Sans doute y en a-t-il d'autres dans des collections privées. Soit leurs propriétaires ignorent leur provenance, soit ils se voilent la face.

La mère de Karin était capable de monter n'importe quel cheval, du moins me semblait-il à l'époque où je traînais à l'écurie. Elle avait l'air de préférer leur compagnie à celle de sa fille.

Karin était une excellente cavalière, mais Lady Maire était sans aucun doute meilleure qu'elle. Cela peut rendre fou furieux un enfant de ne pas pouvoir surpasser un parent, mais Karin ne se décourageait pas. Elle avait seize ans quand elle s'est cassé l'épaule en chassant à courre à Ludlow, un terrain dans le Shropshire réputé difficile.

L'hiver venu, elle était de nouveau en selle... Il fallait toujours qu'elle prouve quelque chose.

Lady Maire avait passé sa jeunesse dans des châteaux du nord-ouest de l'Irlande. «Si tu cherches à comprendre comment fonctionne ma mère, m'a confié un jour Karin, il faut que tu saches qu'elle vient d'un trou perdu au fin fond de la campagne. Ses parents la laissaient toujours seule dans une de leurs grandes baraques glaciales et humides. Ses uniques amis étaient les domestiques et les chevaux.»

À Berlin, Karin disait toujours qu'elle ne s'était jamais sentie chez elle à Walden. «C'est impossible là-bas, Billy. Trop d'argent, trop de fantômes, trop de tristesse.

— Mais les chevaux sont splendides.

— C'est vrai. Des chevaux magnifiques qui font rêver de s'enfuir au galop.»

Sans compter sa tentative de gagner l'Amérique à la nage, Karin fit sa première fugue pendant la guerre, à l'âge de neuf ans. Elle s'était glissée dehors à l'aube, avait sellé son poney préféré et sillonné les collines du Taunus en espérant tomber sur des paysans qui proposeraient de l'adopter. Sa mère avait dépêché l'Oberleutnant Fröhlisch avec ordre de la ramener. Il l'avait rattrapée sur la route de Sachsenhausen. Il s'était excusé d'avoir à la ramener au bercail, et elle avait cru en sa sincérité. Il avait ajouté que tout le monde devrait avoir le droit de se sauver.

Août 1920. L'été où naquirent les premiers pur-sang Walden. Quelques heures donc après ce fameux déjeuner.

La touffeur de l'après-midi. Un ciel blanc. Un air saturé d'humidité.

Karin et moi sommes debout devant la tombe de son frère. Autour de nous, les bois bruissent d'insectes.

Quelles circonstances nous avaient menés tous les deux à cet endroit? Je n'en ai aucun souvenir. Je l'avais peut-être croisée dans l'allée cavalière, en train de cueillir des baies. Elle parvenait toujours à me persuader de la suivre.

Je suis encore en tenue d'équitation. Je n'ai aucune envie de me changer. Mes belles bottes.

Elle est toujours en uniforme d'écolière.

Enlevant d'un coup ses sandales, elle ôte son chapeau de paille à ruban rayé et le jette sur l'herbe, puis commence à passer sa marinière blanche par-dessus sa tête.

«*Fürchte dich nicht.*» N'aie pas peur. Sa voix est étouffée par l'épaisseur du tissu.

Elle continue à laisser choir ses affaires sur le sol. Tricot de corps. Jupe bleu marine. Culotte.

«*Nehmen Sie Ihre vlothes, Billy, bitte.*» Déshabille-toi, s'il te plaît.

Je reste interdit.

Elle s'allonge sur l'herbe et s'étire, nue, les paupières closes, un corps longiligne à la chair aussi blanche qu'un bâton fraîchement écorcé. J'observe ses doigts qui s'enfoncent dans la terre, comme si le monde s'était soudain mis en rotation rapide et qu'elle ait dû se cramponner pour ne pas être éjectée par la force centrifuge.

Le cimetière est la seule clairière herbeuse du domaine à ne pas servir de champ, de paddock ou de pâturage.

«*Du musst keine Angst haben, Billy.*» Tu ne dois pas avoir peur.

Je pèse une tonne, mon cerveau tourne au ralenti. J'enlève mes bottes et déboutonne ma chemise bleue. Cela n'est pas un jeu. Au contraire, c'est très sérieux, je dirais même plus: grave. Il aurait été, par exemple, tout aussi grave de noyer Albert Willspeed dans un étang de Hampstead, mais la peur des conséquences m'avait arrêté, et de toute façon l'occasion ne s'était jamais présentée.

J'enlève ma chemise bleue, mon gilet, mon pantalon, mon caleçon, et m'allonge à côté d'elle sur l'herbe piquante. Elle prend ma main dans la sienne et serre bien fort. Le soleil et la chaleur me donnent le tournis, mes pensées tourbillonnent et le sol bouge sous moi. Je garde les yeux fermés.

C'est un moment tout à la fois exaltant, merveilleux et perturbant, mais on ne peut pas dire que c'est sexuel.

Au bout d'un moment, j'entends le bruit régulier de sa respiration. Se serait-elle endormie ?

Soudain, elle s'assied.

« Je suis en train de perdre la boule », lâche-t-elle.

J'ouvre les yeux. Elle se lève. Je l'imite.

« Ha ! ha ! que tu es drôle, Billy. »

J'ai honte de ma maigreur, mais il n'y a rien à faire, il m'est impossible de manger plus que je ne le fais déjà.

« Tu as grandi depuis l'année dernière, dit-elle. Tu vas être aussi grand et bel homme que ton père. Qui aurait envie d'être aussi petit que mon petit papa ? Il aurait préféré être grenadier que uhlan, mais pour être accepté dans les grenadiers il faut avoir plus d'un mètre quatre-vingts. Tu es fort, Billy ? » Il y a plus fort que moi. Mais je suis quand même plus fort que beaucoup de mes camarades.

Je réponds par l'affirmative.

« Assez fort pour me porter ? Viens. J'aimerais que tu me fasses faire le tour de la clairière en me portant. Une fois.

— Pour quoi faire ? »

Elle me touche l'épaule, un petit geste de cavalière expérimentée avant de monter en selle.

« Parce que.

— Mais pourquoi ?

— Je sais pas. Viens. Je suis pas lourde. Viens. » Elle fait un petit saut sur place, je l'attrape par les cuisses et l'instant d'après, elle est dans mes bras.

« Porte-moi. Porte-moi, c'est tout. Porte-moi comme si j'étais ton enfant.

— Où ça ? »

Elle ne répond pas. Je lui fais faire le tour du cimetière verdoyant. Nous nous taisons tous les deux.

C'est une scène étrange, je vous l'accorde. L'expression d'un désir encore dans les limbes, du moins le mien, mais non moins réel.

L'herbe me pique la plante des pieds. Nous sommes nus tous les deux. Je n'en sais pas plus. Pourtant je sais que désormais je serai son fidèle destrier. Son cheval de guerre.

« Ça suffit. Maintenant tu peux me poser, s'il te plaît. »

Dès qu'elle a les deux pieds par terre, elle me tourne le dos et se met à se rhabiller. Elle semble tout à coup pudique.

« Me regarde pas. Habille-toi, Billy. Vite ! Avant que quelqu'un vienne. »

Moi aussi je suis gêné et je me dépêche d'enfiler mes vêtements.

« Tu le diras à personne. » Elle paraît anxieuse. « Tu le diras pas à ma mère ? Promis ?

— Oui, non, promis.

— Jure-le la main sur le cœur.

— Je le jure.

— Pas un mot à personne, hein, Billy.

— Motus et bouche cousue. »

Nous remontons l'allée cavalière en silence. À la croisée des chemins, nous partons chaque de notre côté.

« Je sais que je peux compter sur toi. Au revoir, Billy. » Elle me tend sa main. Elle me regarde droit dans les yeux pendant que nous nous serrons la main. Ses yeux sont gris pâle.

Elle retourna en Angleterre quelques jours après. Je ne crois pas l'avoir revue avant l'été suivant.

———— · ————

En 1922, des nationalistes d'extrême droite assassinèrent le ministre des Affaires étrangères, Walter Rathenau, dans sa voiture. Il était juif. Quand il venait en visite à Walden, Lady Maire essayait toujours de le faire monter en selle. Rathenau avait recruté le baron comme bras droit pour négocier les réparations de guerre, une mission dangereuse pour Weinbrenner, car elle faisait aussi de lui une cible. L'Allemagne tout entière vouait aux gémonies les réparations.

Par un matin glacial d'automne, après l'assassinat de Rathenau, devant la porte de l'école, alors que nous attendions que la cloche sonne, Günter Krebs déclara que l'Allemagne avait perdu la guerre à cause d'un pari que les Juifs de Francfort avaient fait avec les Juifs de Londres.

Nous tapions des pieds pour nous réchauffer, impatients que l'ouverture de la porte nous donne accès à une température plus clémente.

« Vous voyez, les gars, chacun a parié que le pays de l'autre gagnerait. Chaque tribu pensait qu'elle pouvait truquer la guerre ! Les youpins sont sans pitié. »

Le père de Günter, qui était avocat, devait devenir un notable puissant de la ville après la prise du pouvoir par le NSDAP.

En réalité, il ne faisait pas tellement plus chaud à l'intérieur de l'école. Les grèves et les manifestations contre l'occupation de la Ruhr par les Français entraînaient une pénurie de charbon. Les jours où ils n'allumaient pas la chaudière, nous avions le droit de garder nos manteaux et nos écharpes, même nos gants et nos bonnets.

« Nos Juifs ont provoqué la défaite de l'Allemagne et ramassé un pactole. Ils ont donné un coup de poignard dans le dos à la meilleure armée de l'histoire du monde.

— C'est qu'un tas de conneries que tu racontes ! s'écria Kracauer, un des trois Juifs de la classe. Mon père a combattu au front. Tout ce qu'il a ramassé, c'est un shrapnel dans la guibole. T'es un *Pappnase*, Krebs. Faux nez, menteur. »

Kracauer était plus petit que Günter Krebs. En revanche, il était beaucoup plus populaire. Très sportif. Ses parents avaient un magasin de bagages en cuir. Alors que nous autres transportions nos bouquins en les attachant avec une sangle, Kracauer avait une belle serviette en cuir avec des fermetures en laiton.

« Il est des leurs, ricana Günter. Un youpin dit jamais la vérité. »

Günter avait beau être grand pour son âge, il était plutôt chétif, comme de nombreux enfants ayant souffert de la faim pendant les derniers mois du conflit. Il avait les dents tordues et marron.

« Et toi t'as un cerveau de poule ! » riposta Kracauer.

Les portes s'ouvrirent. Nous nous ruâmes à l'intérieur.

Après les cours, nous avions l'habitude de nous réunir pour jouer au foot dans la rue. Le ballon appartenait à Weinberg, le garçon le plus riche de toute l'école. Les ballons de foot étaient une denrée de luxe. Weinberg se faisait déposer le matin par une grosse Mercedes conduite par le chauffeur de son père.

Un jour – le sol se vitrifiait sous la pluie mais nous continuions à jouer –, Kracauer frappa dans le ballon avec force et Günter Krebs le reçut en pleine tête, tomba sur les fesses au milieu de la chaussée et se mit à pleurnicher en laissant couler un flot de morve.

Kracauer visait le but, il n'avait pas fait exprès. Nous étions gênés pour Günter qui se conduisait en bébé. Deux garçons l'aidaient à se relever quand, brusquement, il bondit sur ses pieds et se rua sur Kracauer en faisant des moulinets avec ses poings. « Sale youpin ! Tricheur ! »

La figure dégoulinante de larmes et de morve, tenant mal sur ses jambes, il était ridicule.

Kracauer recula en riant. On entendit alors un bruit de klaxon : la voiture de Weinberg stoppa à côté de nous. Weinberg reprit son ballon. Ses amis et lui, Kracauer compris, s'engouffrèrent dans l'énorme Mercedes rouge. Krebs demeura planté là, en sanglots, toussotant. Deux d'entre nous restèrent avec lui. Pas moi. Je n'aimais pas qu'on étale ainsi sa fragilité, ça me gênait.

Après quoi, il y eut le fameux incident à la rivière.

L'aviron était une passion chez les écoliers allemands. Nous étions nombreux à appartenir à des clubs d'aviron junior. C'était un après-midi frisquet du mois de mai. Nous nous entraînions tranquillement sur le Main quand Günter emmêla sa rame avec les autres, ce qui perturba le rythme, et l'instant d'après l'embarcation chavira, éparpillant les rameurs dans le courant.

Les garçons gagnèrent sans problème la rive à la nage, mais ils étaient trempés et furieux contre Günter.

Lorsqu'il voulut monter sur la rive, ils le repoussèrent dans l'eau, pas qu'une seule fois, mais encore et encore. Pris de panique, il appela au secours.

Je trouvais qu'ils charriaient, mais ce n'était pas mon équipe.

Un policier sur le pont donna un coup de sifflet. Les garçons permirent enfin à Günter de sortir de l'eau et il se hissa sur la berge en rampant sur le ventre. Il avait dû boire la tasse un certain nombre de fois. Toujours est-il qu'il fut absent une semaine.

C'est après cet incident que Kracauer, en cours d'anglais, commença à surnommer Günter Krebs, *Ducky*[1]. Ce sobriquet anglais lui colla à la peau, peut-être parce que Günter avait une démarche en canard.

Des années plus tard, au département Traduction d'IG Farben, ses collègues l'appelaient toujours Ducky.

Il y avait trois Juifs dans notre classe : Kracauer, Weinberg et Koch. Koch était hongrois, timide, binoclard et un génie en mathématiques. Il ne disait jamais un mot. Il fut assassiné à Auschwitz. Le père de Weinberg était le propriétaire d'un des grands magasins de la ville. Weinberg fils était la générosité même, il n'avait aucune prétention. S'il apercevait des camarades de classe sur le trottoir le matin, sur le chemin de l'école, ou à l'arrêt du tram, il demandait à son chauffeur de s'arrêter et leur disait de monter. Ils arrivaient parfois entassés à douze dans la Mercedes et se déversaient sur le trottoir en criant et en se donnant des bourrades amicales. Même Günter Krebs acceptait de monter dans sa voiture.

---

1.   Petit canard [NDT].

Karin revenait quelques semaines pendant l'été. En 1923, le baron fit construire pour elle une piscine et un court de tennis à Walden. Je fus choisi pour lui servir de partenaire. Lady Maire demanda à Eilín de me commander une tenue de tennis et Karin m'indiqua quelle marque de raquette acheter.

Karin aimait jouer de bonne heure le matin, avant les grosses chaleurs. Mon père me réveillait, j'enfilais ma tenue blanche et encore à moitié endormi sortais mon vélo de l'abri. Je pédalais vite jusqu'au court. Elle était toujours là avant moi, occupée à taper impatiemment la balle contre le tableau noir. « Qu'est-ce que t'as, Billy Lange, tu peux pas arriver à l'heure ? »

Après le tennis, nous nagions dans la piscine et prenions un bain de soleil en discutant de nos lectures, des romans de Karl May entre autres, à condition que Karin soit d'humeur loquace.

Aucune fille de son pensionnat ne s'intéressait à *Winnetou*. Les Anglaises préféraient les magazines sur les stars de cinéma américaines.

Allongé sur une chaise longue, tout maigrichon que j'étais, bronzé puisque c'était l'été, je regardais Karin Weinbrenner faire des longueurs de piscine. Il me traversa soudain l'esprit que mon trouble qui confinait à l'abrutissement signifiait que j'étais amoureux. Ce fut une révélation stupéfiante. Je n'avais aucune envie d'être amoureux. Ni d'elle ni de personne d'autre. J'avais autre chose à faire. Je préférais la compagnie bruyante de mes pairs, de ceux de ma tribu. Aimer une fille me paraissait une perte de temps.

Elle se hissa hors de l'eau, ramassa une serviette et c'est à cet instant que nous entendîmes crier.

Ma première pensée fut : un poulain a trébuché, il s'est cassé la jambe... Au printemps, un jeune étalon s'était fracturé une jambe de devant. Mon père avait été obligé de l'abattre. Il m'avait autorisé à assister à la mise à mort. Debout au milieu du groupe taciturne des garçons d'écurie et des entraîneurs, j'avais vu Buck pointer son pistolet Browning sur le front du cheval, dans l'alignement de la colonne vertébrale, et appuyer sur la détente. Une mort instantanée. « *Den Gnadenschuss geben* », commentèrent les hommes. Le coup de grâce.

Les cris se prolongèrent, à présent manifestement humains, plus précisément allemands et féminins.

S'ensuivit une salve de hurlements, cette fois masculins.

« C'est Solomon et Herta, dit Karin en se séchant avec sa serviette. Il est encore en train de lui taper dessus, ce salaud. »

Le chauffeur, Solomon Dietz, logeait avec Herta, sa femme, qui était sorabe, dans une maison en brique servant aussi de remise à calèches et de garage, située de l'autre côté du parc. Le chauffeur borgne était l'un des quelques employés du domaine Walden à ne pas être sous l'autorité de mon père. Il ressemblait à un ogre des contes germaniques, et n'était pas à prendre avec des pincettes. Ancien combattant, juif, il était un membre actif de la *Reichsbanner*, une organisation paramilitaire militant pour la défense des institutions, aussi bien contre l'extrême droite que contre l'extrême gauche. Solomon Dietz se considérait comme le garde du corps personnel du baron. Il avait un Browning toujours à portée de main sous son siège.

« Ce type n'a pas toute sa tête, avait confié Lady Maire à Eilín. La guerre lui a fait perdre ses billes. Faites attention à vous. »

Les cris et les hurlements continuaient de plus belle.

«Tu ne vas pas faire quelque chose, Billy?» me lança Karin.

Mon père s'efforçait de garder ses distances avec Solomon. Alors, moi? Que pouvais-je faire? J'étais un jeune garçon, Solomon était un homme.

«Alors? dit Karin. Si tu n'y vas pas, j'y vais.»

S'enveloppant dans sa serviette, elle ramassa sa raquette dans son presse-raquette et se dirigea vers la maison en brique. Je respirai une bouffée de chlore et d'eau de Cologne. Son père lui avait récemment offert de l'eau de toilette. Sa mère désapprouvait.

Je n'avais pas le choix: il fallait que je montre que je n'étais pas un lâche, que cela me plaise ou non. J'étais pieds nus et en maillot de bain. Mes tennis étaient restées dans la cabane, je n'avais pas le temps de courir les mettre.

Karin gravissait déjà l'escalier branlant qui menait à l'étage au-dessus du garage.

Un autre cri. Le temps que j'arrive en bas des marches, elle était déjà en train de tambouriner à la porte.

Elle se tourna vers moi et me fit un grand sourire. «Et s'ils étaient au lit?»

Elle était toute brunie par le soleil, le nez et les joues éclaboussés de taches de rousseur. Ses dents étaient très blanches. Sa masse de cheveux châtains, semée de mèches dorées et acajou.

Je commençai à monter. Un autre cri, un bruit de coup, encore un cri.

«Qu'est-ce que t'en dis, Billy Lange? Peut-être qu'ils sont en train de s'amuser au lit?

— Ils ont pas l'air de rigoler.»

Debout à côté d'elle, je respirai de nouveau son odeur. Elle cogna le battant avec son poing. «*Herta? Was ist das Problem? Was ist los dadrinnen?*»

Elle poussa la porte, qui s'ouvrit.

J'eus l'impression de pénétrer dans une maison de village au milieu de la steppe. Le sol et le mur étaient laqués rouge, les murs, décorés de fleurs sauvages. Solomon, adossé à l'évier, avait le bras replié autour du cou d'Herta. Son bandeau sur l'œil avait glissé de travers, la fente de son orbite vide était violette comme un bleu.

« *Lass sie gehen, du Verbrecher!* » lui ordonna Karin.

Mais au lieu de lâcher sa femme, Solomon resserra sa prise. Herta agita les bras en émettant des gargouillis. Karin s'avança et frappa Solomon avec sa raquette, plusieurs fois sur le cou et les épaules, jusqu'à ce qu'il veuille bien libérer Herta. En haletant et en toussant, Herta tenta d'arracher la raquette des mains de Karin.

« Non, non, Herta! cria Karin.

— *Du Bastard! Ich schneide dir deinen!* » Herta se rua vers le couteau de cuisine sur la table mais Karin, d'un coup de raquette, l'envoya valser par terre avec la bouteille de schnaps qui se fracassa en touchant le sol.

Karin entreprit alors de pousser Herta vers la porte. Le mari et la femme s'insultaient à tue-tête. Une forte odeur d'alcool flottait dans l'air. Karin parvint à faire sortir Herta. Maintenant, il fallait lui faire descendre l'escalier, et Herta essayait tout le temps de remonter. Karin lui barrait le passage. J'avais peur que Solomon se lance à notre poursuite, mais il n'avait pas l'air de bouger.

En bas des marches, Herta nous embrassa les mains. Elle était peut-être ivre.

« Cette brute la tuera un jour, dit Karin. Mon père doit absolument se débarrasser de lui. Viens, Herta. »

Je les regardai remonter la large allée plantée de bouleaux, Karin en maillot de bain, la taille ceinte de sa serviette blanche.

Pour rien au monde son père n'aurait renvoyé un aussi loyal serviteur-garde du corps, pas après le meurtre de Walter Rathenau dans sa voiture.

Herta refusa le billet de train pour Berlin que lui proposa le baron en même temps qu'une lettre de recommandation et de quoi se louer une chambre. Elle retourna dans le logis au-dessus du garage à temps pour préparer le déjeuner de son mari.

———

Les journaux publièrent une liste de personnalités à abattre trouvée dans la poche de l'assassin de Rathenau, une liste où figurait le nom de Hermann Weinbrenner. Mon père et Solomon – et à l'occasion le baron – s'entraînèrent au tir dans les bois de Walden. Le chauffeur avait supplié mon père d'accepter un Browning belge afin qu'il puisse contribuer à défendre le baron contre les réactionnaires.

Buck tenait à ce qu'ils s'exercent le plus loin possible de l'écurie, afin de ne pas effrayer les juments. Les hommes tiraient sur des cibles en papier punaisées à des moignons d'arbre. J'étais un meilleur tireur qu'eux : je peux vous assurer qu'un arc, quand il est bon et que l'on sait s'en servir, est plus précis qu'un pistolet.

Mon père se décida en fin de compte à m'apprendre. Il me montra comment introduire les cartouches dans le chargeur et engager celui-ci dans la crosse.

Ces munitions de 9 millimètres étaient de petites masses brillantes, froides et graisseuses au toucher. Il me montra comment débloquer au pouce le levier de sûreté et armer la culasse en tirant vers l'arrière, puis il me passa l'arme.

« Tire quand tu es prêt ! »

Le pistolet avait un fort recul et je vidai le premier chargeur sans atteindre une seule fois la cible. Mais, au cours de l'été, ma visée s'améliora. L'arme éjectait des douilles de cuivre que j'avais pour mission de ramasser sur le sol de la forêt.

Peu de temps avant que Karin retourne à son pensionnat, je lui appris à tirer. Nous nous servions du Browning de mon père. Il approuvait, ainsi que le baron. Le sang de Walter Rathenau avait éclaboussé la vie de tous, surtout celle des riches Juifs de Francfort. Près de cinq ans s'étaient écoulés depuis la fin de la guerre. Le baron était sur le point de publier le premier volume de ses mémoires. Personne de nos jours ne lit plus *Lebenserinnerungen U. Politische Denkwürdigkeiten*, pourtant, dans les années vingt, ses écrits avaient fait vibrer une fibre sensible en Allemagne. En se servant de documents officiels, dont des télégrammes des Affaires étrangères, Weinbrenner démontrait que l'Allemagne était la principale responsable de la guerre mondiale. Selon lui, c'était la bande d'incapables à Berlin, le Kaiser compris, qui avait mené à la débâcle.

Après la parution du premier volume, les gazettes d'extrême droite surnommèrent le père de Karin « ce traître de baron juif ». Il était dans le collimateur des nationalistes.

Un pistolet automatique n'est pas une arme de tireur d'élite, mais Karin fit rapidement des progrès en visée. Le tir semblait avoir sur elle un effet lénifiant au lieu de l'énerver, comme c'est souvent le cas chez les personnes qui n'ont pas l'habitude de tirer. Au début, nous utilisions des cibles en papier et de la vieille vaisselle, mais au bout d'un moment ces objets ne lui suffirent plus. Il lui fallait quelque chose d'« humain » dans son viseur.

«Au moins qui ait une odeur humaine», dit-elle.

Elle retourna chez elle et revint les bras chargés de robes. J'éprouvais un certain malaise en la voyant les draper sur les branches des arbres.

«C'est bon, Billy, on peut charger et tirer.

— Tu es sûre?

— Des vieilles robes moches. Au moins, elles seront utiles à quelque chose.

— Tu pourrais les donner.

— C'est vrai, c'est vrai, répéta-t-elle, impatiente. Je veux bien les donner toutes, toutes les autres, mais celles-ci vont nous servir de cible. Viens, cher Billy, peux-tu s'il te plaît me passer le pistolet et me montrer une nouvelle fois comment on le charge.»

Je le chargeai pour elle. Nous tirions à tour de rôle. Parfois des balles déchiraient le tissu d'une robe. La robe restait accrochée, se balançant sous l'effet de l'impact. Karin était calme et précise, elle s'en sortait très bien pour une débutante. Après, elle me rendit le pistolet pour que je le nettoie. Nous nous serrâmes la main et le lendemain matin, elle retourna en Angleterre.

Il ne lui restait plus qu'une année de collège. Ensuite, ses parents l'envoyèrent terminer ses études secondaires dans un pensionnat à Lausanne.

1938

«Billy! *Hier bitte!*»

Je me promenais sur les terres de Walden, en proie à un accès de nostalgie teinté d'égotisme, quand, sur l'allée cavalière, je tombai sur Karin.

En fins escarpins et manteau cintré en Harris tweed, elle avait l'air très svelte et *mondän*, très berlinoise, tout à fait déplacée dans ce cadre champêtre. Sa mère avait peuplé la propriété d'images médiévales, son père avait élevé les pur-sang les plus rapides d'Europe, son frère était enterré dans une clairière avec six jeunes soldats morts pour la patrie – mais Karin avait toujours dit qu'elle se sentait mieux ailleurs.

«Qu'est-ce que tu fabriques, Billy? Je t'ai vu arriver il y a une heure!

— Oh, je me promène. J'engrange.»

Je lui rappelai que nous avions un rendez-vous au consulat américain, à Cologne, dans deux jours – Kop l'avait pris pour nous. Nous avions besoin de visas de touristes si nous voulions traverser les États-Unis en voiture.

Elle passa son bras sous le mien. «Je regrette Berlin.

— Il n'y a plus rien là-bas pour toi en ce moment.»

Je savais qu'à moi aussi Berlin allait manquer. Mes week-ends dans la métropole m'avaient toujours galvanisé à la manière d'un courant électrique. Nous n'avions jamais eu ensemble plus de deux ou trois jours, j'aurais aimé en avoir plus, mais ce que nous avions semblait la satisfaire. Je la possédais physiquement, mais en toutes circonstances ce qu'elle possédait de moi allait bien au-delà.

«Tout ce qui nous déçoit, Billy, c'est ce qui nous manque le plus.»

Nous avons pris le chemin de la maison. Je redoutais l'entretien avec son père. Tous ses biens avaient été pillés par le régime, et à présent je lui volais sa fille.

Enfant, à l'époque où elle me les avait offerts, j'avais lu les *Winnetou* comme une délicieuse fiction. Jusqu'au jour où, vers mes dix ans, en feuilletant un atlas de l'Amérique du Nord, *Ortsverzeichnis von Nordamerika*, dans la bibliothèque du baron, je vis les mots

LLANO ESTACADO

écrits en travers d'une carte par ailleurs vide de l'ouest du Texas et de l'est du Nouveau-Mexique. Alors je compris que le paysage dans cette série de romans *existait* vraiment. Ce fut pour moi un choc immense et merveilleux, un peu comme si j'avais trouvé Dieu dans l'annuaire de Francfort.

Karin, pour sa part, avait toujours su qu'*el llano* figurait sur la carte. Petite fille déjà, elle collectionnait les ouvrages et les articles sur le sujet. Elle lisait tout ce qui lui tombait sous la main et qui était relatif à ce pays.

«Ce qui est extraordinaire, avec *el llano*, Billy, m'avait-elle dit un matin à Charlottenburg, c'est que c'est le monde tel qu'on devrait le préférer. Nu, propre. Sans rien pour le polluer. Sur *el llano*, tu peux chevaucher pendant des jours sans rencontrer autre chose que le soleil et le vent. Si tu veux mon avis, c'est ça, le salut.»

Au bout de cinq ans d'Allemagne hitlérienne, l'idée de traverser ensemble *el llano* semblait une promesse, sinon de salut, du moins de purge. Les rayons caustiques du soleil combinés à la chaleur sèche du désert crameraient sur nos ailes le poids mort de l'histoire.

L'allée cavalière était à l'abandon, surplombée de branches dont la présence à cette hauteur aurait vidé de sa selle tout cavalier non prévenu. Mais personne ne montait plus à cheval à Walden. Les chevaux s'en étaient allés, au même titre que les forestiers. Peut-être s'étaient-ils tous fait embaucher par les usines IG Farben, à synthétiser du carburant pour les avions et du caoutchouc nitrile. Ou avaient-ils tous été réquisitionnés par l'armée ?

Walden n'avait jamais été ce qu'on appelle une belle demeure, et les feuilles marron de novembre tourbillonnant dans les herbes folles des pelouses négligées lui prêtaient un aspect plus lugubre que jamais.

« Il t'attend dans la bibliothèque. »

Karin monta l'escalier en courant avant que je pense à lui demander si elle avait dit à son père qu'elle était enceinte.

Je trouvai le petit baron installé à l'énorme bureau en acajou de l'amiral Spee, que pour une raison ou pour une autre la municipalité lui avait laissé alors qu'elle avait confisqué le reste de son mobilier.

Le baron Hermann von Weinbrenner se tenait voûté, petit faucon perché dans le vent sur un fil électrique. Lui dont on pouvait dire qu'il n'avait pas d'âge : brun et dur comme une coquille. Après la mort de sa femme, il s'était mis à perdre du poids. À présent, il semblait maigre et frêle.

« L'Amérique, enfin ! glapit-il d'une voix rauque. Hourra ! »

Ses rayonnages étaient dépouillés de leurs volumes, sauf de sa collection sur l'histoire et la philosophie juive. Je suppose que les marchands qui s'étaient servis n'avaient pas osé leur manifester le moindre intérêt.

L'étagère des vieux *Winnetou* de Karin était toujours là aussi, des éditions populaires, sans doute trop défraîchies et banales pour intéresser les bibliophiles.

« Il faut vraiment que nous partions, monsieur.

— Je te félicite ! Je suis ravi d'apprendre que tu as pris les choses en main.

— Il n'y a pas de temps à perdre.

— Bien sûr que non.

— Je suis désolé.

— Désolé, pourquoi ? »

La bibliothèque avait été son aire, le pivot central de sa puissance. C'était là qu'il avait offert à mon père une nouvelle carrière, et à nous trois une nouvelle vie. Là qu'il avait écrit ses mémoires avec les funestes conséquences que cela avait eues pour lui, *der verräterische Judenbaron*.

Enfant, la bibliothèque du baron avait été pour moi un lieu de pouvoir, de puissance.

« Je suis désolé d'emmener Karin si loin.

— Et moi je ne le suis pas ! Berlin est un endroit affreux, paraît-il, pire que jamais. L'Amérique… ton père est né aux États-Unis, je crois ?

— Pas exactement.

— J'espère vous revoir en Allemagne une fois que cette bande de gangsters petits-bourgeois, ces Raspoutine et ces marchands de champagne seront allés droit dans le mur. Ils ne peuvent pas durer beaucoup plus longtemps, les généraux en ont leur claque du caporal et s'apprêtent à l'évincer. Ils n'ont plus rien à faire de lui. À moi ils ont déjà tout pris. Mais je suis d'accord, il est temps que ma fille s'échappe de cette maudite cage. J'aimerais lui signer un gros chèque pour le voyage, mais je ne peux pas.

— J'ai une situation qui m'attend au Canada.

— Oui, oui, bravo. Quand j'étais jeune, je songeais à partir pour le Canada. J'en connais quelques-uns qui y sont allés. Un de ces jours, les militaires vont renverser cet avorton, tu sais. Les Allemands ne vont pas le supporter longtemps. Tu verras. Les militaires vont le coincer et alors… qui sait ? Qui pourrait redresser la pauvre Allemagne ? Le vieux Kaiser ? Bon, je le trouvais sympathique autrefois, mais c'est un incompétent. Il n'avait pas de mauvaises intentions, cela dit, mais il était trop impulsif, et en voulait terriblement à sa vieille mère l'Anglaise. Pas une bonne combinaison pour l'Allemagne.

— Dois-je comprendre que nous avons votre bénédiction ?

— Ma bénédiction ? (Il haussa les épaules.) C'est ce que tu veux ? D'un vieux Juif ? Elle ne vaudra rien. Mais si tu la veux, je te la donne. Ma bénédiction ? Ha ! Une traite sur la banque de M. Morgan vous serait plus utile ! À une époque, ce n'aurait pas été un problème. Aujourd'hui, si. Occupe-toi bien de ma fille. Prenez soin l'un de l'autre. N'oubliez pas votre famille en Allemagne. »

L'INVRAISEMBLABLE DANUBIEN

Lady Maire acquit sa Ford au printemps 1927. Le chauffeur du baron apprit à ma mère à conduire et les bases élémentaires de la mécanique. Les deux femmes projetaient pour l'été suivant un tour d'Espagne en auto.

Lors de leurs expéditions passées, Solomon les avait conduites dans la Mercedes, mais comme l'été précédent il avait été jeté en prison en Avignon pour s'être retrouvé dans une bagarre d'ivrognes avec de jeunes soldats français, Lady Maire avait décidé de se passer de ses services. Et avait acheté la Ford noire. Eilín avait pratiqué sur les routes vallonnées du Taunus.

Constance, ma grand-mère, devait arriver à Walden quelques jours avant le départ de Lady Maire et d'Eilín pour l'Espagne. Tante Kate, à présent l'épouse d'un riche éleveur, gardait un œil sur Wychwood et avait écrit qu'on voyait désormais plus de ciel que d'ardoises sur le toit de la maison. À la lire, il n'était pas question que Constance y passe un autre hiver.

Buck envoya à sa mère une lettre l'invitant chez nous, à Newport. À sa stupéfaction, Constance accepta. Il organisa son voyage en compagnie d'une célèbre jument, Lovely Morn, ayant appartenu au vieil ami de Constance, sir Charles Butler, de Knockmealdown Stud, dans le comté de Galway. Charlie Butler était mort, et ses écuries avaient été vendues aux enchères à Tattersalls. Mon père avait vu Lovely Morn remporter le Grand Prix d'Ostende. Il comptait faire d'elle une poulinière au haras de Walden. Le baron avait câblé une offre directement à Knockmealdown, laquelle avait été acceptée.

Constance n'avait pas quitté le comté de Sligo depuis des années. Buck craignait que ce long voyage – train pour Dublin, bateau jusqu'à Liverpool, train à travers l'Angleterre jusqu'à Hull, bateau pour Rotterdam et enfin train jusqu'à Francfort avec changement à Cologne –, ne soit peut-être au-dessus de ses forces. Aussi avait-il demandé au lad de Charlie Butler, chargé du transport de la jument en Allemagne, de veiller également sur ma grand-mère.

Ils voyagèrent tous les trois de conserve et, par une belle matinée d'août, Eilín nous conduisit dans la Ford à la *Frankfurt Hauptbahnhof*. Karin et Longo, son prétendant, firent partie de l'expédition. Solomon le borgne nous suivait, avec le van tiré par un cheval.

Après Lausanne, Karin avait passé quelques mois à Paris avant que ses parents lui permettent d'habiter Berlin et lui versent une pension, sans autre forme de surveillance. Mes parents avaient été étonnés. À entendre ma mère, Karin faisait les «quatre cents coups» à Berlin. Nous avions été informés deux fois de ses fiançailles, et chaque fois elles avaient été rompues.

Longo était le dernier de ses prétendants et, vu de Walden, le premier acceptable.

En passant de bon matin à bicyclette devant le court de tennis, j'entendis le bruit d'une balle frappée contre un mur. Karin, seule, pieds nus en robe de soirée noire décolletée, multipliait énergiquement coups droits et revers. Elle me fit de grands signes avec sa raquette.

«Comment vas-tu, mon vieux Billy?»

Je descendis de vélo.

«Salut, Karin.

— T'as drôlement grandi. T'es pas mal, tu sais. Tu vas devenir un cavalier, comme ton charmant papa?»

Elle était à Walden seulement pour deux semaines. Berlin était paraît-il torride en été, et elle regrettait sûrement les chevaux de Walden, la piscine, les odeurs de myrrhe et de foin frais. Lady Maire se rendait, sur son cheval de chasse, à la première messe à l'église catholique de Niederrad. J'avais aperçu Karin avec elle à deux reprises, la mère et la fille longeant au pas les rues grises du village. Karin devait avoir dix-neuf ans, tout juste.

« Beaucoup trop jeune pour vivre seule dans une ville dépravée comme Berlin ! » estimait ma mère.

« Je ne crois pas que je serai jamais à l'aise sur un cheval, avouai-je à Karin. À moins de trouver une Hatatitla. Et dans ce cas, je la volerai et traverserai *el llano* au grand galop.

— Bravo ! Je t'accompagnerai, Billy ! Ensemble on traversera *el llano*. »

C'était une phrase en l'air, Karin ne voulait même pas flirter, seulement jeter une légère ligne par-dessus tout ce qui nous séparait, l'expérience, l'aisance dans le monde. Du moins, c'est ce que je me suis dit.

Après être resté un instant interdit, je remontai à vélo. J'avais été embauché pour l'été comme commis par l'avocat du baron, Herr Kaufman, et avais pris l'habitude de faire une petite halte le matin dans un café « parisien » de la Friedberger Landstraße, où je consommais un *café au lait** en lisant *Le Figaro*, le *Daily Telegraph* et le *Paris Herald Tribune*. La lecture de la presse étrangère me donnait l'impression d'être moi-même, ou plutôt d'être conforme à l'homme que je souhaitais devenir. Au cabinet Kaufman, je ne me sentais pas moi-même. Il espérait que je me destine à la magistrature ; moi, je savais bien que cela n'arriverait jamais. J'ignorais pour quoi j'étais fait, mais en buvant à petites gorgées et en lisant le *Herald Tribune*, je m'efforçais de me couler dans un personnage, à la manière d'un acteur se préparant pour une audition.

———

L'Oberleutnant Fröhlisch avait, pendant la guerre, appris à Karin à jouer quelques airs de ragtime. Longo n'était pas mauvais pianiste ; à quatre mains, Karin et lui produisaient un *Saint Louis Blues* qui swinguait convenablement. Tard dans la nuit, ils écoutaient des disques de jazz dans la bibliothèque de son père et dansaient le shimmy. Ils roulaient le tapis et ouvraient en grand les fenêtres. La mélodie sautillante me parvenait à l'autre bout de la pelouse, en même temps que leurs rires.

Parfois Karin jouait du Chopin toutes fenêtres ouvertes. Une nuit, couché sur l'herbe froide, je me figurai qu'elle interprétait ces nocturnes pour mon seul plaisir.

Le vrai nom de Longo était Paul von Müller-Languedoc. Il s'entendait bien avec tout le monde. Les Weinbrenner étaient soulagés de voir qu'il n'était pas un de ces cinglés de la bohème berlinoise.

Ma mère appliquait un onguent sur la cicatrice – *der Schmiss* – de Longo quand celui-ci annonça qu'il épouserait Karin Weinbrenner dès qu'elle « se serait calmée ».

« Karin est un yearling, et les yearlings sont toujours fous. Soit on les dresse, soit on les laisse en liberté. Je laisse notre belle Karin libre. Et quand elle en aura assez de courir, je l'épouserai. »

Longo avait récolté sa blessure au coup de sabre à Heidelberg, où il faisait son droit. Le duel au sabre – le *Mensur* – était rituel entre étudiants des fraternités, les *Brüderschaften*. Ceux trop jeunes pour s'être battus

306

pendant la guerre aimaient pouvoir revendiquer cette forme de barbarie qu'était le *Mensur*.

La *Schmiss* de Longo partait du coin de sa bouche et lui remontait jusqu'à l'oreille. Cette balafre était une preuve de virilité et de courage. Même mes camarades de la Klinger-Oberrealschule à Francfort, dont l'ambition petite-bourgeoise les destinait à devenir des hommes d'affaires ou des ingénieurs, bouillaient d'impatience de s'enrôler dans ces *Korps* d'étudiants. La rumeur voulait que certains s'entaillent eux-mêmes la peau, à l'aide d'un rasoir, dans le seul but d'arborer un de ces trophées.

Celle de Longo était fraîche et à vif. La cicatrisation se faisait mal. Parfois, ce retard était volontaire : ils la voulaient la plus laide possible. Karin l'appelait l'insecte – « Qu'est-ce que fiche cet horrible insecte sur ta belle gueule, Longo ? »

Mais il était fier de sa *Schmiss*, et je crois irrité que Karin ne le prenne pas au sérieux.

En arrivant au dépôt ce matin-là, on nous informa que le wagon transportant la jument irlandaise avait été détaché du convoi et poussé sur une voie de garage.

Au moment où mon père et moi approchions, un jeune homme sauta d'un bond du wagon. Costume de tweed, casquette, foulard de soie autour du cou et bottes de cheval. Une cigarette pendait au coin de sa bouche. Il la jeta au loin avant d'échanger une poignée de main avec mon père.

« Vous avez fait bon voyage ? demanda Buck.

— Oui. Et la donzelle aussi, pour une fille de la campagne. »

Il tourna alors vers moi un large sourire en ajoutant :
« Y a des rivières à saumon dans le coin ? »

Je reconnus alors mon frère d'armes de Sligo, Mick McClintock.

Par la suite, j'appris que ma grand-mère avait conseillé à Charlie Butler d'engager Mick comme garçon d'écurie. Il avait grimpé les échelons pour devenir premier lad à Knockmealdown et s'occupait de Lovely Morn depuis sa naissance.

Mon père comprenait les angoisses causées par le déracinement et l'exil. Il était persuadé que les animaux n'étaient pas plus que nous à l'abri du chagrin. C'est pourquoi il avait souhaité que quelqu'un du haras accompagne Lovely Morn. Mick McClintock quittait de toute façon l'Irlande pour de bon – il émigrait en Amérique – et on s'était arrangé pour qu'il commence par installer la jument à Walden. En échange, le baron payait à Mick la traversée Bremerhaven-New York.

On se salua. Mick McClintock avait la forte poignée de main d'un habitué du *point-to-point* qui sait retenir son cheval devant des murets de pierre et des buissons. De taille moyenne, il avait la peau tannée comme du cuir. J'étais grand, fluet et pas trop stable sur mes propres pieds. Notre enfance partagée de Sligo semblait lointaine.

Le tweed marron de Mick était grossier et rustique. Moi, je portais un pantalon de golf, une chemise blanche de collégien et une cravate. Il m'était strictement interdit d'aller où que ce soit en compagnie de mon père sans cravate : c'était une des lois d'airain de Buck. Avec le temps, il était devenu de plus en plus obsédé par l'habillement. Le baron, l'homme le plus riche de Francfort, pouvait se permettre de remettre chaque jour le même vieux polo élimé bleu et vert, mais le costume à l'anglaise, le col dur et le Homburg gris pâle vissé sur la tête composaient l'identité de mon père. Peut-être craignait-il, en se dévêtant d'un de ces élégants complets faits chez son tailleur anglais de Hambourg, d'être pris pour un prisonnier ou un déporté. Le tweed, les brodequins et une chemise à col mou convenaient tout juste à une promenade dominicale dans les collines du Taunus, mais c'était la seule concession de Buck Lange au style décontracté. Il passait au moins une heure et demie par semaine à cirer ses bottes. Que dis-je, pas seulement les siennes, mais aussi celles de ma mère et les miennes. Soit trois jours entiers par an. Ce qui peut se traduire par un mois par décennie, à cirer des chaussures.

D'une certaine manière, il n'avait jamais été libéré de prison.

Dans ma tenue de jeune homme sage, j'avais l'impression d'être un collégien, comparé à Mick. Ses vêtements élégants et le chic avec lequel il les portait, ses cigarettes Sweet Afton, l'assurance qu'il montrait face à mon père, comme s'il s'adressait à un collègue… Mick McClintock était un être débarqué d'une autre contrée. Je ne veux pas dire l'Irlande, mais d'un territoire que j'avais imaginé sans l'avoir encore visité, le pays de l'expérience, du savoir-faire et de la connaissance.

Je n'avais jamais vu Longo serrer la main des garçons d'écurie ou des entraîneurs de Walden, mais ce matin-là, je le vis serrer celle de Mick. Longo était épaté par tout ce qui était authentiquement anglais et, de son point de vue, «irlandais» signifiait «anglais» en plus intense. Longo était un snob, mais il pressentait sans doute que Mick McClintock n'allait pas rester lad toute sa vie.

«Eh bien, te voilà, mon grand sauvage!»

Je levai les yeux sur Constance, debout dans la porte du wagon, dégageant cette inextinguible excentricité dont je gardais le souvenir depuis notre séjour à Sligo. De haute taille, maigre, brune comme une fille de la campagne irlandaise. Son tailleur en tweed était piqué de brins de paille, mais elle rayonnait d'énergie, de force de caractère et de personnalité, en dépit du fait qu'elle avait déjà plus de soixante-dix ans.

J'aurais bien voulu être sauvage, pourtant Dieu sait que je ne l'étais pas! Lorsque je n'étais pas en train de siroter mon *bol de café au lait** en lisant les journaux étrangers, je livrais les messages de Herr Kaufman, vidais les corbeilles à papier et flirtais sans conviction avec la plus jeune des secrétaires du cabinet, qui s'appelait Heidi. De temps à autre, Kaufman me tendait le brouillon d'un contrat à corriger. Le métier d'avocat me semblait consister à lire et relire des paragraphes de jurisprudence en haut allemand jusqu'à les voir flous, jusqu'à ce qu'ils n'aient plus aucun sens et m'apparaissent comme une transcription d'un dialogue de singes.

J'avais dix-huit ans. Les femmes n'avaient pas de réalité à mes yeux. Même Karin. Pas en ce temps-là. Je ne sais pas où j'avais la tête, ou si je n'étais pas un adolescent normal, mais je n'avais même pas de fantasmes sexuels. Ou bien ils se résumaient à chevaucher avec elle à travers une plaine sans fin du Texas ou du Nouveau-Mexique, sous la vaste voûte bleue du ciel.

Ce matin-là, au dépôt de la gare de Francfort, il me fallut supporter d'entendre Longo énumérer à Karin les qualités de Lovely Morn pendant que Mick guidait la jument frissonnante en bas de la rampe.

«Tu vois, d'après l'ouverture de ses naseaux, tu peux estimer le volume d'air inspiré, et donc son état corporel, son rythme cardiaque, tous les signes indiquant que cette jument sait courir. Elle a les oreilles mobiles, regarde comme elles s'agitent, et les yeux brillants, cela signifie qu'elle est intelligente, elle sait qu'on est en train de la jauger. Une poitrine large, oui. Des hanches solides, des métacarpiens pas trop longs, de grands sabots robustes... Tout indique que votre jument est une championne. »

Longo s'y connaissait en chevaux, c'est indéniable. Lovely Morn était une jument de toute beauté promise à connaître beaucoup de succès à Walden. Au moins deux de ses poulains, Desmond et Herald, furent des vainqueurs du Deutsche Derby.

Pendant que Longo étalait sa science équestre, Buck aidait sa mère à descendre du wagon à bestiaux. Constance avait tenu absolument à voyager dans cette voiture sans fenêtre après Duisburg, afin que Mick, qui n'était jusqu'à ce jour jamais sorti d'Irlande, puisse prendre sa place en deuxième classe et voir un peu à quoi ressemblait l'Allemagne.

« Oh, Buck, mon petit ! roucoula ma grand-mère. Que tu es bel homme ! »

Ils ne s'étaient pas revus depuis près de vingt ans. Buck était en effet magnifique à cette époque. Chaque année, il paraissait plus svelte. Il s'offrait un seul verre de vin du Rhin ou de bière chaque soir en feuilletant le *Vossische Zeitung*, ou en lisant les mémoires du baron. Il montait à cheval tous les jours, et le dimanche nous allions souvent faire une randonnée dans le Taunus. Nous mangions sainement, des produits frais, certains cultivés sur le domaine. Les célèbres poires de Walden étaient à notre menu quotidien.

Ma grand-mère irlandaise, en revanche, avait l'air... unique dans son genre et vaillante, mais pauvre. Dans le dénuement. L'ourlet de sa jupe en tweed bâillait, ses bas étaient plissés, le cuir de ses souliers, craquelé. À Wychwood, elle avait été la dame du manoir, même si le manoir était au bord de l'effondrement, mais elle avait quitté l'Irlande avec en tout et pour tout une vieille valise que mon père sangla au marchepied de la Ford pendant que Mick persuadait la jument inquiète de monter dans le van et que Solomon boudait en tirant sur un cigare du baron : le chauffeur se méfiait des chevaux.

Mick ferait le trajet avec Solomon. Karin, Longo et ma grand-mère s'entassèrent sur la banquette arrière de la Ford. Mes parents et moi nous serrâmes à l'avant, Eilín officiant au volant et moi au milieu, avec le levier de vitesse entre les jambes. La capote en toile était rabattue pour nous protéger du soleil de midi. Les sièges capitonnés étaient en cuir. On respirait une odeur pas déplaisante de métal, d'huile de moteur et de cheval. Ma mère régla l'allumage et lança le démarreur. Le moteur s'ébranla en toussotant.

Eilín débrayait quand Karin, de la banquette arrière, s'exclama :

« Une minute, s'il vous plaît, Frau Lange. »

Je me retournai pour la voir ouvrir la portière. Elle descendit de voiture.

« Je vais me caser dans le van, ainsi vous aurez un peu plus de place ! »

Longo voulut protester, mais elle l'ignora et referma la portière. Je la suivis des yeux tandis qu'elle s'approchait du fourgon et disait quelque chose à Mick, lequel sauta à terre et l'aida à grimper à l'avant. Puis il reprit sa place et se tourna vers nous en levant le pouce. Eilín mit en première, Longo soupira et, dans un soubresaut, en crachotant, nous fûmes en route pour Walden.

Je ne sais pas si mes parents avaient discuté au préalable de l'arrivée de Constance chez nous. Elle avait donné le jour au *bucko seaman* dans le Pacifique, au large de la côte mexicaine, l'avait fait accoster sur la Barbary Coast de San Francisco et lui avait ménagé une enfance agréable quoique chaotique à Melbourne et Hambourg. Cela dit, une fois adulte, mon père et sa mère avaient vécu dans des pays différents et communiqué seulement par correspondance. En fait, ils ne se connaissaient pas très bien, tandis que ma mère et moi, à cause de notre séjour à Wychwood pendant la guerre, pensions être capables de la comprendre. C'était un personnage poétique, romantique, désorganisé. Elle aimait jeter par les fenêtres l'argent qu'elle n'avait pas. Elle jouait. Elle pouvait être hautaine, snob. Nous savions qu'elle n'en avait rien à cirer du ménage et n'était pas maniaque. Elle fumait en lisant au lit. Plus d'une fois elle s'était endormie, sa cigarette mettant le feu au matelas.

Constance avait en commun avec la mère de Karin des origines anglo-irlandaises et le goût des chevaux et de la chasse à courre. Peut-être est-ce pour cette raison que Karin fut attirée par elle, d'autant que Constance était très chaleureuse, une qualité qui manquait à la baronne. Lorsque Karin se trouvait à Walden, ma grand-mère et elle prenaient parfois le thé dans le salon de Constance à l'étage. Elles parcouraient souvent ensemble à cheval l'allée cavalière.

Ma grand-mère empruntait de l'argent. À Karin. De petites sommes, qu'elle pariait aux courses. Elle adorait jouer mais n'avait pas le cœur de parier contre un cheval de Walden – c'était pour elle une question de principe.

Quand elle gagnait, elle emmenait parfois Karin à Francfort et la remboursait en déjeuners extravagants.

En revanche, il n'y avait pas plus minutieux et pointilleux que Buck. Son emploi du temps était calé par la routine et un certain nombre de rituels. Mon père avait conscience non seulement que la vie passe vite, mais qu'elle ne cesse de vous proposer des énigmes sans jamais les résoudre. On lui avait confisqué quatre années et demie qu'on ne lui avait jamais rendues. À mon avis, il souffrait encore quelquefois du sentiment d'être *vide*, et avait appris à se servir de la routine et des rituels pour surmonter ses crises.

Rien en revanche n'horripilait plus ma grand-mère que la routine et les horaires, elle qui était de toute façon brouillée avec les chiffres et ne savait jamais quelle heure il était. Si Buck était né en mer, c'était justement parce qu'elle avait mal calculé la date de son accouchement.

Constance laissait souvent passer plusieurs jours sans s'asseoir à table pour prendre un vrai repas. Elle sautait par exemple le petit-déjeuner, alors que ce repas était un des rituels de mon père. Chaque matin, il mangeait une orange et une tranche de pain de seigle grillée avec de la marmelade, mais sans beurre, qu'il méprisait. Il buvait deux petites tasses de café noir. C'était l'occasion de lire le *Frankfurter Zeitung* et il n'aimait pas le partager avec moi, quoique, s'il y avait eu la veille un match de foot important, il lui arrivât de déchirer la page sportive, soigneusement, pour me la tendre.

Pourtant, personne n'aurait été étonné d'apprendre que Buck était le fils de Constance. Ils avaient la même haute taille, les mêmes épaules larges. Leur mise illustrait tant leurs personnalités respectives qu'on aurait pu les croire costumés. D'ailleurs, le baron avait fait remarquer un jour à ma mère : « Votre Buck est si bien habillé que, lorsque je le regarde, j'en ai les larmes aux yeux. » Les tweeds de Constance étaient stupéfiants. Dans quels confins du Donegal dégotait-elle ces étoffes de laine tissées, poilues, intenses, avec des fils de trame d'une couleur inattendue – écarlate, jaune de chrome ?

Buck et Constance avaient en commun le goût des chapeaux. Il avait adopté le Homburg gris tourterelle agrémenté d'une bande noire large de deux pouces. Elle préférait les sombreros de velours.

Constance occupait un petit appartement – chambre, salle de bains, salon, chaque pièce équipée d'une cheminée – au premier étage de Newport. Il faisait froid là-haut en hiver, ce n'était pas luxueux, mais plus confortable que Wychwood où, à la fin, elle avait vécu pratiquement en plein air.

Une fois ma grand-mère installée à Newport, son désordre engorgea le premier étage. Au début, Buck tenta de l'organiser et de s'occuper de ses affaires, ce qui ne fit que l'irriter lui-même. Il triait son courrier et sortait les factures qu'il serait de toute façon obligé de régler. Il lui donnait de l'argent pour s'acheter des vêtements mais annula la commande d'une ligne téléphonique supplémentaire, qui était hors de prix et dont elle n'avait besoin que pour appeler son bookmaker au Frankie's English Bar, de l'autre côté du Main. Le chaos qui régnait dans cet appartement le rendit malade jusqu'au jour où, suivant le conseil de ma mère, il cessa d'y monter. Deux fois par semaine, notre femme de ménage était dépêchée chez ma grand-mère. Constance proposait à cette dame du thé et des cigarettes, pratiquait avec elle son allemand et lui refilait des pourboires extravagants.

De temps à autre, Constance recevait un chèque de son frère, dont la ferme était située dans la Happy Valley, en Afrique-Orientale britannique, mais elle dépendait de la pension que lui versait mon père. Il lui avait ouvert un compte à la banque locale. Si par malheur un guichetier refusait de lui donner de l'argent alors que son compte était à sec, elle prenait d'assaut le bureau du directeur et l'insultait. En général, il ne lui fallait que quelques billets pour parier sur un cheval. À Francfort, elle passait par un bookmaker polonais, Willie Chopdelau, un habitué du Frankie's Bar capable de faire des pronostics sur tous les pur-sang anglais et irlandais.

Je me rappelle la consternation de mon père chaque fois qu'il eut vent, souvent via un billet caustique du directeur, des scènes que faisait ma grand-mère à la banque.

«Comment se fait-il qu'elle veuille dépenser de l'argent qu'elle n'a pas?

— Elle est ta mère, mon cher», faisait remarquer Eilín.

Les curieuses façons de sa mère n'en demeurèrent pas moins, je crois, un mystère pour Buck. Ils comprenaient mieux les chevaux qu'ils ne se comprenaient l'un l'autre. Buck savait toujours jusqu'au dernier centime ce qu'il avait en banque. Il gardait sur son bureau une douzaine de crayons Faber aiguisés, alignés comme un rang de petits soldats jaunes, et la disparition de l'un d'eux le lançait dans une véritable enquête. Il détestait le jeu, et quand il apprit que sa mère avait misé quatre cents reichs-marks – en pièces sonnantes et trébuchantes, sans doute prêtées par Karin – sur Graf Isolani pour le Deutsche Derby, il fit une grimace de douleur, même si elle avait attendu pour le lui avouer que son cheval ait remporté le premier prix. Walden, cette année-là, n'avait aucun cheval en compétition au Derby, sinon ma grand-mère aurait sans doute tout misé sur le nôtre, toujours par principe, quoi qu'elle estimât de ses chances d'enlever la course.

———————

À l'époque où ma mère et moi habitions Wychwood, les McClintock avaient depuis longtemps cessé de payer le moindre penny de loyer à ma grand-mère et juraient dur comme fer qu'ils étaient les propriétaires de la mosaïque de minuscules prés où ils élevaient des moutons hirsutes, fauchaient le foin, extrayaient de la tourbe et récoltaient des patates. Toutefois, hormis quelques conflits occasionnels, Constance s'entendait plutôt bien avec le clan. Wychwood était une des rares anciennes grandes maisons dans cette partie du monde à ne pas avoir été incendiée pendant la guerre d'Indépendance. Constance était persuadée qu'elle avait été épargnée parce que les McClintock l'avaient défendue auprès des Volontaires, mais Mick m'a confié un jour qu'en réalité personne ne s'était donné le mal de brûler sa maison parce qu'elle était déjà une ruine.

À Walden, Mick fut logé dans une chambre au-dessus des écuries. Une fois Lovely Morn reposée et se réalimentant normalement, l'heure vint de montrer ce qu'elle avait dans le ventre.

Mon père n'aimait pas faire galoper les chevaux, surtout les poulinières, dans la touffeur d'un jour d'été. Aussi fut-ce aux aurores que nous nous réunîmes autour du paddock pour regarder Mick la sortir.

Lovely Morn était grande, même pour un pur-sang irlandais, près de dix-sept mains au garrot, et fougueuse avec ça. Mais elle arriva calme et tranquille, guidée par Mick, malgré la présence d'un cercle d'inconnus. On voyait qu'elle avait confiance; elle avait été bien traitée. Peu importe son pedigree, un pur-sang mal dressé perdra trop d'énergie à se rebiffer pour réaliser son potentiel.

Karin, debout contre la barrière, une petite cravache à la main, avait l'air d'un ange dangereux dans sa tenue d'équitation estivale, chemisier bleu pâle, culotte blanche et bottes anglaises acajou. Longo, que les parents de Karin traitaient comme son fiancé, était sans doute encore au fond de son lit. Karin et lui étaient sortis tard le soir.

Alors que Mick commençait à faire tourner Lovely Morn autour de lui à la longe, je vis qu'il était extrêmement fier d'elle. Un bon entraîneur se sent complice de son cheval et, à la manière légère et précise avec laquelle il la dirigeait et à la façon dont elle réagissait, je sus que l'homme et le cheval ne l'ignoraient pas.

«Fort bien, fort bien, dit le baron à Mick. Mais dites-moi, monsieur… si on pouvait la voir galoper un peu. Je suppose qu'elle est sellée pour ça.

— Bien sûr», répliqua Mick.

En Irlande, quand nous étions enfants, il ne possédait pas une seule paire de chaussures, mais à Walden, il semblait à son affaire, totalement à l'aise dans son rôle d'entraîneur.

Comme on venait de faire les foins, l'herbe était rase. Mick portait des bottes et avait sans doute l'intention de monter lui-même Lovely Morn, mais alors je vis Karin discuter avec son père, lequel dit quelque chose à Mick, et l'instant d'après, Mick faisait la courte échelle à Karin, l'air pas trop content. Elle était si fluette et légère qu'il faillit l'envoyer de l'autre côté de la jument – je la vis rire de ses excuses. Pendant qu'il ajustait la longueur des étriers, elle se cala sur la selle et informa la jument, par le truchement de ce courant télépathique dont se sert tout cavalier véritable avec sa monture, qu'elle, Karin, était à présent le maître, que la jument n'avait rien à craindre d'elle et qu'elle serait prudente, appliquée et avisée pour deux. (Il transite par les mains, ce courant, par les mains et par la voix.)

Mick tenait le cheval en bride et guettait le signe de tête de Karin. Dès qu'il la lâcha, la jument s'élança avec la célérité propre au pur-sang et fila à fond de train dans l'allée cavalière pour s'enfoncer dans les bois, où cheval et cavalière disparurent.

Presque un peu trop tôt, nous entendîmes le bruit feutré de sabots heurtant la terre. L'instant d'après, Karin et la jument surgirent des bois au grand galop.

Elle devait être un poids plume sur un cheval de cette puissance, rien qu'une paire de mains.

Ils prirent un virage et Karin ralentit peu à peu l'allure de sa monture pour la mettre finalement au pas. Le baron et mon père étaient déjà en train de remonter vers la maison où ils allaient boire le café.

Karin se laissa glisser de cheval et tendit les rênes à Mick. Le soleil levant flamboyait entre les arbres. Les garçons d'écurie vaquaient à leurs occupations. Des nuées vaporeuses s'élevaient des herbes humides de rosée. J'observai Mick et Karin ramener la jument à l'écurie. Karin parlait avec animation, le visage rayonnant comme celui d'une enfant.

Étais-je envieux? Bien sûr que oui. Nous avions à peine échangé deux mots de tout l'été. Elle avait une année de plus que moi et habitait Berlin. Mick était un professionnel du cheval, en route pour l'Amérique.

J'enfourchai ma bicyclette pour aller consommer mon *café au lait** et mes journaux étrangers, en me disant qu'il était temps de commencer une carrière.

Je me mis ce matin-là à songer à emmener en voyage Heidi, la plus jeune des secrétaires de Herr Kaufman, même si je n'étais pas sûr qu'une *Fräulein* aussi *ein gesundes* (saine) serait prête à affronter le désert des hautes plaines américaines. Blonde et mignonne, Heidi ne parlait pas un mot d'anglais et, chaque samedi, s'empressait de rentrer à la ferme de ses parents à Schwalbach, dans le Taunus, où ils élevaient des cochons.

À la sortie du bureau, je m'arrêtai devant le magasin BMW et rêvassai devant les motocyclettes dans la vitrine. Ces machines… l'une d'elles pourrait remplacer en version moderne Hatatitla, le magnifique cheval d'Old Shatterhand. L'idée me galvanisa: traverser El Llano Estacado à califourchon sur une bête pareille. En y ajoutant un side-car, je serais équipé pour emmener une fille.

Le cinéma étant le seul endroit correspondant à mon état d'âme, mes pas se dirigèrent naturellement là où se jouait le dernier film de Gary Cooper, *Nevada*. «Coop» y interprétait le rôle d'un hors-la-loi embauché par un riche propriétaire de ranch, qui le charge de protéger sa fille d'une bande de malfrats cherchant à la kidnapper. Je m'imaginais en train de décimer à coups de pistolet un tas de criminels pour sauver une jeune beauté. Je l'aiderais à grimper dans le side-car, je ferais démarrer le moteur et nous filerions dans un paysage de lumière.

———

Ma mère invita Mick à dîner à la maison. Elle aimait en lui sa part de Sligo, les nuances de ses intonations.

Elle-même, depuis l'arrivée de Mick et de ma grand-mère, parlait avec un accent de là-bas plus prononcé.

Après le repas, Mick et moi sortîmes faire le tour des paddocks. Les soirs d'été, les chevaux ne retournaient pas la nuit dans leur box, et il était agréable de voir les poulains folâtrer sur leurs longues jambes.

Mick m'offrit une Sweet Afton. Walden, me dit-il, était le plus beau haras qu'il avait jamais vu. Le seul qui s'en approchât était le National Stud à Kildare, lequel, hélas! s'en allait à vau-l'eau, «comme tout en Irlande. Mais je n'y retourne pas, Billy.

— Tu émigres.

— Je vais en Amérique, comme presque tous ceux de Calry. Sauf ceux qui sont partis pour l'Angleterre et un pauvre type qui s'est fait assassiner par les Tans[1].

— Tu te rappelles les *peelers*, sur la route?

— "J'abats ton poney"?

— J'ai bien cru qu'il allait le faire.

— Tu sais ce que je voudrais, Billy Lange? Emmener cette fille de l'autre côté de l'Atlantique. Tous les deux, on pourrait refaire notre vie à New York.»

J'étais très étonné.

«Elle a d'autres chats à fouetter.»

Mick sourit.

«Tu parles de ce grand benêt de Longo von Lui-Même? Tu crois vraiment qu'il a des chances? J'en suis pas si sûr. Ce type a de la fortune, je suppose.

— Pas autant qu'elle.

— En vingt ans, j'ai jamais été ébloui par aucune femme. Et alors que je pars pour l'Amérique, un pied déjà sur le bateau, voilà qu'il y a cette fille de la vieille

---

1. Les Black and Tans, engagés par l'armée britannique afin d'écraser les Indépendantistes [NDT].

Allemagne que je ne suis pas près d'oublier. Ah, mon vieux, c'est cruel. »

Il souriait. Il ne paraissait pas éperdu de douleur pour un sou.

« Que feras-tu à New York ? » lui demandai-je. (Je ne voulais plus parler de Karin.)

« Je vais essayer d'entrer dans la police. Et je vais rêver de ta Karin *von*, crois-moi. Elle a une sacrée allure sur la jument, hein ? Légère comme une plume. »

Le reste de la semaine s'écoula sans autre conversation avec Mick. Une ou deux fois, je l'aperçus dans les paddocks, avec Karin. Elle portait cet été-là des chemisiers en coton bleu, une culotte d'équitation et les mêmes bottes en cuir foncé que les miennes, sauf que les miennes étaient trop petites pour moi.

Un soir, je rentrai de chez l'avocat pour trouver Mick perché sur une clôture. Je descendis de vélo et m'arrêtai à côté de lui. À cet instant, Karin jaillit des bois au galop.

« Tu vois ça, Billy boy, soupira Mick. C'est beau, c'est rapide. Je crains que ta Karin von m'ait battu. »

Le spectacle d'une course de yearlings est ce qui, mieux que n'importe quoi d'autre, se rapproche le plus d'une musique de l'âme. C'est une pensée très allemande, n'est-ce pas ? Leurs mouvements lisses et fluides, leurs yeux brillants, leurs robes luisantes, les percussions des sabots, les bruits de bouche de jeunes pur-sang respirant fort. Le grincement du cuir des selles. Les nuées de poussière rouge s'élevant du terrain.

Après tout, ce n'est pas seulement la possibilité de gagner un paquet de fric qui attire les foules à l'hippodrome, c'est la beauté brute de la chose, et c'est ce que nous comprenions à Walden. Ces deux-là, Mick et Karin, n'avaient peut-être rien d'autre en commun que l'amour des chevaux. Ce n'est pas rien. C'est comme avoir de l'oreille, ou le sens du rythme, cela vous lie de toutes sortes de façons à ceux qui partagent ce goût avec vous.

Longo n'était pas mauvais cavalier. Il pratiqua le saut d'obstacles à un très bon niveau avant d'y renoncer pour embrasser la carrière d'avocat. Mais pour lui un cheval n'était qu'une machine coûteuse, plus ou moins comme sa Mercedes. Un objet, pas un être vivant.

———

Karin obligeait Longo à se lever horriblement tôt pour jouer au tennis. Un matin, en passant à bicyclette devant le court en terre battue pour me rendre au travail, je le vis manquer une balle. Sans doute avait-il de ce fait perdu la partie, toujours est-il qu'il se mit à proférer des injures et à donner des coups de raquette par terre. Je continuai à pédaler, mais je n'étais pas mécontent d'avoir vu Longo perdre son sang-froid.

Le soir venu, je rendis visite à Mick dans sa chambre au-dessus de l'écurie et quelle ne fut pas ma stupéfaction d'y trouver Karin, assise au bord du vieux lit de camp militaire. Au haras de Walden, beaucoup d'équipement, les harnais entre autres, venait des surplus de l'armée. Les entraîneurs portaient des bottes de soldat ; les selles s'étaient déjà usées sur le dos des chevaux de guerre. Certains garçons d'écurie arboraient toujours leur tunique vert-de-gris.

Karin me sourit. « Salut, Billy. » Mick était assis à l'autre bout du lit, les genoux pliés.

Fut-elle agacée par mon intrusion ? Probablement. Mais elle n'en manifesta rien. Nous étions, après tout, de vieux amis. Elle avait les pieds sales. Sa robe du soir flottait sur son corps longiligne d'une manière suggestive. Une robe de Diane chasseresse, me dis-je.

Sa mère aurait été abasourdie d'apprendre que Karin était dans la chambre d'un lad.

«Billy est un malin, déclara Mick. Il connaît la différence entre un cheval et un âne.»

Karin me dévisageait.

«C'est vrai, opina-t-elle.

— On a fait quelques bonnes expéditions ensemble, hein, Billy? dit Mick.

— Oui, on a braconné du saumon.

— Et ce vieux *peeler* qui voulait abattre le poney. Pire que les Tans, ces gars-là. Billy est un garçon épatant, affirma Mick à Karin. Vous pouvez compter sur le vieux Billy, il a du cran, il vous laissera pas tomber.

— Ton Mick s'en va, me dit-elle. Je l'ai prié de rester, mais il prétend qu'il n'a pas le choix.»

J'étais désorienté. Tout le monde savait que Mick partait pour l'Amérique.

«Il émigre, ajouta-t-elle.

— Il s'en va, il en a assez du crottin, confirma Mick. De ce côté de l'Atlantique, il n'y a rien pour lui. Il veut une part du gâteau américain. Il va faire la traversée pour voir ce qu'il peut grappiller.

— J'irais volontiers avec vous», dit-elle.

Il éclata de rire. Elle souriait. Mais il savait qu'elle ne plaisantait pas.

«Flatbush, Brooklyn, l'informa Mick. Oncle Jeremiah est sergent dans la police de New York. Il m'a proposé de me loger. Mais il a six gosses, ou sept.

— On n'aura pas besoin de l'oncle Jeremiah», répondit-elle, toujours souriante, insouciante.

Il avait fait chaud pendant la journée. Des odeurs de foin frais, de crottin et de vieilles poutres sèches montaient des boxes. Allaient-ils s'enfuir tous les deux au-delà des mers? Ensemble? Deux personnes guère plus âgées que moi pouvaient-elles vraiment prendre leur vie en main de cette façon?

Un coup de klaxon déchira le silence. La Mercedes de Longo. Longo et Karin sortaient ce soir, ce qui expliquait sa tenue de Diane chasseresse.

Sans un mot, elle se leva et sortit. Nous écoutâmes ses pas légers dégringolant l'escalier en bois.

Mick leva un doigt devant sa bouche.

«Bouche cousue, Billy. Tu n'étais pas là. Tu n'as rien vu, rien entendu, d'accord?

— Puisque tu le dis.

— Allons nous balader un peu et en griller une. »

———

Longo ne recevait pas l'attention qu'il croyait mériter, et ceci explique peut-être cela. Il était trop snob pour croire que Karin s'intéresserait vraiment à un lad, mais il fut certainement agacé en voyant le nombre d'heures qu'elle passa à cheval avec Mick cette semaine-là. De là l'idée d'une excursion. Longo voulait attirer Karin sur le siège passager de sa puissante Mercedes et l'emmener sur les routes, où elle serait forcément en son pouvoir.

Il avait besoin que les autres soient fascinés par lui. Il avait fait une partie de ses études aux États-Unis, ce qui était rare pour un Allemand – deux années à Choate –, à l'époque où son père était à la banque Morgan à New York. Longo parlait un excellent américain. Comme moi, il aimait les westerns. Il était un fan de Gary Cooper, par exemple. Nous sommes allés au cinéma ensemble plusieurs fois. Il insistait toujours pour payer mon billet.

Il pouvait être charmant et divertissant, pourtant les garçons d'écurie ne l'appréciaient guère, ni mon père d'ailleurs. Longo criait avec les chevaux et avait la cravache trop facile.

On décelait des traits de bonté et d'empathie dans son caractère. En plus du charme et de la fortune, de ces merveilleux habits, il avait pour lui d'être chaleureux et gai, d'où son large cercle d'amis.

Il avait caressé le projet d'emmener Karin seule, mais Lady Maire s'y était opposée catégoriquement. Si j'étais moi aussi convié, elle n'y verrait plus d'objection. Un garçon de dix-huit ans ne pouvait être considéré comme un chaperon valable, mais du point de vue de Lady Maire, j'étais le fils de mes parents, et par conséquent, sans l'ombre d'un doute, de toute confiance et dévoué à la bonne réputation de la famille Weinbrenner.

Longo était dépourvu d'intuition. Karin, elle, savait qu'en ce qui me concernait, elle pouvait faire tout ce qu'elle voulait. J'aurais supporté des entailles de sabre bien plus profondes que celle de Longo avant de trahir Karin, auprès de sa mère comme de n'importe qui d'autre.

Notre excursion devait au départ comprendre Sankt Goar, la Lorelei et un déjeuner dans un château appartenant à des cousins de Longo. Mais, à la réception d'un télégramme d'un de ses *Korpsbrüder*, Longo décida de mettre plutôt le cap sur Heidelberg. Il était fier d'appartenir au Korps Rhenania et souhaitait parader avec Karin devant ses amis.

La présence du fils du manager des écuries était encombrante, mais incontournable. Lorsque Karin lui annonça qu'elle avait aussi invité le lad irlandais, Longo émit un reniflement impatient.

« Le lad ? Vous avez invité le lad ? Mais pour quoi faire ?

— Pour lui montrer notre belle Allemagne. Ne soyez pas si snob, Longo. »

La Mercedes S de Longo était un modèle conçu pour la jeunesse. La jeunesse dorée : une automobile de sport décapotable, pourvue de quatre sièges baquets, d'un moteur à compresseur et d'un compteur affichant jusqu'à cent soixante à l'heure. Peinte en gris cuirassé, elle avait des lignes sobres et n'était pas du tout bardée de chromes comme les Mercedes de la décennie suivante, devenues des destriers de gangsters.

Ils passèrent me prendre devant l'immeuble du cabinet Kaufman. La capote était baissée. Karin et Longo occupaient les sièges avant ; je montai avec Mick à l'arrière. Longo avait ôté le pansement de sa *Schmiss*. Soit la cicatrisation était assez avancée, soit il avait hâte de l'exhiber devant ses *Korpsbrüder*. Karin se moqua de lui. Sans doute parmi les jeunes gens qu'elle fréquentait étaient-ils nombreux à porter les marques du *Mensur*. Elle évoluait dans un milieu plus aristocratique que ses parents. Les invités du baron étaient des scientifiques et des hommes d'affaires, souvent juifs. J'ignore si le baron se considérait comme juif à cette époque. À Breslau, il avait été baptisé dans la foi luthérienne. À Walden, on fêtait Noël, Pâques, la Toussaint. Je n'avais jamais entendu parler de Yom Kippour ni de Pessa'h. Peut-être, dans son esprit, les deux confessions n'étaient-elles pas incompatibles. Sa femme avait peuplé leur domicile d'images religieuses chrétiennes, mais lui n'était pas religieux. Il était avant tout allemand. Il se sentait peut-être juif quelquefois, mais la plupart du temps, cela semblait hors de propos. Ce n'est qu'à la suite de la publication de ses mémoires de « traître » que la presse d'extrême droite avait commencé à le traiter de Juif.

Karin, pour sa part, connaissait des tas de jeunes gens riches issus de familles conservatrices. Elle était jeune, belle dans un style original, et la petite-fille d'une aristocrate irlandaise, détentrice d'un quartier de noblesse anglais et d'un siège à la Chambre des lords. Ces notables qui l'invitaient à passer le week-end dans leur château sur le Rhin ou leur chasse en Prusse-Orientale chuchotaient sans doute dans son dos des horreurs sur son père. Ils évaluaient sa fortune et mani-gançaient des épousailles leur permettant de sauver leurs vieilles baraques pourries. Ils étaient sans doute étonnés de la voir monter leurs chevaux les plus grands et les plus fougueux. Karin et son père étaient infiniment plus allemands que je ne l'étais, même si certaines personnes pouvaient le nier, passant outre leur connaissance des chevaux et leur courage.

Longo aimait aller vite. Il fallut manger nos sand-wichs dans la voiture et il ne nous autorisa qu'une seule halte, à une crémerie en pleine campagne. Karin courut acheter une bouteille de lait froid, que nous nous parta-geâmes. Ce n'était même pas la peine d'essayer d'avoir une conversation à cent vingt kilomètres à l'heure avec la capote baissée et le bruit aigu du compresseur qui vous sifflait dans les oreilles. De toute façon, je n'avais aucune envie de parler. Je me sentais trop gonflé d'émo-tions. Pour un peu, j'aurais fondu en larmes, mais pas de tristesse. J'étais extraordinairement heureux en compa-gnie de ces trois-là, sans me sentir gêné aux entournures comme je l'étais trop souvent.

La route était bordée de hêtres. Nous dévalions des canyons verdoyants. Au-dessus des feuillages frémissants se déployait un ciel d'un bleu très pur. Ce n'est pas tous les jours que l'on roule dans une automobile à cette allure folle, avec une jeune femme sur le siège passager qui se tourne vers vous pour vous offrir du lait frais dans une bouteille glacée, et son sourire en prime. Pour la première fois de ma vie, j'éprouvai cette tranquillité, cette paix intérieure, qui ne m'est jamais venue que dans les espaces de l'entre-deux, quand je roule vite sur une route de campagne ou, parfois, dans les aéroports. L'air limpide de la transition.

Après ce bain de vitesse décapant, les rues tortueuses et étroites de Heidelberg me parurent claustrophobiques. Longo nous conduisit tout droit au siège de son cher *Korps*, sur la Hauptstraße. La Rhenanenhaus était une grande bâtisse datant de la fin du règne de Guillaume, ne possédant ni les attraits de la modernité ni le charme de l'ancien. Avec sa façade au niveau du rez-de-chaussée rehaussée d'un riche décor en stuc et ses barreaux aux fenêtres, elle posait sur les passants le regard froid, presque brutal, de la classe dirigeante du pays. Le claveau en pierre sculptée au-dessus de la porte rappelait l'aspect tarabiscoté des casques en laiton des cuirassiers prussiens. Les étages étaient plus amènes. Il n'en reste pas moins que le bâtiment abritait une fraternité et avait l'allure d'une forteresse.

Le Korps Rhenania régissait à l'époque le système de valeur de Longo. L'adhésion à ces *Korps* était *ad vitam æternam*. Les *Korpsbrüder* et leurs réseaux d'anciens élèves se prenaient pour une élite. Ils étaient tout ce que Longo se reconnaissait comme famille, jusqu'au jour où il les trahit eux aussi.

On y recevait les visiteurs dans un grand salon au rez-de-chaussée. C'est là que Longo nous conduisit. Le vestibule et les pièces que nous avions aperçues par les portes ouvertes étaient garnis de boiseries sombres. Tout était brillant. Un intérieur curieusement à la fois obscur et lumineux. Comme la grande maison à Walden, le lieu respirait le luxe, mais non le confort. Nous nous assîmes dans des fauteuils en bois sculpté. Un domestique nous servit du café et des gâteaux rassis.

« Longo, mon vieux, dit Karin, vous êtes bien gentil de nous avoir emmenés ici dans votre merveilleuse auto, mais maintenant vous n'allez pas nous faire visiter la maison ? On veut voir comment vous vivez ici. Le décor est un peu morne, mon cher. Sinistre, non ? Montons dans votre chambre, nous y boirons notre café. Vous ne voulez pas nous montrer votre précieux repaire ?

— Les femmes ne sont pas autorisées dans les étages.

— Comme c'est triste !

— Pas du tout. Aucune femme ne comprendra jamais l'esprit de la fraternité qui règne dans une *Korpshaus*, ma chère Karin.

— Vous ne pouvez pas, pour une fois, déroger à la règle ? Seulement pour quelques minutes ?

— Vous ne vous rendez pas compte de ce que vous me demandez là, Karin. Bien sûr que non. »

En général, Longo supportait avec bonne humeur ses taquineries mais, manifestement, en ce qui concernait la *Korpshaus*, le moindre manque de respect l'irritait au plus haut point.

« C'est une affaire d'honneur, poursuivit-il. Ce serait une infraction à notre code. Vous n'êtes donc pas sensible au génie du lieu ? Ineffable, et en même temps aussi solide que du roc. Notre richesse, à nous autres Rhénaniens, repose sur notre honnêteté et notre franchise. Ce n'est pas qu'une question de règlement, mais un point d'honneur. »

Karin sourit, mais je voyais bien qu'elle était agacée par le ton de Longo, pas du tout celui de l'homme du monde décontracté dont elle avait l'habitude.

« Pourquoi m'avez-vous amenée ici alors, mon cher Longo, si ce n'est pas pour visiter votre antre ? »

À cet instant, deux blonds *Korpsbrüder* firent leur entrée au salon. Longo se leva d'un bond et sans perdre une seconde les présenta à Karin, et de façon plus dégagée, à Mick et à moi. Il semblait curieusement troublé.

Les jeunes gens nous saluèrent avec froideur, même Karin. Le dénommé Hugo von-machin-chose avait été le *Füchsmajor* (« renard supérieur ») de Longo à l'époque où, au titre de nouveau membre du Korps, il était luimême un « renard ».

Les *Brüder* venaient tout juste de rentrer d'un voyage en Angleterre, et tous deux portaient des *Oxford bags*, ces pantalons affreusement larges qui faisaient fureur. Ils avaient le crâne tondu et une balafre en travers de la joue gauche. Rien qu'à leur accent et à leur arrogance, il était évident qu'ils étaient riches. Ignorant notre trio, ils se mirent à expliquer à Longo combien l'Angleterre était un pays détestable.

« Leurs trains sont dégueulasses ! » Je me rappelle le rictus du blond Hugo. « Les gens sont d'un laisser-aller ! À Londres, en ce moment, on ne croise plus que rarement un gentleman britannique ! Et les femmes ! La race anglaise est en train de disparaître, c'est vrai. Quand on est sur place, on a du mal à croire que Londres est la capitale d'un empire, c'est tout ce que je peux dire, parce que cette ville a perdu sa grandeur. Quelle décadence! Les Anglais ne sont plus un grand peuple.

— Mais on a fait d'excellentes parties de tennis, fit remarquer le deuxième blond.

— Le sport! rétorqua Hugo méprisant. C'est tout ce qu'il leur reste. Ils sont corrompus, paresseux et, vraiment, même en première classe, les trains sont révoltants de crasse.

— Réservez vos opinions sur l'Angleterre tant que n'avez pas chassé à courre dans le Northamptonshire ou le Shropshire. » Karin refusait d'être laissée à l'écart. «Bon, on dit que c'est mieux dans le Northamptonshire, mais c'est seulement parce que c'est facile de s'y rendre en train, alors qu'il faut se lever de bonne heure pour atteindre le Shropshire. Je dirais qu'il y a une belle chasse à Ludlow, un terrain difficile, mais là-bas je n'ai jamais eu de chance avec mes chevaux. J'ai été invitée à Attingham, une baraque atrocement humide, et comme Lord Berwick était un ami de mon grand-père, je n'ai pas pu refuser, vous connaissez Attingham? Non? Ah, c'est pas terrible, mais quand même énorme. Enfin, je dois avouer qu'on finit par se lasser de l'Angleterre et des week-ends au château. Leur cuisine n'est pas très bonne; il y a quelque chose d'un peu trop frugal, trop froid, bref, ridicule. Vous avez été au Savoy? C'est pour moi le plus bel hôtel du monde.»

Les *Korpsbrüder* ébauchaient des petits sourires suffisants. Ils savaient précisément à qui ils avaient affaire : à la fille turbulente de ce sale Juif de baron riche à crever, à la fille du *traître*.

Longo semblait de plus en plus mal à l'aise. Il n'était encore aux yeux des Rhénaniens qu'un « renard ». Malgré sa cicatrice, en son for intérieur, il devait avoir peur de ses *Korpsbrüder*. Il dépendait tellement d'eux pour obtenir ce qu'il voulait.

Karin continua, sans se laisser démonter : « À Oxford, on s'amuse bien, mais il ne faut pas que ça dure trop longtemps. Ces étudiants, quels rabat-joie, ils ne m'ont pas fait l'effet d'être aussi virils que les Allemands. »

Ça devenait carrément gênant.

« Quand je suis en Angleterre, je n'oublie pas une seconde la guerre, et vous ? Je me suis cassé la clavicule en chassant dans le Shropshire, ce n'était pas ma faute, mon cheval était un vrai poltron, je ne sais pas pourquoi tout le monde pense qu'il faut donner les froussards aux filles. Vous chassez, au fait ? Franchement, quelle idée de monter une carne pareille, moi je préfère cent fois un cheval qui cherche à me désarçonner. Chez les Bismarck, le mois dernier, ils m'ont donné un hongre à moitié dressé, un grand gaillard noir, dix-sept mains au garrot et on a bien rigolé tous les deux. Ce n'était pas la saison de la chasse, mais ils sont tous fous de tennis, les Bismarck. »

Les *Korpsbrüder* hochèrent la tête de conserve et échangèrent un regard rapide. Ils étaient impressionnés malgré eux. Combien je les haïssais. J'étais furieux contre Longo de nous avoir emmenés dans cet endroit, et contre Karin de se montrer aussi vulnérable.

« Vous jouez au tennis ? Vous êtes tellement élégants avec vos pantalons. On va organiser quelque chose à Walden. Le pauvre Longo en a marre que je le batte chaque fois ; il a un superbe coup droit, mais son revers est plutôt lamentable… »

Je ne voulais pas en écouter davantage. Je me levai et annonçai que Mick et moi allions faire un tour en ville.

Karin jeta un coup d'œil de notre côté. Avait-elle envie qu'on vienne à sa rescousse ? Étions-nous en train de la livrer aux loups germaniques ?

Elle rit. «Eh bien, vas-y, cher Billy, vas-y, on ne voudrait surtout pas te retenir.»

Nous tournant le dos, elle reprit sa conversation avec les deux blonds, dont les silhouettes, je dois admettre, ployaient vers elle, et pas parce qu'elle les époustouflait avec ces noms de célébrités. Dans cette pièce, elle était un soleil. Son énergie, sa chaleur les gagnaient à sa cause.

Longo paraissait soulagé. Avec un sourire amical, il proposa à Mick de nous retrouver plus tard dans la plus vieille taverne de tradition étudiante, Au Bœuf Rouge. «On boira une bière et on grignotera quelque chose avant de rentrer. Profitez bien de votre promenade, tous les deux. Vous êtes au cœur de l'Allemagne ici. On se retrouve à la taverne, mettons vers 7 h.»

Alors que nous nous éclipsions, Karin jeta un autre coup d'œil vers Mick et, l'espace d'un instant, j'ai espéré qu'elle abandonne les *Korpsbrüder* et nous accompagne, nous, *den beiden Iren*, les deux Irlandais. Mais elle n'en fit rien. Elle n'avait envie d'être nulle part ailleurs que là, une Allemande au milieu d'Allemands. Nous étions congédiés.

Il faisait chaud et lourd à Heidelberg. L'odeur de la rivière nous poursuivit alors que nous gravissions la pente vers le château en ruine. Assis sur un mur et dominant la ville, nous fumions des cigarettes. Je commençai à décrire à Mick mon idée de traverser El Llano Estacado sur la motocyclette que j'avais vue dans la vitrine du magasin BMW, à Francfort.

«Et une fois que tu l'as traversé, qu'est-ce que tu fais?

— Je crois entendre mon père.»

Buck s'inquiétait que je n'aie pas opté pour une profession. Ma mère disait qu'elle se préoccupait tellement de mon avenir que cela l'empêchait de dormir la nuit. Si la magistrature ne me disait rien, nous devrions demander au baron de me trouver une situation à IG Farben une fois que j'aurais eu mon diplôme. IG Farbenindustrie, dont le siège se trouvait à Francfort, était la plus grosse compagnie d'Europe, la quatrième du monde, et le baron était un des membres du conseil.

Mon père souhaitait d'autant plus pour moi une situation solide et stable que sa propre vie avait été improvisée, ballottée, presque dangereuse. Né au large de la terre ferme. Jockey à quinze ans. Éleveur de chevaux. Ex-prisonnier. Un homme dont les deux carrières – régatier dans la Manche et éleveur de pur-sang – l'avaient obligé à prendre des risques, à compter sur la chance, à réussir envers et contre tout.

Le mur de ma chambre à Newport était couvert de cartes routières de compagnies pétrolières, offertes par le consul américain de Cologne. Je les avais assemblées par États et tracé une ligne au crayon bleu entre New York et la Californie, qui s'incurvait vers le sud pour traverser El Llano Estacado. Cette ligne bleue flottait au-dessus de moi quand je dormais et c'était la première chose que je voyais en ouvrant les yeux. Parfois, j'avais l'impression que c'était un squelette, les ossements d'un rêve. D'autres fois, une clé très mince destinée à déverrouiller une vie encore inimaginable.

Il faisait trop lourd pour visiter au pas de course les sites de Heidelberg. Ni lui ni moi n'avions envie de jouer les touristes. Je sentais l'orage venir. L'azur du ciel se voilait de gris. L'air était épais, sans la moindre brise, même le long du Neckar.

ISM

C'est là que nous rencontrâmes les deux filles, Lilly et Coco.

Elles étaient de Strasbourg, un peu plus vieilles que nous. En alsacien, elles nous racontèrent qu'elles étaient saisonnières chez des vignerons le long du Rhin et de la Moselle.

C'est Mick qui eut l'idée de les inviter à boire une bière au café de la gare. Lilly nous expliqua que son père était le député-maire de Strasbourg. Quant à Coco, le sien était un célèbre général mort au champ d'honneur. Lorsque je lui demandai de quel côté il s'était battu, elle pouffa de rire, et je me rendis compte qu'elles ne s'attendaient pas à ce que nous croyions à leurs histoires.

Les filles entrèrent dans la gare pour aller aux toilettes. Mick me dit :

« Dix marks chacune, Billy, pas plus.

— Pour quoi ?

— Ce sont des filles de joie, Billy. Des putes.

— Bien sûr. Oui. C'est certain. » Cela ne m'était même pas venu à l'esprit. Pour moi, une prostituée était à l'image de ces misérables bonnes femmes apeurées de la Kaiserstraße à Francfort. Lilly et Coco étaient petites, bronzées, joyeuses. « On va coucher avec elles ?

— On va les baiser, Billy mon vieux, une fois qu'on aura fixé un prix. »

Impossible de me défiler, à moins d'avoir l'air d'un collégien. Mick n'aurait rien dit ; il n'était pas du genre à rabaisser les autres. En sa compagnie, je me sentais toujours plus audacieux, plus vieux, plus content de ma vie. Je savais par conséquent que j'allais de nouveau le suivre, mais je n'étais pas tranquille.

Les filles sortirent de la gare en portant à deux une valise. Mick se chargea des négociations avec Coco. Il ne parlait ni le français ni l'alsacien, mais la transaction s'effectua sans anicroche, ils n'eurent aucun mal à s'entendre.

Elles n'avaient pas de chambre à leur disposition à Heidelberg, elles ne faisaient que passer. Coco proposa que l'on monte jusqu'aux bois au-dessus de la ville où elles avaient dormi à la belle étoile. Mick et moi portâmes la valise à tour de rôle. Nous sommes ainsi remontés vers le château en ruine. Les filles nous firent prendre un sentier à travers bois jusqu'à une clairière herbeuse : c'était là qu'elles avaient passé la nuit. Elles ouvrirent la valise et chacune en sortit une petite couverture grise. Nous n'avions pas discuté de savoir qui allait aller avec qui, même si le prix avait été fixé à vingt marks pour nous deux. Coco prit l'argent. J'étais nerveux, tendu, et je n'étais pas sûr de vouloir aller jusqu'au bout, mais la rouquine, Lilly, me prit par le bras. En babillant gaiement comme un petit oiseau franco-alsacien, elle me fit descendre un sentier abrupt jusqu'à une deuxième clairière. Je l'aidai à étaler et à lisser sa couverture. Elle portait une robe jaune achetée à Cologne, dont elle était très fière. Je tombai d'accord avec elle que sa robe était *vraiment gentille**. Elle détestait ses bottines éculées dont les semelles bâillaient. Portait-elle des sous-vêtements ? Je ne me rappelle pas. En tout cas, l'affaire ne traîna pas, comme vous pouvez l'imaginer. Ses seins étaient doux, avec des pointes dures. Après, je n'en revenais pas de me retrouver allongé avec la main sur un pubis poilu, le soleil me réchauffant le dos. Je m'assoupis à moitié. Il se mit à pleuvoir quelques gouttes et je me redressai, ne sachant plus où j'étais. Lilly, se trémoussant pour enfiler sa robe, me sourit. Je baissai les yeux sur les toits de tuiles rouges de Heidelberg serrés dans l'étroite vallée du

Neckar. La pluie tomba tout à coup comme une cascade d'argent. Chaude. Nous fûmes tous les deux trempés en un clin d'œil. Une pluie merveilleuse.

Nous payâmes aux filles du café et des pâtisseries à la gare, puis Mick hissa leur valise à bord d'un wagon de troisième classe, et alors que le train glissait le long du quai, elles se penchèrent à la fenêtre en agitant la main et en nous soufflant des baisers.

« C'était charmant, fit remarquer Mick. Cependant, Billy Lange, comme je te vois là, on a tous les deux besoin d'un bain et d'un curry avant de retrouver les *von*. »

Nous étions tout débraillés. Mick fit du charme à la propriétaire d'une pension de famille qui accepta de sécher nos vêtements sur son fourneau et de repasser nos costumes pendant que, pour la somme de deux marks, nous partagions une énorme baignoire, chacun à un bout, fumant des cigarettes et sirotant un gobelet de kirsch. La conversation ne roula pas sur les filles, Mick m'ayant fait entendre qu'il ne serait pas viril de comparer nos impressions à ce sujet. Nous discutâmes chevaux et de son oncle Jeremiah à Flatbush, Brooklyn.

« Il me faudra un lit pour une nuit ou deux, pas plus, me confia Mick. Jer connaît un type qui peut me parrainer dans la police. Ça n'arrivera pas tout de suite. Il y a un examen. Possible que je démarre dans une écurie. Il y a beaucoup d'Irlandais qui bossent dans les hippodromes.

— Tu crois que Karin est sérieuse? Quand elle dit qu'elle partirait avec toi? »

Trempant dans ce bain chaud, avec ma cigarette et mon eau-de-vie, je me sentais très homme, très détendu.

« Vaut mieux pas en parler, répondit Mick.

— Dommage qu'elle ne soit pas venue avec nous, au lieu de traîner avec les copains de Longo.

— Ta Karin ne sait pas ce qu'elle veut.» Il souffla un nuage de fumée. «T'imagines une fille comme elle s'enfuyant avec un gars comme moi? Pas un radis, seul dans la vie. Les filles dans son genre, ça coûte cher.

— T'as déjà connu des filles dans son genre?

— Non. Non. Il n'y en a qu'une comme ta Karin *von*.

— Mais tu ne veux pas qu'elle parte avec toi en Amérique.

— Tu sais, il vaut mieux laisser tomber. Cela se terminerait mal, Billy *boy*, obligatoirement.»

L'air du soir – lourd, gris, traversé d'étranges explosions lumineuses – nous préparait une autre averse alors que nous sortions de la pension de famille. Nous étions propres, nos vêtements, repassés. Je me demandai si Lilly n'allait pas remplacer Karin dans mes rêveries. Pouvais-je me figurer Lilly traversant le Texas à une vitesse phénoménale?

Au Bœuf Rouge, Karin et Longo buvaient de la bière. Il faisait très noir dans la taverne des étudiants et ça sentait un mélange de tabac, de levure et de houblon. Dans la stalle voisine, de jeunes Américains braillaient des chansons à boire dans un allemand exécrable.

«On est vachement contents de vous voir, les garçons, n'est-ce pas, Longo? dit Karin. Ç'a été une journée épatante. On a fait de la barque sur la rivière et on s'est fait saucer. Longo n'est pas un si bon rameur que ça, figurez-vous. Pas aussi bon qu'il devrait l'être, en tout cas. Vraiment, Longo, je suis très déçue.»

Je vis tout de suite qu'elle était en colère. Quelque chose s'était passé.

« Ne dites donc pas de bêtises, Karin, c'était parfait, et vous étiez belle sous la pluie. »

Le serveur déposa devant Mick et moi deux chopes de bière. Longo commanda pour chacun une *Jägerschnitzel.*

« Longo a des billets pour la conférence d'un horrible petit bonhomme à la Stadthalle, continua Karin. Ce cher Longo me dit qu'il est temps que j'ouvre les yeux sur les vérités éternelles de l'Allemagne. Qu'est-ce que vous en pensez, Mick McClintock ? Mes yeux vous paraissent-ils ouverts ? »

Elle plongea son regard dans celui de Mick, lequel était en train de lever sa chope à ses lèvres.

« Tout à fait, ils sont très ouverts même.

— Voici mon idée, intervint Longo. Herr Hitler doit faire un discours à la Stadthalle, à 8 h ce soir, mais il n'arrivera sans doute pas avant 9 h. J'ai réussi à mettre la main sur quatre billets. Il paraît que ça nous amusera. Mon père l'a entendu l'année dernière à l'hôtel Atlantic, à Hambourg. »

Est-ce la première fois que j'ai entendu parler de Herr Hitler ? Il n'était pas encore célèbre, pas en dehors de la Bavière. Ses discours étaient interdits dans la plus grande partie de l'Allemagne – en Prusse, par exemple, où se trouvait Francfort.

« Dites-leur comment votre père l'appelle, mon cher Longo.

— Chère Karin, dit Longo patiemment, si vous ne voulez pas y aller, n'y allons pas et n'en parlons plus.

— Il ne s'agit pas de ce que je veux ou ne veux pas, c'est votre volonté à vous de m'y emmener, c'est cela que je trouve fascinant.

— Mais je n'insiste pas.

— Seulement parce qu'il n'est pas en votre pouvoir d'insister, mon cher Longo.

— Très bien, on n'a qu'à rentrer à Walden, rétorqua-t-il dans un allemand rapide et sec. Vous n'avez qu'à monter vos merveilleux chevaux irlandais, jouer au tennis et vous servir de l'énorme fortune de votre papa pour rester hors des réalités. Et au nez de tout ce qui vous déplaît, de tout ce que vous préférez ne pas voir, vous n'aurez qu'à agiter votre argent en espérant que tout ça disparaisse. Très bien ! Mais vous nous permettrez à nous autres de chercher à mieux connaître notre pays, notre Allemagne. Allons, on y va. »

J'étais choqué de l'entendre employer ce ton en s'adressant à elle.

Karin riposta en anglais.

« *Your Germany, Longo ?* Dites-leur comment votre père a appelé ce petit clown. *Votre* Allemagne.

— *Die Donaustaaten Kuriosität*, jeta Longo avec un haussement d'épaules.

— L'invraisemblable Danubien, dit Karin en anglais.

— Mon père n'aime pas les Autrichiens, déclara Longo (deuxième haussement d'épaules). Les gens du Nord détestent ceux du Sud, les protestants détestent les catholiques, tous les Allemands ont ce style de préjugés. Nous refusons de comprendre que nous formons une seule nation.

— *Die Donaustaaten Kuriosität*, ça veut dire littéralement : d'Autriche, l'homme bizarre, singulier, saugrenu, expliqua Karin. Moi, je préfère l'invraisemblable Danubien.

— Très drôle. » Longo en avait assez. Sans doute l'attitude de ses *Korpsbrüder* à l'égard de Karin l'avait surpris. Pourtant, étant donné la situation de son père, Longo aurait dû prévoir leur réaction. Seulement il n'avait pas l'habitude d'être contrarié ni que l'on désapprouve ses choix.

« C'est facile de mépriser un type qui n'a pas un aussi joli accent que vous. » Le trajet en décapotable du matin avait fait rougir sa *Schmiss*. « Mon père, faut-il le rappeler, a ajouté : "Il faut voir, c'est peut-être intéressant." Hitler a été soldat au front. Il hait les bolcheviques. Quand il s'adresse au peuple, les gens le comprennent malgré son *Donauakzent*. Et, d'après mes *Korpsbrüder*, il est fort divertissant. J'ai quatre billets. On y va ou pas, c'est comme vous voulez, Karin.

— Il déteste les Juifs, fit remarquer Karin.

— Il a été au front et déteste les rouges. À mon avis, on devrait se faire une opinion par soi-même. Ma chère Karin, il serait temps que vous connaissiez mieux notre Allemagne. Je ne vous avais jusqu'à ce jour jamais entendue dire que vous aimiez les Juifs.

— Ne soyez pas idiot, Longo. Je suis juive.

— Votre paternel peut-être, dit en souriant Longo, mais vous, ma chère, vous êtes une Allemande.

— De toute façon, Herr Hitler ne représente pas mon Allemagne.

— Comment pouvez-vous le savoir avant de l'avoir écouté ? »

Notre *Jägerschnitzel* arriva. L'escalope panée forestière était croustillante à point, succulente. J'avais une faim de loup. Les autres aussi : les assiettes furent vite englouties. D'habitude, la présence de Karin, son odeur, ce qu'elle disait me tenaient en haleine, alors que là, j'étais perdu dans les souvenirs de mes ébats de l'après-midi. Me serait-il possible de revoir Lilly ? Combien coûtait un billet de train pour Strasbourg ?

Longo commanda une autre tournée de bière. Ça commençait à chauffer dans la taverne. Autour des lourdes tables, étudiants comme touristes s'étaient mis à chanter.

Karin s'avisa de taquiner Longo sur sa *Schmiss*. Les balafres de ses *Brüder* étaient, selon elle, plus grosses. Comparaient-ils leurs cicatrices? Qui, en fait, avait la plus impressionnante?

Loin de la Rhenanenhaus, Longo avait repris ses façons débonnaires et riait volontiers aux mots d'esprit de Karin. Quelque part on jouait du piano, très mal. Soudain, Longo quitta la table, et Karin fit glisser ses fesses le long du banc pour se rapprocher de Mick. Je n'étais pas attentif, absorbé par mes visions de Lilly sous l'averse argentée, elle renversait le visage vers le ciel et riait aux éclats, des gouttes d'eau éclaboussant son menton.

On jouait à présent *Anybody See My Gal* et je reconnus le toucher lourd de Longo qui tapait sur le piano son ragtime préféré. Mick et Karin discutaient fiévreusement, mais je n'entendais pas un mot. Je fermai les yeux et vis une motocyclette filant à travers une plaine jaune, en direction d'une chaîne de montagnes rouges qui se découpaient avec netteté sur le ciel.

Elle tenait la main de Mick entre les siennes, comme s'il s'agissait d'un objet précieux.

Longo attaqua *Ain't She Sweet*.

Un homme politique de second plan faisant un discours dans une salle louée, c'était monnaie courante. Qui s'en souciait? Peu de gens avaient encore la radio. Mes parents ne possédaient pas de poste. Les journaux que mon père lisait – la *F-Zeit* et la *Vossische Zeitung* – n'auraient accordé aucune importance à un agitateur issu du sud du pays ou, pire encore, d'Autriche. De toute manière, je ne lisais que les articles sur le football et les courses hippiques.

Toujours est-il qu'une fois consommées *Jägerschnitzel* et chopes de bière, nous nous mîmes en route pour l'épreuve du réel.

Karin avait les joues rouges. Elle paraissait euphorique, mais pas ivre. Elle devait savoir que Longo, Mick et moi étions captivés par elle.

En passant à pied devant des rangées de garçons brutaux et frustes, parfois d'une laideur stupéfiante, habillés de chemises brunes avec des brassards rouge et blanc imprimés d'une bizarre croix noire aux branches tordues, nous étions avant tout préoccupés par nous-mêmes, chacun entretenant des pensées érotiques, des pensées d'amour et de solitude.

L'ambiance militante nous était familière. Tous les partis politiques avaient leurs paramilitaires, des brigades de combattants en uniforme. Ainsi se présentait le monde dans lequel nous avions grandi. Les jeunes soudards du parti national-socialiste auraient, à nos yeux, aussi bien pu être des boy-scouts attardés, ils ne nous faisaient pas peur. Mick les prit sans doute pour une manifestation supplémentaire des goûts étranges des Allemands, comme de préférer la Pilsner à la Porter. Comme de rouler un jour d'été dans une décapotable lancée à toute allure ou de faire l'amour à de jeunes Alsaciennes dans une forêt entre ville et château.

Le long de la Hauptstraße, nous fûmes rejoints par les deux *Korpsbrüder* de Longo, les blonds bronzés et blasés Hugo et Willy. Ils avaient troqué leurs *Oxford bags* contre des pantalons normaux, qu'ils portaient avec une chemise sans cravate ouverte au col, peut-être pour mieux se fondre dans la foule. Longo nous laissant prendre un peu d'avance pour bavarder avec eux, Karin se saisit du bras de Mick. Nous croisâmes d'autres formations de jeunes gens en uniforme. Certains avaient des matraques en caoutchouc. Il y avait aussi des citoyens ordinaires et des touristes curieux de voir ce qui causait tout ce ramdam par cette soirée d'été orageuse, poisseuse, où grondait le tonnerre.

Il était près de 9 h du soir. L'«invraisemblable Danubien» avait déjà une heure de retard, mais, à en juger par l'effervescence régnant devant la Stadthalle, il était attendu d'un moment à l'autre. Une fillette minuscule tenait un bouquet à deux mains à côté d'une femme coiffée du chapeau traditionnel à pompons rouges symbolisant la Forêt-Noire. Deux petites brutes en chemise brune bousculaient les gens devant la porte. Longo prit à son tour le bras de Karin, et tous trois franchirent le seuil. J'allais leur emboîter le pas quand une onde de choc parcourut la foule. Je me retournai pour voir une grosse berline décapotable Mercedes, toute noire, bien plus massive, bien plus puissante que la S de Longo. Une automobile identique en tout point se figea derrière elle. Des jeunes gens athlétiques et bronzés en chemise brune en sortirent, repoussèrent la foule et, bras dessus, bras dessous, formèrent un cordon afin de ménager un passage. J'étais pratiquement dans la porte quand l'un d'eux me poussa violemment à l'écart.

Un homme en trench-coat brun et costume bleu tout ce qu'il y a de plus ordinaire descendit de la première Mercedes. Les «chemises brunes» lui firent un salut bras tendu en scandant « *Heil! Heil! Heil!* »

Il leur rendit leur salut – d'un air las, me sembla-t-il. Bien sûr, il s'agissait de Hitler, mais on aurait dit un papetier ou un petit fonctionnaire de la mairie. Il avait le crâne tondu sur les côtés, style militaire, et une moustache en brosse à dents. La minuscule fillette poussée en avant par sa mère lui offrit son bouquet. Hitler tapota la tête blonde mais ne prit pas les fleurs. En redressant ses boutons de manchette, il enfila d'un pas presque languide le sentier éclairci par sa garde rapprochée. Il paraissait n'avoir aucun mal à ignorer le tumulte autour de lui, les saluts, les cris, l'hystérie collective virile. Une meute de sympathisants s'arc-boutait contre le cordon du service d'ordre, s'efforçant de s'approcher le plus près possible de lui, et les gardes du corps soufflaient et grognaient sous la pression, l'effort se lisant sur leurs visages rouges. Quant à Hitler, on aurait cru qu'il se promenait dans son jardin. Indifférent au remue-ménage, il entra dans le bâtiment.

Le cordon du service d'ordre se désagrégea, la meute survoltée se rua vers la porte et je fus emporté dans le flot.

La salle était archipleine. Étions-nous debout ou assis sur des bancs ? Je ne me rappelle plus. Un nuage de fumée de cigarettes planait au-dessus du public. Des chauves-souris voletaient dans la charpente.

Je passai une bonne partie de la soirée à les observer, ces chauves-souris, car, après l'excitation provoquée par l'arrivée, le discours se révéla plutôt ennuyeux. Pour commencer, on comprenait mal ce qu'il racontait. Pas tant à cause de son accent autrichien, il s'en était déjà débarrassé et s'exprimait dans un allemand neutre, avec quelques discrètes inflexions bavaroises, mais il y avait plus de mille personnes entassées dans la vieille bâtisse, et encore du monde sur les marches du parvis, sans autre système d'amplification sonore que les cordes vocales de l'orateur. On comprend qu'il fallait déployer un sacré effort pour faire résonner sa voix, et davantage encore pour l'entendre, surtout au début quand il parlait d'une voix douce et hésitante. Nous tendions l'oreille.

Peu après, il proféra ses premières imprécations contre les Juifs – *sangsues, étrangers, profiteurs de guerre.* Ce genre de langage n'avait en fait rien d'inhabituel. À la Klinger-Oberrealschule, il y avait quelques élèves et au moins deux enseignants qui maniaient aussi bien l'insulte.

On lit sous la plume de certains écrivains que Hitler possédait un charisme quasi surnaturel lui permettant d'ensorceler les foules d'honnêtes citoyens ordinaires. Je ne sais pas combien d'honnêtes citoyens ordinaires étaient présents à la Stadthalle ce soir-là. Je n'ai vu que de jeunes paysans en chemise brune. Les malabars plantés autour de moi, bouche ouverte, avaient l'air de s'ennuyer ferme. Au bout de dix minutes, je renonçai à écouter. Décrochant tout à fait, je regardai les voltiges fulgurantes des chauves-souris, cherchai des yeux mes amis dans la foule et rêvassai à tout ce que je pourrais faire avec Lilly.

Hitler continua à vociférer pendant au moins une heure. Pendant tout ce temps, il me parut déconnecté de son public, lequel commençait à s'agiter. Il avait encore des progrès à faire en tant qu'orateur. À moins qu'il n'ait juste été fatigué ce soir-là. Même sa diatribe du début contre les Juifs semblait avoir été prononcée pour la forme. Ce n'est que vers la fin qu'il parvint à émouvoir et à fouetter les passions.

Il se servit d'un truc : il se mit à répéter le mot Deutschland, dont la sonorité ressurgissait à chaque phrase, Deutschland, prononcé d'une voix de plus en plus rauque, de plus en plus dure, jusqu'à ce que les chemises brunes les plus somnolentes prennent le rythme. « Deutschland ! Deutschland ! » Ils s'égosillaient, ils tapaient des pieds dans leurs bottes, ils hurlaient avec lui. Puis, brusquement, il se tut.

Pendant que les hurlements déferlaient sur lui, il se mit au garde-à-vous, une expression extatique sur le visage, comme si le déchaînement hystérique qu'il avait provoqué était un bain de jouvence miraculeux et qu'il s'autorisât à s'y plonger quelques minutes. Puis il eut un petit hochement de tête sec d'ingénieur appréciant l'ouvrage achevé, et descendit prestement de l'estrade. Sa garde rapprochée l'entoura et une espèce de mêlée progressa vers la sortie, laissant un public béat et gémissant.

Dès que leur *Führer* eut quitté les lieux, les chemises brunes refluèrent vers la sortie, m'entraînant comme par un puissant courant de marée. Dehors, les deux grosses Mercedes s'éloignaient déjà et une sourde colère s'élevait de la foule. J'aperçus Karin, Mick et Longo, lequel serrait la main de ses *Korpsbrüder*. Je me frayai un passage jusqu'à mes amis. Cramponnée au bras de Mick, Karin avait l'air pâle et frêle, ses joues avaient perdu leur belle couleur.

«Allons-nous-en, disait Mick. Ça sent mauvais par ici.»

En entendant parler anglais, deux garçons en chemise brune et baudrier de cuir avec une boucle se tournèrent pour nous dévisager. La nuit puait les canalisations bouchées, le sale – le remugle du Neckar par temps de canicule, la multitude d'hommes transpirants, fébriles, frénétiques. Jusqu'à quel point j'avais compris, jusqu'à quel point j'étais passé à côté. Ces deux premières fois : le sexe, Hitler. J'étais en état de sidération. Par la suite, j'apprendrai dans les livres d'histoire que cette nuit-là, à Heidelberg, des Juifs furent violemment agressés et passés à tabac. Nous avions tous flairé la colère sanguinaire qui se dégageait de ces garçons en uniforme pleins de rancœur. Karin avait l'air d'avoir vu un fantôme ; peut-être en avait-elle vu un.

Après avoir fait ses adieux à ses *Korpsbrüder*, Longo prit la main libre de Karin, la leva à ses lèvres et y déposa un baiser. Un geste répugnant, mais elle ne réagit pas. Qu'est-ce qui lui avait pris ? Était-ce par sadisme qu'il l'avait emmenée écouter Hitler ? Ou Longo pressentait-il ce qui se préparait ? Son instinct germanique le sentait peut-être venir et il avait tenté de l'avertir.

« *Lasst uns gehen !* » dit Longo. Partons.

Ayant laissé derrière nous la dernière bande de chemises brunes, de retour sur son territoire d'étudiant, Longo s'exprima en anglais. « Ce type est un méchant. Un grossier personnage. Ne crois pas que je ne m'en rends pas compte. »

Mick avait drapé sa veste en tweed sur les épaules de Karin. Il pleuvait fort.

La Mercedes attendait dans un garage proche de la Rhenanenhaus. Le mécanicien, Longo et moi joignîmes nos efforts pour déplier la toile de la capote et la fixer sur la carrosserie afin de reprendre la route du retour.

« Quelle merveilleuse journée », commenta Karin. Elle avait enfilé la veste de Mick et frissonnait. « Quel discours intéressant. Quels sympathiques camarades vous avez, Longo. Où cachez-vous *votre* petit uniforme ?

— N'en parlez pas, Karin. Surtout pas à votre père. Ces brutes ne sont pas mes camarades. »

Longo craignait le baron, lequel à l'époque était encore un homme de pouvoir. Nous rentrâmes à Walden sous une pluie battante. Je ne me souviens pas de ce que nous disions, seulement des cigarettes allumées, et de la périphérie désolée de Niederrad : boutiques obscures, trottoirs miroitants. Il était minuit passé quand la Mercedes franchit le portail en fer forgé. Longo se gara devant la maison afin de déposer Karin sous la voûte de la porte cochère. Elle descendit de voiture sans un mot et courut à l'intérieur.

Longo s'en alla tôt le lendemain matin. Lorsque je dis à mon père que nous avions été à un meeting du parti national-socialiste, il fut furieux, pas seulement contre Longo, mais aussi contre moi.

«Qu'est-ce qui t'a pris d'emmener la jeune demoiselle là-bas? C'est déjà assez terrible que tu y sois allé toi-même, mais exposer la fille des Weinbrenner à un tel déballage d'ordures! Vraiment, Billy, je suis déçu par ton manque de jugement.»

Je ne vois pas comment j'aurais pu empêcher Longo de conduire Karin à la Stadthalle. Toutes sortes d'orateurs appartenant à des partis – KPD, SDP, national-socialiste – s'égosillaient chaque soir, dans des salles de location, un peu partout en Allemagne. Herr Hitler n'était personne. Mais il était inutile de chercher à me trouver des excuses. Je n'avais jamais vu mon père aussi énervé.

Bien des années plus tard, en février 1945, dans l'ouest des Pays-Bas, je tombai par hasard sur Longo dans une «cage[1]» d'un camp de prisonniers allemands. Il ne se souvenait pas de moi. Au cours de son interrogatoire, sans révéler mon identité, je lui demandai à quel moment il avait adhéré au parti nazi.

«En 1928.»

L'année de notre excursion à Heidelberg. Cette date ne faisait pas de lui un «vieux de la vieille», mais le numéro sur sa carte devait être peu élevé.

---

1. Parcelle du camp où sont disposées des tentes [NDT].

Il me complimenta sur mon allemand, et c'est là que je lui dis que j'avais grandi à Walden, et que j'étais le fils du manager des écuries du baron Weinbrenner.

Il me dévisagea attentivement, puis son visage se fendit d'un énorme sourire. «*Ach, so!* Billy!» Il tendit le bras à travers la table et m'assena une tape sur l'épaule. «Mon vieux camarade! Je me souviens bien de vous! Ah! les jours heureux de Walden!»

Je voulus ensuite savoir ce qu'avait pensé Karin de sa décision d'adhérer au parti.

«Je ne lui ai jamais rien dit, bien sûr, dit-il en hochant la tête. La petite avait mauvais caractère. Elle m'aurait craché à la figure!»

Longo s'était toujours posé en *bon vivant**, cosmopolite, rejeton d'une famille fière de sa noblesse. Après avoir quitté Walden au volant de sa Mercedes, il ne reparut que l'été suivant, alors qu'on venait de terminer le dressage en manège d'une nouvelle génération de yearlings. Puis il était revenu passer quelques week-ends. Il montait bien à cheval, il apportait des caisses d'excellents crus. À mon avis, les parents de Karin n'auraient pas été mécontents qu'il demande sa main; les adultes à Walden avaient tous hâte de la voir «casée», et Longo, avec son pedigree, son doctorat en droit et sa belle gueule, était considéré comme un «bon parti». Mais à cette époque, elle avait fait la connaissance d'Anna von Rabou et commencé à travailler aux célèbres studios de l'UFA. Ses parents n'en revenaient pas. Il leur paraissait absurde que leur fille se plaise en la compagnie d'une bande d'acteurs et d'écrivains.

Lors de mon entretien avec lui au camp de prisonniers, Longo n'avait en fait pas grand-chose à dire concernant Karin, ni quoi que ce soit d'autre à part la guerre, en particulier ses déboires de fraîche date en tant que chef de char en Normandie. Il me décrivit deux épisodes horribles d'un ton d'une désinvolture déconcertante. Parmi ceux que j'ai interviewés, nombreux sont les prisonniers qui adoptaient ce ton en racontant les histoires les plus épouvantables.

Karin avait dit un jour que Longo était semblable à la façade d'une vieille demeure élégante, sans rien derrière. «Comme ces fausses rues dans les studios de la Warner et de la MGM.»

Pendant son interrogatoire, Longo me raconta comment un des hommes sous ses ordres avait exécuté deux prisonniers canadiens, un acte brutal et gratuit – ce genre d'incident nuisait à la discipline, mais au bout de toutes ces semaines de combat, on perdait le contrôle sur ses jeunes subalternes : «La discipline et l'entraînement sur lesquels on s'appuie s'effilochent avec le temps, et les soldats sur un champ de bataille deviennent des bêtes apeurées, traquées. Mon cher Billy, vous vous rappelez le chauffeur des Weinbrenner? Solomon le borgne?

— Oui, bien sûr.»

Il me faisait pitié, et en même temps je le détestais. Il dut le sentir.

«Croyez-moi ou pas, Billy, mais après ce qui est arrivé au chauffeur, et à l'avocat du baron, c'était quoi son nom déjà – Kaufman –, j'ai eu honte d'être au parti.

— Vous avez déchiré votre carte?

— Ah, ce n'était pas aussi simple. J'étais à Berlin, vous savez. J'avais un poste au gouvernement. Mon père n'était pas homme à s'inscrire à un parti, quel qu'il soit, mais il m'avait trouvé cette situation. En rompant avec le parti, j'aurais causé un grave préjudice non seulement à ma carrière, mais aussi à mon père.

— Je vois.

— J'ai cessé mes visites aux Weinbrenner longtemps avant que leur chauffeur se fasse tuer, et pas pour les raisons que vous croyez. Je n'aurais rien pu faire pour les aider, voyez-vous. Ma position n'était pas assez solide. Il y avait des gens au ministère qui ne m'aimaient pas, qui ne me prenaient pas pour un des leurs, ce qui était vrai. En m'en mêlant, je n'aurais réussi qu'à aggraver le cas du baron. Le mieux était de rester à l'écart.»

Lorsque je lui demandai s'il se rappelait notre excursion en voiture à Heidelberg, il fit non de la tête. Il ne se rappelait pas du tout avoir emmené Karin Weinbrenner écouter Hitler à la Stadthalle.

Se mentait-il à lui-même, mentait-il tout simplement, ou bien avait-il vraiment oublié? Je n'en sais rien.

———

Le fait est que quelques jours après avoir vu Herr Hitler, Karin tomba malade et fut transportée par sa mère à la clinique Burghölzli de l'Université de Zurich. Ma mère disait que Karin avait fait une «dépression nerveuse» – c'est la première fois que j'ai entendu cette expression.

Mon père était convaincu que c'était parce qu'on l'avait mise en contact avec «ce type» et son entourage. «C'est un être sensible, Karin, un pur-sang. Les propos orduriers de ces gens, c'est dégoûtant. Il devrait y avoir une loi pour interdire une chose pareille.»

1938

Onze jours avant la date où le *Volendam* devait appareiller de Rotterdam, un jeune Juif polonais abattit un diplomate allemand à Paris. Des pogroms ordonnés par le régime nazi éclatèrent partout en Allemagne. Les entreprises et commerces juifs furent saccagés ; les Juifs, passés à tabac, parfois assassinés. *Reichskristallnacht*, ce fut le nom qu'ils lui donnèrent après coup : la Nuit de cristal. La nuit du verre brisé. À Francfort, cette ville si raffinée, si civilisée, ce fut pire encore qu'ailleurs.

Six vauriens nazis, à bord d'un camion transportant de la bière sur lequel ils avaient fait main basse, enfoncèrent le portail en fer forgé de Walden avant de se ruer dans la maison. Les seules personnes présentes étaient Karin, son père et Herta, la veuve du chauffeur.

Il ne restait plus grand-chose à piller à Walden. En se servant des cordons de rideau, les SA ligotèrent Karin et son père à des chaises dans la bibliothèque et obligèrent Herta à les conduire à la cave à vin.

Elle en reconnut deux : des garçons du quartier, d'anciens camarades de classe à moi de la *Grundschule*, des membres de la tribu Winnetou, qui avaient joué dans les bois de Walden et avaient soutiré des casse-croûte à la cuisine.

Les bonnes bouteilles du baron avaient toutes été vendues « aux enchères » à des chefs du parti nazi de la Hesse, les seuls autorisés à lever la main. La cave était vide, ce qui exaspéra les envahisseurs. Ils mirent la maison à sac en quête d'un trésor juif, marquant des haltes de temps à autre pour téter de la bière des barriques du camion volé. À leur retour à la bibliothèque, ils étaient tellement soûls qu'ils tenaient à peine debout. En hurlant, ils menacèrent le baron de l'exécuter sur-le-champ s'il ne leur montrait pas où il avait caché son or.

Il secoua la tête. «Pas d'or enterré ici, petits. Mais servez-vous de tout ce que vous voulez, je vous en prie, mes possessions sont presque toutes au sous-sol du Städel. Ils m'ont dépouillé jusqu'à l'os.»

Ils n'avaient sans doute jamais entendu parler de l'Institut d'art Städel, même si ce musée se trouvait de leur côté (au sud) de la rivière. Les habitants de Niederrad ne fréquentaient pas les musées. Peut-être ont-ils cru qu'il se moquait d'eux. Ils l'entourèrent telle une meute de loups et se mirent à l'insulter, en exigeant qu'il les mène à sa cache d'or. Quel Juif n'avait pas un tas d'or enterré quelque part?

Ligotée à sa chaise, Karin fut forcée de regarder ces imbéciles brutaliser son père. Ils étaient bizarres et sauvages. L'un d'eux lui proposa poliment d'aller lui chercher un verre d'eau, un autre lui offrit une cigarette. Pendant ce temps, leurs camarades s'employaient à jeter au feu la collection d'ouvrages et de manuscrits en hébreu.

Enfin, le baron accepta de les mener à son trésor enfoui. Du sang coulait de sa lèvre fendue sur son menton et dans son cou. Peut-être ne supportait-il plus le traitement que ces voyous infligeaient à son intérieur. Peut-être avait-il l'intention de les promener dans les bois de Walden avant d'aboutir au petit cimetière où son fils était enterré auprès des soldats morts pour la patrie. Peut-être se disait-il qu'ils allaient de toute façon le tuer et qu'il ne souhaitait pas que sa fille assiste à son meurtre.

Ils furent assez stupides, ou ivres, pour le laisser passer dans la petite pièce donnant sur le hall d'entrée qui servait de vestiaire, afin de prendre son manteau et son chapeau. Dans un coin obscur, son sabre de uhlan était suspendu à la même patère que son vieux manteau de l'armée. Il laissa choir le manteau au sol, tira l'arme de son fourreau et sortit sabre au poing : sept cent cinquante-deux millimètres d'acier affûté. Une lame signée Weyersberg, entretenue à la perfection. *IN TREUE FEST*, y était-il gravé. Ferme dans la foi.

Je crois que le père de Karin voulait mourir en les combattant.

ANNA

Arten von Licht Buch [_Variétés de lumières_], Karin v
Weinbrenner. Non paginé. En anglais avec des occur-
rences en allemand. Archives Lange, 11 C-12-1988.
Collections particulières, bibliothèque de l'Université
McGill, Montréal.

———

— Anna von Rabou. Un vieux nom prussien
célèbre. Elle en rit mais je vois qu'elle est
aussi... fière. Mariée à Fred Scheps mais
elle demeure malgré tout : Anna v Rabou.
— L'après-midi sous un ciel bleu froid
l'odeur automnale de marrons chauds
et d'eau-de-vie on me présente à AvR
sur le k'damm[1] elle demande « tu es une
des nôtres ? » et (je pense) elle veut dire
communiste mais... pas du tout ! Elle méprise
le KPD.
Moi — « Je ne sais pas ce que vous voulez
dire, alors il vaut mieux que vous m'expliquiez
si vous voulez que je vous réponde. »
AvR — « Vous êtes une productrice ou une
parasite ? Produisez-vous de quoi nourrir
l'âme de l'humanité ou êtes-vous une de ces
jeunes femmes dont le mode de vie décadent
s'étale dans les pages de _Tempo_ ? »

---

1. Pour Kurfürstendamm, célèbre avenue berlinoise.

Moi — « Laissez-moi le temps de réfléchir.
Je vous en informerai. »
Son culot me rend furieuse mais d'un autre
côté elle n'a pas tort et elle ne me lâche pas.
— elle est aimée par tout le monde à tous les
échelons de l'UFA.
— très belle et sûre d'elle mais ne faisant
jamais sa « grande dame ». Elle dit « ma
famille ce ne sont pas de grands aristos,
pas du tout, mais _der niederer Adel_ — des
hobereaux ? orgueilleux, plutôt pauvres, rien
d'aussi somptueux que vous autres Juifs
riches ».
— elle doit travailler et dit que tout le monde
a besoin de travailler pour nourrir son esprit,
nous avons tous le désir instinctif d'apporter
notre contribution et il est important de le
reconnaître et d'agir en conséquence sinon
notre vie n'a aucune valeur et c'est comme si
on n'avait même pas vécu.

Publicité. *In Film-kurier* Nummer 1472 12. Ausgabe 101 vom 15. Oktober 1930 (Mittwoch). Archives Lange, C 12 10-1930. Collections particulières, bibliothèque de l'Université McGill, Montréal.

―

LIEBLING DER GÖTTER

Darsteller: Emil Jannings, Renate Müller und

Olga Tschechowa

Regisseur: Hanns Schwartz

Produkent: Eric Prommer

Drehbuch: Hans Müller, K. Weinbrenner

Musik: Willy Schmidt-Gentner

Fotographische Leitung: Konstantin Irmen-Tschet

Günther Rittau

Herausgeber: Willy Zeyn

Studio: Universum Film AG

Verteilt durch Universum Film AG

Premierenstag: 13 Oktober 1930

Affiche de cinéma. Archives Lange, 12 HL-8-1932.
Collections particulières, bibliothèque de l'Université
McGill, Montréal.

—

DIE TÄNZERIN VON SANSSOUCI

Mit Otto Gebühr

Und Lil Dagover & Rosa Valetti

Produktionsleiter Gabriel Levy

Drehbuch Hans Behrendt & K. Weinbrenner

Ein UFA Film

Die 6. Woche

Im UFA Theater Kurfürstendamm Berlin

Arten von Licht Buch [Variétés de lumières], Karin v Weinbrenner. Non paginé. En anglais avec des occurrences en allemand. Archives Lange, 11 C-12-1988. Collections particulières, bibliothèque de l'Université McGill, Montréal.

Scène : la jeune Karin avec la sage Anna

Elle est radieuse et c'est la mère que je n'ai pas eue, de toute évidence.
Elle veille à ce que les acteurs et les techniciens soient bien nourris. C'est pour elle un vrai plaisir.
A : « Le scénariste tisse un fil télégraphique transmettant le courant entre les images (les séquences d'images), le réalisateur imagine le film, et l'intrigue doit être à la portée du public. L'effet final sur les spectateurs est la résultante d'une combinaison de celles-ci (images, péripéties). »
A : « Le film surgira comme un rêve des ténèbres. »
A : « Bild und Erzählung. Image et intrigue. Regarder un film n'a rien à voir avec lire un livre, cela procède d'autre chose. Cela s'apparente plutôt au rêve. »
En inventant l'intrigue, le scénariste fait le film.

367

A : « Il y a des réalisateurs qui veulent seulement peindre (au moyen de la lumière et des ombres — des images), ne cherchent pas à raconter une histoire. » <u>Ici elle fait allusion (peut-être ?) à F. Scheps son mari.</u>
Elle n'est pas envieuse, elle pense qu'elle est formidable.
A : « Le cinéma grandira. »
A : « Wagner éternellement. »
En tant que femme aux studios de Neubabelsberg, elle se crée elle-même. « Sie sind die Arbeit, die Sie tun » : Vous êtes le travail que vous faites !

Arten von Licht Buch [*Variétés de lumières*], Karin v Weinbrenner. Non paginé. En anglais avec des occurrences en allemand. Archives Lange, 11 C-12-1988. Collections particulières, bibliothèque de l'Université McGill, Montréal.

Le «Winnetou» de Karl May, idées de traitement cinématographique

L'étudiant fait son combat de Mensur et gagne sa balafre, il n'est pas satisfait. Il débarque en Amérique en quête d'aventures. Dans les rues de New York confronté à des voleurs on voit que cet homme aime se battre. Son nom : Old Shatterhand. Trop de monde pour lui. À l'Ouest il doit migrer.
Le chemin de fer progresse vers l'ouest mû par toutes les convoitises. Le héros accepte de travailler puisqu'il mourra de faim sinon. Sa tâche : promettre du whisky et des couvertures aux Indiens en échange du renoncement à leurs terres. Seulement sur El Llano Estacado, en essayant de soustraire des terres aux Apaches Mescaleros, il se heurte à un adversaire résolu en la personne du chef de cette tribu, Winnetou. Ils se battent. Couteaux. Surprise : l'ancien Korpsbruder est un escrimeur, ils sont ex æquo. Alors qu'ils

sont en train de s'étriper, ils sont chargés par un ours brun. De deux choses l'une : soit ils repoussent l'attaque de l'ours, soit ils s'entre-tuent. L'ours est tué. Dès lors, ils deviennent des frères.

Leurs aventures lorsqu'ils cherchent à vaincre les Comanches et qu'ils emportent la victoire. Un massacre écœurant. Un magnat du chemin de fer corrompu invite Winnetou à un « banquet » afin de célébrer sa « victoire » contre les Comanches. W. ingère du poison. Meurt.

Shatterhand a le cran de pénétrer dans un camp de guerriers comanches où il risque sa vie mais où un chef plein de sagesse accepte de l'écouter. Shatterhand mène les Apaches et les Comanches dans un raid contre le chantier de la voie ferrée. Victoire. Ils font de lui leur chef de guerre. Il fait un avec son destin. Il prendra une femme indienne. Une nouvelle race est née.

Arten von Licht Buch [Variétés de lumières], Karin v
Weinbrenner. Non paginé. En anglais avec des occur-
rences en allemand. Archives Lange, 11 C-12-1988.
Collections particulières, bibliothèque de l'Université
McGill, Montréal.

~

AR : « l'art est unité » !!
Mais.
K : (L'art est destruction aussi non) ! ?
AR supporte mal Max Beckmann. « vision
dégénérée ».
AR : « <u>Wir sind Deutsche Juden. Wir teilen
den gleichen Raum, aber wir sind nicht
gleich</u> » que je traduis par « Nous sommes des
Juifs allemands. Nous partageons le même
espace mais nous ne sommes pas le même
peuple ».
AR admire l'« esprit allemand » qu'elle se
refuse à définir parce que « indéfinissable »,
on ne peut que le percevoir.
AR est spirituelle dans ce sens.
Elle nourrit merveilleusement l'équipe
d'affamés, menuisiers, électriciens, acteurs,
leur donne du rab pour rapporter chez eux à
leur famille du Dr Goebbels elle dit : <u>pervers
mais brillant analyste de l'âme étrange de
l'artiste.</u>

Je prends la résolution suivante : je ne la reverrai plus jamais.
En ce qui me concerne <u>Elle est morte</u>*.

Karin rentra à Walden quelques semaines au printemps 1928. Le krach de la bourse de New York ne s'était pas encore produit, mais l'économie allemande était déjà en train de s'effondrer, même si les Weinbrenner semblaient ne pas s'en rendre compte. Le baron continuait à acheter des poulinières en Angleterre, en Irlande et en Belgique. Lady Maire et Eilín préparaient leur expédition estivale, au Portugal cette année.

J'avais terminé mes études secondaires, mais je n'avais pas réussi à décrocher de job, à part les deux après-midi par semaine en tant que clerc d'avocat et traducteur au cabinet Kaufman. Mon chemin ne croisa pas celui de Karin avant que je retombe sur elle dans l'allée, alors que je revenais de chez Kaufman sur ma ridicule bicyclette. Je savais qu'elle avait été malade, mais lui trouvai bonne mine et l'air en forme dans sa tenue d'équitation.

« Salut, mon vieux Billy.

— Salut, Karin. » Je me mis à marcher à côté d'elle en poussant mon vélo. Elle était silencieuse.

« Tu vas faire une promenade à cheval ? dis-je finalement.

— Oui. »

Notre première rencontre dans les bois de Walden semblait remonter à des siècles, comme ce premier hiver féroce après la guerre, cette saison de sang et de gueux.

Chômeur, j'avais l'impression d'avoir été laissé au bord de la route, d'avoir loupé le coche. Moi qui désirais tant croquer dans la vie à belles dents, je n'étais qu'un grand jeune homme maigre, sans travail, poussant une bicyclette.

« Tu viendrais en randonnée avec moi ? me demanda-
t-elle soudain.

— Vraiment ? Tu ne préfères pas y aller seule ?

— Il faut que tu viennes.

— Tu es bien sûre ?

— Oui. Tout à fait. »

Je remontai à vélo pour rentrer à Newport, je me
changeai en vitesse et enfilai des bottes appartenant à
mon père. Le temps que j'arrive à l'écurie, elle avait sellé
deux chevaux : le cheval de chasse de sa mère, Paddy, et
Prince Hal, la monture habituelle de mon père.

« Prince Hal te va ?

— C'est parfait », répondis-je.

Je la suivis au long de l'allée cavalière. Elle se pencha
pour ouvrir la barrière et nous traversâmes la prairie au
galop. Pendant une heure, nous n'échangeâmes pas une
parole, captivés que nous étions par le battement gal-
vanisant des sabots, les grincements des cuirs, le souffle
exhalé par les naseaux de nos braves destriers.

En rentrant à l'écurie, nous ne dérangeâmes pas les
lads. Nous débarrassâmes nos chevaux de leur selle et de
leur harnais, nous les pansâmes avant de leur donner à
manger et à boire, et de les mettre au paddock. C'était
délicieux de travailler à son côté. Elle savait comment
s'y prendre. Ce qui n'est pas le cas de tous les cavaliers.

Malgré tout, elle me paraissait changée. Silencieuse,
plus du tout la jeune passagère bavarde de la voiture de
sport fonçant vers Heidelberg. Je ne l'avais pas noté pendant notre chevauchée, mais là, dans la tranquillité de
l'écurie, son silence me frappait. Elle semblait davantage
maîtresse d'elle-même. Ou détachée.

Au moment de se dire au revoir, elle me tendit la
main.

« Bonne chance, mon vieux Billy, j'étais contente de te voir. Quel vieux sage tu fais. »

Je ne sais pourquoi, cette poignée de main m'apparut déplacée. En fait, j'étais atterré. Même si je n'étais pas en droit de m'attendre à autre chose.

« En vrai, lâchai-je, je suis jeune et bête ! Je passe ma vie allongé sur mon lit à écouter du jazz. Je n'ai pas de situation ni aucun avenir devant moi. Mon père en a par-dessus la tête de me voir perdre mon temps, et moi aussi. »

Elle sourit. « Ne laisse pas les vieux te faire peur. Tu finiras forcément par trouver ta voie. »

Elle retourna dans la grande maison, et je ne la revis plus avant son départ pour Berlin, le Berlin des années folles, le Berlin de la fin des années vingt, peuplé de boîtes de nuit, de cabarets, de fêtes en tous genres, une ville dont je n'avais qu'un aperçu, grâce aux chroniques mondaines des journaux.

Karin n'a jamais été la bohémienne endiablée qu'elle était dans l'imagination de sa mère. Si elle aimait vivre intensément, sauvagement même, il y avait dans son tempérament une fibre austère. Cette facette de sa personnalité se révéla après Zurich, peut-être, mais elle avait toujours été là – le silence de la forêt d'épicéas, la fillette arpentant les sentes enneigées avec son arc apache.

Il se passait parfois des jours sans qu'elle quitte son appartement, lequel était situé dans le quartier de Charlottenburg.

Plus tard, quand nous passions des week-ends ensemble à Berlin, elle évoquait souvent des périodes de sa vie passée dans cette ville. Elle ne cherchait pas à me rendre jaloux ni à me faire sentir que j'avais manqué des épisodes importants de sa biographie – même si je l'étais, et si c'était vrai. Son intention, à mon avis, était de nous rapprocher l'un de l'autre, de forcer cette intimité si longtemps retardée, la forcer afin qu'elle fleurisse vite, pour rattraper le temps perdu.

C'était une solitaire, Karin. On ne s'en doutait pas à la voir, pourtant c'était ainsi.

« Billy, à l'époque, je ne me sentais jamais seule. Des jours passaient sans que je prononce un mot, je ne répondais à personne… Sensationnel ! Que souhaiter de mieux ? Les bruits du tram et de la circulation montaient de la rue, des éclats de voix du café sur le trottoir d'en face. Ça m'allait, ce fond sonore, la structure de la ville. On n'était pas obligé de participer. »

À une certaine époque, elle avait même cessé de régler sa facture de téléphone et sa ligne avait été coupée, ce qui irritait ses parents. Son père lui versait une pension, rien d'extravagant, et elle s'était mise à acheter des tableaux. Max Beckmann enseignait à la Städelschule à Francfort, mais elle avait découvert sa peinture à Berlin.

Les premiers films parlants sortaient tout juste. Elle était devenue une passionnée de cinéma. L'après-midi de sa rencontre avec Anna Rabou, elle venait de voir – d'entendre ! – *Westfront 1918* de Pabst, un film contre la guerre avec pour cadre les tranchées.

Sortir d'une salle où on a vu un film beau et puissant pour déboucher soudain sur un trottoir, dans la rue, désoriente pendant un moment. « Quel choc, de me retrouver soudain en train de longer des boulevards familiers au milieu de gens familiers, alors que dans ma tête, je suis toujours un soldat agonisant, ou un guerrier apache, ou un hors-la-loi du Texas sur le point d'être pendu haut et court! Ce sont des instants de grande légèreté, où je suis saisie par le mal de mer, Billy, et en même temps par une extraordinaire exaltation. J'ai envie de courir vers un lieu joyeux, bruyant, féroce! Un café où tout le monde parle fort. J'ai envie de boire du chocolat, quand je suis de cette humeur, je deviens sentimentale, et si je bois du schnaps ou du whiskey, je deviens querelleuse. Et je finis par me retrouver à l'écart et à me complaire dans la solitude. »

Ce fut dans un café à la mode sur le Kurfürstendamm, le genre d'endroit qu'en général elle évitait, qu'elle fit la rencontre d'Anna von Rabou, laquelle se trouvait à la table d'une jeune fille que Karin avait connue à Lausanne, Marie-Therese von Zeiten.

Au lycée, Zeiten, la cadette d'un général prussien, s'était déclarée communiste. Anna Rabou et elle étaient cousines, mais c'était leur seul lien. Elles n'étaient en tout cas pas proches politiquement, et Anna avait quinze ans de plus.

Il faisait frais en terrasse. Marie Zeiten avait une écharpe en fourrure autour du cou. Elle invita Karin à se joindre à elles. Anna von Rabou lui offrit une cigarette anglaise et lui commanda un chocolat chaud. Anna était une de ces personnes qui captent sans effort le regard des garçons de café.

Pendant qu'elles buvaient leur chocolat et fumaient leurs cigarettes – en ce temps-là, pour des femmes de leur milieu, une conduite anticonformiste, à plus forte raison dans un lieu public – vint à passer sur le Kurfürstendamm un défilé des Reichsbanner : des anciens combattants en uniforme remontant le boulevard le plus bourgeois de la ville.

La Reichsbanner était une des nombreuses organisations paramilitaires en activité, celle-là favorable à la social-démocratie. Une guerre de rue l'opposait aux communistes, aux militants d'extrême droite du Stahlhelm et aux SA du parti national-socialiste. Dans les rangs des anciens combattants, ce jour-là, on comptait plus d'une vingtaine de blessés de guerre, aveugles ou infirmes. Karin fut outrée de voir les clients du café tourner le dos à la rue, ces gens qui ne manquaient de rien refusaient de regarder les hommes qui défilaient. « Mais pourquoi ? Ils ont été des héros, aujourd'hui ils ont faim. Pourquoi se détourner de la vérité ? À quoi ça sert ?

— Qu'est-ce que c'est que la vérité, mademoiselle Weinbrenner ? » demanda Anna.

Karin fut étonnée par l'intensité du regard d'Anna. Il lui semblait qu'elle sondait ses pensées.

« Vous êtes des nôtres ? » continua Anna.

Karin éclata de rire. « Je ne sais pas ce que vous voulez dire, il vaudrait mieux m'expliquer d'abord, si vous voulez une réponse.

— Êtes-vous une travailleuse ou une parasite, mademoiselle Weinbrenner ? Votre activité produit-elle de quoi nourrir l'âme de l'humanité ou êtes-vous juste une de ces jeunes femmes dont la vie dissolue s'étale dans les pages de *Tempo* ?

— Je vois, eh bien, je vais y réfléchir. » Karin était troublée, agacée, mais aussi intriguée. Elle n'avait pas l'habitude d'être mise à l'épreuve. « Je vous le ferai savoir. »

Anna avait des yeux gris. Elle n'était pas jolie, mais elle avait un charme provocant. Elle avait grandi dans le domaine familial de la marche de Brandebourg où elle chassait à courre le sanglier sur de grands chevaux. Son père était mort d'une crise cardiaque le premier jour de la guerre de 1914. Comme beaucoup de Prussiennes, elle s'était éduquée elle-même, mais elle lisait dans le texte le grec et le latin. Elle avait nagé nue dans le lac de Constance avec la poétesse américaine Edna Saint-Vincent Millay. Elle fumait, beaucoup, toujours des cigarettes anglaises, des Senior Service, et buvait son café arrosé de whiskey, même au petit-déjeuner. Avachie sur sa chaise, elle dévisagea Karin à travers un voile de fumée, d'une manière languide, sinon impudente, à vrai dire, conformément à l'usage des femmes de sa classe sociale. Quand elle le voulait, Anna pouvait se mouvoir avec l'élégance d'une panthère, et Karin m'affirma qu'elle montait encore mieux à cheval que Lady Maire.

« Dites-moi quelque chose de vrai, mademoiselle Weinbrenner. »

Sur le moment, ce qui s'approchait le plus d'une quelconque vérité dans l'esprit de Karin, c'étaient les scènes dont elle avait été témoin à Walden pendant la guerre. En dépit de son jeune âge, elle ne les avait jamais oubliées, et jamais confiées non plus à personne.

Karin raconta à Anna quand de jeunes officiers attendant d'être renvoyés sur le front avaient ôté leur tunique grise et leur chemise pour prendre un bain de soleil sur la pelouse de Walden. Des rangées de corps blancs scintillant sur l'herbe verte, comme des truites fraîchement sorties de l'eau vive. Elle parla du cavalier manchot qui essayait en vain d'enfourcher son cheval et fondait en larmes. Le retour à l'improviste du baron au milieu de la nuit, au milieu de la guerre, la main bandée maculée de sang marron, des croûtes de sang sur son uniforme, dégageant une odeur horrible. Elle décrivit une course en fauteuils roulants organisée par les sœurs soignantes, et le jeune officier en pleurs se tapant la tête contre la pelouse parce qu'il avait perdu.

Lorsque Karin se tut, Anna se pencha vers elle et prit dans la sienne sa main gantée qu'elle embrassa. Un geste inhabituel – bizarre – entre femmes, surtout de la part d'une héritière de l'aristocratie prussienne comme Anna von Rabou. « Merci, mademoiselle Weinbrenner, pour ces présents, ces magnifiques, ces terribles, ces douloureux présents de la guerre. »

Par la suite, Karin l'avait vue inciter d'autres qu'elle à lui livrer les pépites engrangées dans leur mémoire. Elle finit par comprendre que c'était ainsi que l'écrivaine Anna Rabou opérait. Lassée des anecdotes, elle ne s'intéressait qu'aux fragments, aux échardes pointues du souvenir : détails matériels, textures, lumière, odeurs. Elle s'intéressait, chez les gens avec qui elle s'entretenait, à leur capacité de se remémorer, et non à celle de réfléchir. Elle ne cherchait pas des souvenirs déjà articulés, et donc pourvus de sens. Elle recueillait des instantanés rudimentaires d'une scène et non la *mise en scène** de ce qui était arrivé. Anna enregistrait des impressions sensorielles élémentaires, puis les rendait sous forme de dialogue afin de les contenir dans une structure dramatique, ce qui lui permettait de les implanter dans ses propres romans, pièces de théâtre et scénarios.

Elle était mariée à Fred Scheps, le réalisateur le plus célèbre d'Allemagne. Ils étaient un des points de mire des gazettes illustrées de l'époque : le couple le plus glamour de Berlin. Rabou devait sa renommée à ses romans et écrivait depuis peu des scénarios pour « le parlant », à la demande des studios de l'Universum Film AG à Neubabelsberg, le plus grand quartier de Potsdam, à la porte de Berlin. La célèbre UFA.

Même dans ses balbutiements, on voyait bien que le cinéma parlant était davantage qu'un progrès technique, davantage qu'un mélange de lumière et de signaux électromagnétiques impressionnant des rouleaux de pellicule revêtue d'une émulsion chimique. Le parlant possédait le pouvoir de la magie, ou du rêve.

Personne en dehors de l'industrie ne savait grand-chose de la façon dont se fabriquait un film. Le jour où Karin avoua qu'elle n'avait pas la moindre idée de comment avait été fait *Westfront 1918*, ni de quoi il était fait, Anna insista pour qu'elle vienne à Neubabelsberg et voie de ses propres yeux.

« Le cinéma n'est pas de la prestidigitation, mademoiselle Weinbrenner. C'est comme faire une automobile, ou un soufflé. Des gens compétents travaillent dur ensemble, chacun dans sa spécialité. On a d'abord une image, c'est vrai, née du cerveau du scénariste, mais ça, c'est comme dire qu'un soufflé sort de l'œuf d'une poule. Au final, c'est ce qui se passe, et alors ? Cuisiner, c'est quand même autre chose que pondre. Mais venez, mademoiselle Weinbrenner, vous constaterez vous-même. Prenez le S-Bahn jusqu'à Neubabelsberg, ou une auto si vous en avez une à votre disposition. Je vous invite à déjeuner, vous serez notre soleil. Vous viendrez ? Vous devez me donner votre parole d'honneur. »

D'après les photos que j'ai pu voir, Rabou à cette époque suivait une mode vestimentaire qui lui était propre : robes à la coupe stricte, écharpes javanaises, casque en feutre. Tout dans son habillement tournait autour de la ligne et de la forme. La seule fois où je l'ai rencontrée, elle m'a paru austère et élégante avec quelque chose d'antique – même si, à mon avis, personne dans l'Antiquité, ni dans aucune autre période de l'histoire, ne s'était jamais habillé ainsi.

Plus tard, après la prise du pouvoir par les nazis, elle posa en culotte d'équitation et bottes anglaises, cigarette entre les doigts, et dans l'autre main une cravache.

Le défilé des Reichsbanner une fois passé, la circulation reprit normalement sur le boulevard, et bientôt une grosse Mercedes bleue se gara le long du trottoir, le chauffeur jouant impatiemment du klaxon. Karin reconnut Fred Scheps à sa chevelure argent.

(Encore un qui était tombé sous le charme du *llano*. Scheps écolier avait lu *Winnetou* à Vienne.)

Anna embrassa sa cousine Zeiten, puis serra la main de Karin et lui fit jurer de venir aux studios le lendemain. Karin fut la première étonnée de s'entendre promettre qu'elle pouvait compter sur sa visite.

———

Pour l'UFA, l'avant-dernier film muet de Fred Scheps, *Urbanos*, avec ses milliers de figurants et ses vedettes au jeu mélodramatique désormais suranné, avait été un gouffre. L'ancien studio du muet à Tempelhof avait été abandonné et la société de production avait migré aux studios Babelsberg, où elle avait fait construire quatre immenses studios à la qualité acoustique exceptionnelle, distribués selon un plan en croix dans un même bâtiment, la Tonkreuz – la croix du son –, devenu le symbole du cinéma allemand.

En débarquant dans les studios, Karin découvrit avec consternation qu'Anna Rabou lui avait organisé une audition. Karin n'avait pas la moindre envie de jouer la comédie, en outre sa beauté n'avait rien de cinégénique, du moins pour le cinéma de cette époque. Mais sur le plateau, ce jour-là, elle fit la connaissance d'un tas de personnes passionnées par leur métier – des menuisiers, des costumiers, des acteurs –, collaborant dans un but commun. L'atmosphère de ruche était exaltante. Après avoir mené depuis des semaines une existence monacale au milieu du délire berlinois, elle était prête à se plonger dans l'action et à vivre avec les autres. Elle voulait apprendre, développer ses talents d'écrivain.

Une des premières initiatives d'Anna Rabou avait été de mettre en place une cantine. On n'était pas bien payé à l'UFA, mais la nourriture saine et succulente qu'on y servait était un des petits privilèges. Elle se mettait quelquefois elle-même aux fourneaux et cuisait d'énormes miches de pain de seigle, ou préparait la soupe aux poireaux, ou encore le ragoût aux lentilles, dont elle avait le secret. Tout le monde au studio – producteurs, réalisateurs, techniciens, stars, figurants – mangeait à la cantine d'Anna. Personne n'avait faim, et tous étaient traités sur un pied d'égalité. Elle prêtait de l'argent à des tas de gens sans s'attendre à être remboursée.

Et tout le monde à l'UFA se réjouissait de voir Anna Rabou distribuer sa bonne soupe et discuter avec le producteur de la dernière mouture d'un scénario, en veillant à ce que les acteurs et l'équipe de tournage – tous ceux qui avaient leur mot à dire – participent à la discussion. Anna croyait follement à la technologie allemande en matière d'optique et de systèmes sonores, de procédés chimiques. Elle pensait que de nouveaux chemins s'ouvraient à l'art. Elle était persuadée que le succès d'un film s'apparentait à celui de l'opéra germanique, en particulier l'œuvre de Wagner, où d'absurdes féeries deviennent par la majesté de la narration un monde transcendant, intime, humain, bouleversant.

Quand Anna lui proposa de devenir sa secrétaire, une fois encore Karin se surprit elle-même en acceptant. Elle était attirée par l'énergie, la détermination, l'effervescence de la vie de studio. À ses périodes de silence et de retrait succédaient presque toujours des périodes de grande activité, de sociabilité, de rencontres. Plus tard dans la même décennie, nos week-ends intégrèrent ces polarités : le jour, tout était tranquille, calme, nous lisions souvent au lit, mais la nuit nous sillonnions la ville électrique, la ville-néon, le Berlin des cabarets, à bord de trams et de trains qui nous emmenaient parfois vers de lointaines banlieues, où nous dansions jusqu'à l'aube au son rauque du jazz de Kansas City.

Avant le parlant, les scénarios se présentaient comme une liste de scènes et de lieux de tournage, agrémentée de brèves descriptions de personnages et, à la rigueur, de quelques lignes de dialogue à imprimer sur des cartons. Mais désormais le cinéma exigeait des phrases qui sonnaient bien, et de manière naturelle, dans la bouche des acteurs. Anna Rabou avait été une pionnière du dialogue « juste », écrit pour que les acteurs se fassent entendre d'un vaste public.

Les premiers jours, Karin s'était contentée de dactylographier les feuilles d'Anna sur la machine à écrire du studio au ruban tricolore : rouge pour les mouvements de caméra, noir pour l'action, bleu pour les dialogues. Lorsque Anna bloquait sur un problème de structure, elles en discutaient ensemble et jouaient elles-mêmes les personnages dans le bureau de Rabou afin de mieux stimuler leur créativité. Elles s'amusaient énormément.

Ce fut à cette époque que Karin commença à tenir son cahier *Arten von Licht*, qui a survécu. *Variétés de lumières*. Parfois elle s'imagine qu'elle est une caméra et décrit les différentes sortes de lumières, la seule chose que cet appareil voit quand il regarde autour de lui. Elle se servait d'un autre cahier pour pratiquer son anglais écrit. Elle y recopiait aussi des extraits des nombreux ouvrages qu'elle lisait sur *el llano*.

Les studios de l'UFA étaient une véritable usine à films. Anna Rabou ne suffisait pas à la tâche et, deux semaines après son arrivée, Karin écrivait déjà ses propres dialogues pour des scènes tournées parfois le lendemain. Ces films étaient en majorité des drames en costume dont l'action était située dans des palais royaux des XVIIIe et XIXe siècles, un genre inexplicablement populaire en ces débuts du parlant. Ils ne devaient pas devenir des classiques du cinéma, mais elle était une jeune femme apprenant un nouveau langage, et elle apprenait vite.

Karin entamait une carrière. Moi, pendant ce temps, j'étais toujours sans travail.

J'avais excellé dans mes études. J'avais mon *Abitur*[1], mais je ne voyais pas comment mes parents allaient pouvoir subvenir à mes besoins pendant trois ou quatre années de plus pour que je fasse mon droit. De toute façon, je ne souhaitais pas devenir avocat.

À Francfort, le moment n'était pas propice pour ceux qui cherchaient du travail. Chaque semaine, des milliers de personnes perdaient leur emploi. J'avais proposé mes

---

1. Équivalent du baccalauréat [NDT].

services à des dizaines d'entreprises, pas une ne m'avait même accordé un entretien.

À cette époque, nous avions la radio et il y avait une émission de jazz tard dans la nuit. La musique de la vitesse, la musique des rêves. C'est dans ma chambre de Newport que j'ai entendu pour la première fois Louis Armstrong. Le swing apparaissait tout juste, et les mélodies populaires nous parvenaient presque toutes des shows de Broadway. J'écoutais étendu sur mon lit Hoagy Carmichael chanter *Georgia on My Mind*, avec Bix Beiderbecke au cornet. Je passais des journées entières dans une sorte de vide où je me sentais immobilisé, figé, coincé, sans ressource. La nuit, le jazz brisait ma solitude et la rendait presque inspirante. La musique, ma planche de salut.

Je continuais à pointer deux après-midi par semaine au cabinet Kaufman, où je traduisais des documents concernant des batailles légales interminables avec le gouvernement de Sa Majesté, à propos de biens confisqués au baron en 1914, dont le yacht *Hermione II* et sa maison de Sanssouci. J'étais payé une misère. Kaufman était en fait convaincu que j'aurais dû travailler gratuitement et le remercier en plus pour l'expérience acquise.

Excédé par ma passivité, mon père finit par aller demander conseil à Hermann Weinbrenner. Le lendemain, je fus convoqué dans la bibliothèque où je trouvai le petit baron, brun comme une noix, assis à son splendide bureau naval.

« *Ach so*, mon cher Billy ! Entre ! Entre ! »

Il me fit un sourire lumineux. J'étais tiré à quatre épingles et propre comme un sou neuf – mon père y avait veillé : rien n'échappait à l'œil du baron. Il était sans cesse en train d'absorber de nouvelles informations, de mettre à jour ses idées et ses opinions – il avait une opinion sur tout.

« Bon, mon cher Billy, j'ai des nouvelles pour toi. Tu as rendez-vous avec le Dr Ziegler au département Traduction d'IG Farben. Au fait, c'est un beau costume que tu as là. Tu es aussi élégant que ton père, ça fait plaisir à voir. Tout à fait le gentleman anglais. Tu as sûrement beaucoup de succès auprès des dames.

— Je… pas vraiment, non. »

Mon histoire avec Heidi, la plus jeune secrétaire du cabinet Kaufman, avait culminé dans un bref échange de baisers au cinéma, quand je l'avais emmenée voir Gary Cooper dans *The Texan* où il joue le Kid du Llano, un jeune hors-la-loi dont la tête est mise à prix. J'avais passé un samedi pluvieux dans une ferme boueuse du Taunus à présenter mes respects à ses parents. Après un copieux repas, j'avais persuadé Heidi de faire une balade dans les bois. Elle m'avait confié que sa mère ne me trouvait « pas très fort ».

« Qu'est-ce qu'elle veut dire par là ?

— Elle dit que tu n'es peut-être pas capable de faire un travail d'homme.

— C'est ridicule.

— Elle parle d'un travail à la ferme. Tes os ne sont pas assez lourds. »

De toute évidence, l'opinion de ses parents comptait aux yeux de Heidi. Peu après, elle quitta le cabinet Kaufman pour épouser un jeune éleveur de porcs de son village. La nouvelle secrétaire, Frau Fleck, était une femme plus âgée qui me prenait, à tort, pour un garçon gâté, oisif et riche. J'étais gâté et oisif, mais pas riche.

« Nous autres Allemands, Billy, nous cultivons notre sentiment d'appartenance ! »

Le baron se leva d'un bond et contourna son énorme bureau. Maigre et nerveux, débordant d'énergie et de vitalité, le père de Karin n'avait pourtant rien d'impétueux, étant d'un tempérament trop modéré et raisonnable pour cela. Mais je ne l'ai jamais vu insouciant ou détendu : cet homme ne tenait pas en place.

Il portait un polo en jersey à rayures vertes et bleues et une culotte d'équitation. Une courte barbe à la Van Dyck. Ses yeux bruns luisaient d'intelligence et il était, je crois, sur ses gardes. L'animal auquel il ressemblait le plus était le renard : malin, rusé, agile.

«Billy!» Il leva vers moi un sourire.

J'avais quelque vingt centimètres de plus que lui. Sans doute n'avais-je jusqu'à ce moment jamais été pour lui une vraie personne, juste un garçon du domaine, même si j'étais son filleul et si nous avions le même prénom.

«En août 1914, Billy, les uhlans formaient le meilleur corps d'armée… du monde entier. Sais-tu quelle qualité ils possédaient avant tout?

— Le courage?

— La loyauté! Un uhlan était prêt à mourir pour sauver l'honneur du régiment. On ne peut pas demander plus à un homme. Billy, je suis ravi de t'avoir organisé cet entretien avec le Dr Anton Ziegler. Mais tu devras te faire une place grâce à ton mérite, il ne va pas t'embaucher juste parce que je lui ai parlé de toi. IG Farben ne va pas engager n'importe quel crétin sous prétexte que l'un de ses directeurs est le parrain dudit crétin. Je ne dis pas que tu l'es, un crétin, comprends-moi bien. Mais es-tu fait pour les affaires, comment pourrais-je le savoir? Je suis persuadé que tu as un caractère en or, comme ton père, mais as-tu aussi son énergie? Bref : il va falloir que tu te tiennes sur tes deux jambes. C'est à toi de convaincre Anton Ziegler que tu as l'étoffe d'un employé d'IG.

— Merci, monsieur, je ferai de mon mieux.

— Billy! Ce que je cherche à dire, c'est que tout homme souhaitant entrer dans une organisation, que ce soit un ordre religieux, un régiment ou une entreprise, doit être disposé à offrir une loyauté inconditionnelle. Toute association d'êtres humains inapte à susciter ce degré de loyauté est invalide, pathétique. Et un homme qui ne se sent pas appartenir à quelque chose de plus grand que lui finit un jour ou l'autre par baisser les bras. Il succombe. On le voit bien autour de nous, des millions d'hommes sans travail et, finalement, sans espoir. Si tu t'engages, tu as intérêt à croire que tu œuvres à un bien supérieur, ou tu ne trouveras jamais la force de faire les sacrifices requis. En un mot, tu dois être prêt à saigner. C'était ça, l'esprit uhlan en août 1914. Ils n'étaient ni les meilleurs cavaliers ni des conscrits de premier choix; ce qui a fait leur grandeur, c'est leur indestructible loyauté. »

J'avais entendu mon père dire que, des uhlans de 1914, il n'en restait plus un seul en vie à Noël, mais je tins ma langue.

« Merci, monsieur.

— Bonne chance, Billy! » Son accolade fut vigoureuse et rapide. « J'aurais préféré que tu gardes le bon vieux prénom allemand de Hermann plutôt que ce Billy anglais! »

———— • ————

Le lendemain, je me rendis en tram à l'usine IG Farben à Hoechst, où je fus reçu par le Dr Ziegler, lequel portait une chemise à col mou et un costume marron de chez Brooks Brothers, une tenue très décontractée pour un homme d'affaires allemand. Il venait de rentrer d'un séjour de quatre ans dans une succursale des bords de l'Hudson, dans le nord de l'État de New York.

« Je n'engage que des gens ayant fait d'excellentes études, déclara le Dr Ziegler. Sans expérience de la vie de bureau, donc sans mauvaises habitudes. Si je vous embauche, vous serez sur mon "escadron volant", la plupart du temps basé au siège mais susceptible de voyager en cas de besoin. Certains textes à traduire sont très techniques. Vous n'avez pas fait beaucoup de chimie organique, il faudra que vous suiviez quelques cours. En outre, nous rédigeons et traduisons les discours des directeurs et des signataires et nous préparons des notes synthétiques sur les stratégies de développement à l'étranger. Vous avez des opinions politiques, Billy Lange ?

— Eh bien…

— Un libéral anglais, n'est-ce pas ? Je m'en fiche. Gardez vos opinions pour vous, voilà tout. Croyez-moi ou non, on a des nazis et des communistes qui travaillent dans le même bureau. Nous sommes une entreprise, rien d'autre. Vous comprenez ?

— Tout à fait.

— Alors, pas de brassards colorés. Pas d'insigne sur le col, pas de casquette d'ouvrier, ni aucun uniforme. Pas de journal partisan sur votre table. La lecture du *Times* de Londres est requise. Le *Manchester Guardian* peut passer. Le *Daily Worker*, absolument pas. Si vous appartenez à un parti politique, ici ou en Angleterre, je vous conseille d'arrêter les frais.

— Je ne suis d'aucun parti.

— Excellent. » Il me tendit un exemplaire du *Journal of Industrial and Engineering Chemistry*, avec un marque-page à un article. «Allez vous asseoir à une place libre et traduisez-moi ça. Sans faute, s'il vous plaît. »

Ce n'était pas commode, mais pas aussi dur que les atermoiements et le jargon juridique dont j'avais l'habitude au cabinet Kaufman. La traduction ne m'en prit pas moins presque toute la journée. Le Dr Ziegler évalua mon travail alors que je me tenais debout devant son bureau. Finalement, il hocha la tête et me dit que je serais embauché dans la catégorie «commis commercial», à l'essai, avec un salaire de quatre-vingts marks. À l'époque, dans les vingt dollars, une somme tout à fait convenable pour un jeune homme.

Mes parents étaient fous de joie.

Nos bureaux déménageaient de l'usine de Hoechst au siège flambant neuf d'IG dans le quartier du Westend, le plus grand immeuble de bureaux d'Europe, du jamais vu dans la vieille ville médiévale somnolente de Francfort. Weinbrenner avait appartenu au comité à qui on devait le choix du site et de l'architecte. Ce bâtiment était censé être le fleuron d'acier et de béton de la force commerciale et scientifique allemande, et il l'était effectivement. Le siège était ancré dans le présent et l'avenir, il n'avait plus rien à voir avec le passé désastreux, ce qui était logique pour un pays dont les cauchemars puaient la boue des tranchées et le gaz moutarde. L'immeuble respirait l'audace et l'énergie, un nouveau départ pour l'Allemagne. L'architecture intérieure présentait les lignes épurées du Streamline, avec des murs recouverts de beaux panneaux de bois et au sol de la moquette qui absorbait les sons. Une douzaine d'ascenseurs paternoster montaient et descendaient en silence et en continu, à la façon de courroies de transmission, transportant chacun une cabine de la taille d'une cabine téléphonique, que l'on prenait en marche.

Le matin, c'était chaque fois un plaisir renouvelé de pointer.

Depuis le début de la crise économique mondiale, IG Farben avait réduit les effectifs, de sorte que mes nouveaux collègues étaient étonnés, et agacés, de me voir débarquer. Ils étaient inquiets pour leur propre carrière – qu'est-ce qui avait pris au Dr Ziegler d'embaucher un jeune Anglais? À IG, tout le monde était inquiet, tout le temps. L'anxiété était un moteur. Sans cesse sur le qui-vive, nous étions tendus, en compétition les uns avec les autres. Chaque coin du plus grand immeuble de bureaux d'Europe était peuplé de jeunes gens brillants. Celui qui n'était ni brillant ni disposé à travailler comme une brute, celui-là était viré. Et tous ceux qui se retrouvaient ainsi sur le carreau pouvaient être presque sûrs de ne jamais retrouver un emploi. À cette époque, on se suicidait beaucoup à Francfort. Si votre travail était satisfaisant, on vous donnait plus de responsabilités, avec moins de supervision. Votre salaire était augmenté régulièrement sans qu'on vous en parle. Lorsque vous constatiez qu'on avait cessé de vous augmenter, là vous deviez commencer à vous faire du mauvais sang.

Le seul type à avoir pris le temps de m'initier à la vie de l'entreprise fut Günter Krebs, mon ancien camarade de classe. Je n'avais pas oublié combien il avait été un élève brutal à la *Grundschule*, mais il me présenta à tous les employés de notre département, des cadres supérieurs aux secrétaires. Les autres se montraient horriblement grossiers avec les femmes, mais comme Günter les traitait avec respect, il avait la cote. Sa mère avait été secrétaire, me confia-t-il.

Il m'invita à sa table pour le déjeuner. Lorsque je lâchai au détour de la conversation que le *Paris Herald Tribune* était mon journal préféré, il se borna à hocher la tête et me fit observer qu'il était judicieux d'entretenir mon anglais en lisant la presse américaine. Il était bien vu dans le département Traduction de lire les journaux à son bureau, m'informa-t-il, du moment que c'étaient des journaux corrects. «Pas des torchons, tu vois, comme le *Daily Mirror,* mais le *Times* ou ton *Herald Tribune.*»

Günter me signala que le Dr Ziegler voulait voir des bureaux bien rangés à la fin de la journée. «Si tu es sur un dossier, tu as intérêt à le terminer avant de songer à rentrer chez toi. Sois prêt à y passer la nuit s'il le faut. On a tous eu notre part. Ziegler… un type malin, c'est sûr. Docteur en chimie de Fribourg. Ici, c'est l'intelligence qui prime. L'erreur n'est pas tolérée. C'est bien, ça maintient la pression, ça nous empêche de nous endormir. Le Dr Ziegler peut se conduire comme un ours, mais il veille sur ses troupes. Si tu supportes le rythme, qui sait, ton prochain poste pourrait bien être outre-Atlantique. Je suis allé à Varsovie avec le patron le mois dernier. On a fait quelques sacrément bons dîners, sur les notes de frais, bien entendu. Il raffole des "Side-Car" – cognac, Cointreau, jus de citron, un tas de glaçons. Pas mauvais.»

Tous les autres employés du département Traduction se montraient distants, par principe, puisqu'il fallait systématiquement détester les «nouveaux». Même mon autre ancien camarade de classe, Robert Brizewitz, me battit froid au début, alors qu'il avait appartenu à ma première tribu apache, dans les bois de Walden.

Krebs m'invita à voir le dernier Gary Cooper qui se jouait à l'Harmonie, à Sachsenhausen, de l'autre côté du

Main. En chemin pour prendre le tram, il me demanda si mon père avait combattu pendant la guerre. Le sien, avocat dans le civil, l'avait passée à « pousser le crayon », autrement dit à rédiger des contrats entre l'armée et ses fournisseurs. « Mon vieux n'a jamais été blessé. Cinq ans sous les drapeaux et pas une égratignure.

— Il a eu de la chance.

— Tu trouves ? Je n'en suis pas si sûr. Une blessure honorable, ça peut vous lancer dans la vie. »

La mère de Günter était française. Il admit qu'il avait parlé français avant de parler allemand. Il éclata de rire en disant que, pendant la guerre, les garçons de la rue le traitaient de *Parlewuh* et de *Froschschenkelfresser*, des mots d'argot que leurs pères rapportaient du front.

« Je ne leur reproche rien, en fait. Un gamin, ça rejette ce qu'il ne connaît pas déjà. C'est naturel. Et ces Français qui ont défilé ici après l'armistice, les Noirs ? Quelle honte. La paix "dans l'honneur", tu parles. Ils nous ont mis le nez dans notre merde, plutôt. Écoute, vieux frère, on devrait faire une randonnée ce week-end. Au département, il y en a pas mal qui font de l'aviron, ou font semblant d'en faire, bien qu'on n'ait pas l'esprit randonneur. Mais moi, tu sais, moi qui ai grandi dans cette sale ville, quand je marche dans la montagne avec mon sac à dos, j'ai vraiment l'impression d'être un Allemand. »

En dépit de sa haute taille, il avait une silhouette en forme de poire. Un physique ingrat. Il n'était pas laid, mais pas beau non plus. Ses cheveux plats étaient d'un blond terne, son menton, fuyant. Il marchait comme… un canard. Il pouvait avoir l'air hautain et méprisant, mais il y avait aussi en lui quelque chose d'amical, le désir de communiquer avec ses semblables.

En route pour le cinéma, nous passâmes devant le magasin BMW. Je lui désignai deux motocyclettes et évoquai ma vieille ambition de traverser El Llano Estacado à moto.

« Il existe pour de vrai ? Il était sidéré. Karl May ne l'a pas inventé ?

— Non, *el llano* existe bel et bien. Tu n'as qu'à vérifier dans un bon atlas.

— Eh bien, dis-moi, mon ami Billy. » Il me flanqua une tape sur l'épaule. « Je trouve que c'est un magnifique projet que tu as là. Je suis tout pour. Tu dois t'y tenir. Achète-toi ta moto et traverse comme une flèche El Llano Estacado. Comme Old Shatterhand serait content !

— Cela m'étonnerait. Je ne vois pas comment. Je ne suis pas près d'abandonner ma place.

— Lorsque les autres gamins me traitaient de bouffeur de grenouilles, je rentrais à la maison, je m'installais bien confortablement et je lisais Karl May. Je m'imaginais arpentant *el llano* mais je n'aurais jamais pensé qu'il y avait un endroit tel que celui-là, alors je n'ai jamais eu l'idée de vérifier. Et maintenant tu me dis que si… C'est merveilleux. J'espère que tu y arriveras, mon vieux. Tu n'oublieras pas de m'envoyer une carte postale ?

— Tu peux compter là-dessus. »

Le film avec Gary Cooper projeté à l'Harmonie était *Les carrefours de la ville*, doublé en allemand. Sylvia Sidney tenait la vedette féminine. En sortant de la salle, Krebs voulut absolument que nous entrions dans une vieille taverne historique dont il prétendait connaître le propriétaire. Il commanda pour nous deux du porc braisé – pas mauvais du tout. Nous étions à notre deuxième cruche d'Apfelwein quand il sortit sa carte de membre du parti national-socialiste. « Je devrais porter notre insigne sur ma veste, mais je me ferais mal voir au bureau. C'est honteux d'ailleurs. Le Dr Ziegler est resté trop longtemps aux États-Unis. Il est déconnecté de la crise morale de l'Allemagne. »

Je m'étonnais qu'un employé d'IG Farben, aimable et aux manières bon enfant, même s'il était un peu bizarre, soit inscrit au parti national-socialiste. Mais je préférais ne pas en discuter avec Krebs et lui demandai plutôt :

« Qu'est-ce que tu as pensé du film ?

— Pourquoi admires-tu Gary Cooper, Billy ? Personnellement, j'ai trouvé ce film assez répugnant.

— C'est vrai ?

— Absolument. Un jeune homme honnête dévoyé par son horrible petite amie juive et son père qui est un criminel. Pourtant, le jeune homme est présenté comme un héros… parce qu'il est loyal envers elle ? En réalité, c'est un gibier de potence de la pire espèce.

— Sylvia Sidney ? Comment sais-tu qu'elle est juive ?

— Allons, allons, ne me dis pas que tu ne sens pas qu'elle est juive.

— Dans un film ?

— Il n'y a qu'à regarder son nez.

— Je la trouve belle.

— C'est comme ça qu'elles font.

— Qui ?

— Ce type de Juives séductrices. Vavavoom ! Tu vois… le personnage qu'incarne ton Cooper, le Kid… il est aryen, ça ne fait pas un pli. Le Kid aurait peut-être même la possibilité de contribuer au bien commun. Au lieu de quoi il choisit de rester fidèle à cette horrible Juive. Et le film fait de lui un héros à cause de ça ? Non. Non. C'est scandaleux.

Le plus dégoûtant à Hollywood, qui est dirigé par des Juifs, c'est que Cooper lui-même, la personne je veux dire, incarne le parfait Aryen. Il correspond à l'idéal de notre type racial. Et pourtant, chez ces corniauds, là-bas à Hollywood, il est obligé de jouer les porcs, plus bas que le porc même. J'aimerais que nous ayons plus d'hommes comme le vrai Gary Cooper chez nous, en Allemagne, ici à l'IG, et moins de petits youpins polacks. J'en ai parfois le cœur qui se soulève dès mon réveil, rien que de penser à l'odeur de ce Kracauer. Cette eau de Cologne dont ils s'arrosent, ça empeste. Je ne comprends pas comment Ziegler supporte ça. Ah, mais que voilà un excellent cidre, Billy… prends-en encore un peu. Le meilleur Apfelwein du monde se boit chez nous, à Francfort. Personne d'autre n'en fabrique d'aussi *pur* que nous autres *Hessen.* »

Nous parlions allemand. Günter maîtrisait bien le français à cause de sa mère, mais son anglais n'était pas du tout au point.

Il pencha la cruche de grès au-dessus de mon verre pour le remplir. Je trouvais son antisémitisme gênant, de mauvais goût et avec ça dépassé, pas du tout dans la note moderne et progressiste du siège d'IG Farben. Je me dis qu'il serait sans doute gêné lui-même demain matin en se réveillant avec un mal de crâne. Je préférai attribuer ses élucubrations à l'abus de cidre.

Après que nous nous fûmes dit bonsoir, je le regardai s'éloigner hâtivement pour attraper son tram. Il courait sans grâce, une espèce de galop désarticulé plutôt qu'un sprint. Il paraissait empêtré dans les mouvements désordonnés de ses bras et de ses jambes, au point que je crus un instant qu'il allait s'étaler. Mais il parvint, tout juste, à sauter sur le marchepied du tram, et il se retourna pour m'adresser de grands signes enthousiastes. Il habitait, si mes souvenirs sont bons, avec sa mère dans un appartement très loin sur la Bockenheimer Landstraße.

———

Je commençai par gérer la correspondance avec les filiales d'IG en Grande-Bretagne, au Canada, en Australie, aux États-Unis. Pour ce qui était des teintures, peintures, matières synthétiques, produits pharmaceutiques, carburants et engrais, nous en détenions les brevets, nous avions développé des procédés à la pointe du progrès et nous étions dans ces domaines les leaders mondiaux. Cela m'amusait d'être la voix anglaise d'une pareille puissance.

Mon père lisait toujours le *Frankfurter Zeitung* et le *Vossische Zeitung*, une presse qui accordait aussi peu d'attention que possible aux partis radicaux, mais comme tout le monde nous avions la radio, et nous savions qui étaient les nazis. Les «chemises brunes» défilaient chaque semaine à Francfort, mais, galvanisé par la nouveauté de mon travail à IG Farben, j'y prêtais peu attention. Mes cartes routières de chez Conoco inc. étaient toujours épinglées sur le mur de ma chambre à Newport, mais elles étaient devenues invisibles. Ça ne m'intéressait plus.

Mes premiers mois à IG eurent raison de ma dépression, si c'était de cela que je souffrais, mais cette période de vide intérieur avait laissé sa marque. J'avais eu une forme d'accès de la «maladie des barbelés», j'avais goûté au rien, au néant. À présent, une situation, une carrière qui s'ouvrait devant soi, ne revêtaient plus le même sens qu'avant. Je suppose que certains diraient que j'avais grandi.

1938

Dès que les sauvages furent repartis à toute vitesse dans leur camion de bière volé, Karin téléphona à mon père à l'hôtel de Bad Homburg. Je n'avais pas le téléphone dans mon appartement. Buck était de service à la réception, où il lisait la biographie de Walther Rathenau par Kessler. Il se fit remplacer et réveilla ma mère. En chemin pour Walden, ils s'arrêtèrent chez moi. Mon père tambourina à ma porte, et quand je lui ouvris, ma logeuse se tenait derrière lui – je me rappelle qu'elle se tordait les mains. Buck refusa d'en dire plus en sa présence, seulement « on a besoin de nous de l'autre côté du Main ».

Je m'habillai et me dépêchai de rejoindre mes parents qui m'attendaient dans un taxi. Je reconnus leur chauffeur, un jeune homme du nom d'Otto Stahl, un ancien entraîneur de Walden – une figure toute plissée, un peu comme celle d'un singe, avec une éternelle cigarette roulée au coin des lèvres.

« En selle, mon vieux lascar ! » s'écria Otto. Il avait l'accent de Cologne – c'était un démerdard, un monsieur je-sais-tout, un dur à cuire. « Apache sur sentier de la guerre ! Tout le monde au paddock. En selle et au galop ! »

Alors que nous parcourions à vive allure les rues désertes, mon père m'annonça que le baron avait été tabassé et laissé pour mort. Karin n'avait rien physiquement, mais était sans doute en état de choc.

Tout en digérant cette nouvelle, je regardai par la fenêtre. Dans la lumière *gemütlich*[1] des vieux réverbères de Francfort, il n'y avait pas grand-chose à voir. Le dernier pogrom en

---

1. Chaleureuse, agréable [NDT].

date était clos, apparemment. Les pompiers avaient éteint les incendies, les vandales s'enivraient au cidre dans les tavernes douillettes ou ronflaient dans leur lit, quelques dizaines de Juifs étaient en route pour Dachau ou Sachsenhausen. Dans deux heures, les employés municipaux munis de balais et de pelles sortiraient ramasser le verre cassé.

Je ne prétends pas que je voyais l'avenir. Le présent était assez horrible comme ça. Qui pouvait imaginer des camps d'extermination? Des milliers de bombardements aériens? Pas moi. Pas Buffalo Billy.

Grâce à mes cartes routières, je savais qu'au sud de la Canadian River et à quelques kilomètres au nord d'Amarillo, une large route s'élevait jusqu'au sommet de falaises rouges, au bord de l'immense mesa que l'explorateur Francisco de Coronado a baptisée El Llano Estacado, la plaine entaillée – ce qu'il avait voulu dire par là est resté obscur. Il est possible qu'il ait pensé aux escarpements qui, lorsqu'on s'en rapproche, ressemblent à des murailles de forteresse, ou à des «palissades». À moins qu'il n'ait voulu faire allusion aux longues tiges des yuccas, ou encore aux piquets que plantaient les Comanches pour marquer leurs sentiers dans ce vaste paysage dépourvu de repères naturels.

En fermant les yeux, j'imaginais de grands espaces vides, la lumière du soleil, les effets dépuratifs de la vitesse. Nous traverserions *el llano* pour cautériser nos plaies. Et de l'autre côté (la Californie? Vancouver?), nous serions rendus à nous-mêmes, nous nouerions de nouveaux liens avec la vie, nous serions différents. Nous deviendrions américains ou canadiens.

Fuir le monde? Bien sûr que oui! À cette époque, il était réaliste de vouloir fuir l'Allemagne. Ceux qui fuyaient le monde étaient ceux qui voyaient clair.

Arraché de ses gonds, le portail en fer forgé de Walden avec son blason trèfle & bleuet gisait à plat sur la route. Otto arrêta son taxi et je l'aidai à traîner la grille sur le côté.

Karin nous ouvrit. Son père était toujours étalé sur le sol du hall d'entrée, pas mort mais pas conscient non plus. Son pouls était très faible. Elle avait étendu une couverture sur lui puis avait désinfecté et pansé les plaies sur son crâne. Les vandales avaient brisé la garde de son sabre et abandonné l'arme en morceaux par terre. On entendait Herta gémir dans la cave à vin.

« On croirait une *banshee*, dit ma mère.

— Elle refuse de monter, elle a trop peur, admit Karin.

— Ça ne va pas du tout, fit observer sèchement Eilín. Il faut qu'elle se taise. »

Karin semblait étrangement calme. Je ne sais pas à quoi je m'étais attendu. À une crise de colère ? Elle semblait comme anesthésiée par le choc. Quand nous avons voulu soulever son père, le corps de celui-ci est resté collé au sol par son propre sang. Buck eut la bonne idée de se servir d'une table de jeu pliante en métal comme d'une civière. Il fallut nous y mettre tous pour l'y transférer avec le plus de douceur possible. Karin et ma mère lui tenaient les jambes et les pieds. Nous parvînmes à le transporter à la bibliothèque, où nous l'étendîmes sur son divan.

Ma mère téléphona au Dr Lewin, qui habitait un immeuble non loin de la Börneplatz. Lewin lui dit que la synagogue de la place était en feu : il voyait les flammes. Elle le supplia de venir à Walden, mais il répliqua qu'il préférait ne pas s'aventurer dehors tant que les meutes de voyous continuaient à rôder dans le quartier.

Lewin avait pu réserver des billets pour lui, sa femme et leurs deux enfants sur un bateau de ligne français en partance du Havre à destination de La Havane. Le départ était prévu dans deux jours, mais, finalement, il accepta de venir à Walden quand ma mère lui promit d'envoyer Otto le chercher en voiture.

Les hurlements plaintifs de Herta étaient accablants, elle exprimait notre peur à tous. Je remarquai que les mains de mon père tremblaient quand il alluma sa cigarette avec son petit briquet, celui-là même pour lequel il avait mis notre malle sens dessus dessous.

Karin, celle d'entre nous qui avait apparemment le plus gardé son sang-froid, descendit à la cave dans l'intention de persuader Herta de remonter.

Je pense qu'aucun de nous n'imaginait que son père s'en tirerait. Il était dans le coma depuis deux heures, son traumatisme crânien faisait craindre une fracture, et il s'était cassé le col du fémur. Son sang laquait de rouge les dalles de pierre de l'entrée. Son pouls était si faible qu'on le percevait à peine. Ma mère essaya de lui faire respirer des sels, mais il resta inconscient, le souffle court et rauque.

Il faisait froid dans la maison. En attendant le médecin, mon père et moi rentrâmes des brassées de bûches.

«Tu crois qu'ils vont revenir, les *Sturmtruppen*? Une seconde visite?

— Je n'en sais rien, papa. Peut-être.

— En 1919, ta mère voulait émigrer en Australie, mais ils m'ont refusé le visa.»

Il était profondément ébranlé. Ce n'était pas son genre de perdre son temps à regretter ce qui aurait pu être. Tous ceux qui vivaient de l'élevage des pur-sang savaient que la vie filait dans un seul sens autour de la piste, et comme le vent. Buck le comprenait mieux que personne : la seule façon de vivre était à toute vitesse, droit devant. Un cheval de course ouvre son cœur et *court.*

On alluma une flambée dans la cheminée de la bibliothèque et une autre à la cuisine. Je me demandai si le Dr Lewin allait réussir à arriver jusqu'à Walden. En traversant la ville, même en taxi, il risquait sa vie. Il y avait peut-être des meutes de loups rôdant dans les rues, et ils pouvaient décider arbitrairement d'arrêter un taxi, d'en tirer de force son passager juif, de le tabasser et de le jeter dans les eaux du Main.

Toutefois, le taxi se pointa. Le Dr Lewin, sain et sauf, ausculta le baron et confirma : fracture du fémur, fracture du crâne, coma prolongé. Le fémur nécessitait une intervention chirurgicale immédiate, mais Lewin nous rappela que, en sa qualité de Juif, il lui était désormais interdit d'opérer où que ce soit à Francfort ; de toute façon, il partait pour Cuba avec sa famille et il n'était pas question de retarder leur départ. Il promit d'appeler des collègues aryens.

Alors que mes parents étaient à la cuisine en train de consoler Herta, j'entendis le Dr Lewin expliquer à Karin comment s'y prendre pour injecter de la morphine.

« Si... je veux dire quand votre père se réveillera, il sera dans d'atroces souffrances. Des douleurs difficiles à supporter pour lui, et encore plus pour vous, je le crains. C'est pourquoi je lui ai prescrit des opiacés. »

Il lui laissait une boîte avec des seringues de plusieurs tailles, des aiguilles et quatre flacons de soixante millilitres de morphine.

«Si la douleur devient intenable, injectez-lui-en soixante, vous comprenez? Un flacon entier. Remplissez la plus grande seringue et poussez le piston à fond, d'un seul coup. Au bout de quelques minutes, il y aura arrêt de la fonction respiratoire. Votre père sera inconscient, il ne souffrira pas. Soixante millilitres. D'un seul coup. Vous avez compris?»

Elle fit signe que oui, mais comme elle n'avait pas dormi depuis vingt-quatre heures, je ne savais pas si elle avait vraiment saisi le sens des paroles du médecin.

Quoi d'autre attendait son père qu'une interminable humiliation? S'il avait été un cheval, Buck l'aurait mené à la lisière des bois, lui aurait mis le canon de son pistolet sur le front, avec la colonne vertébrale dans la ligne de mire, et aurait tiré.

C'était la chose à faire, sans aucun doute.

Avoir pitié de lui.

LE FRANKIE'S BAR

Carte postale. Non signée, « *Tonkreuz-UFA-Neubabelsberg*» [studio d'enregistrement de l'UFA, Neubabelsberg], destinataire *Herr Billy Lange, Frankfurt A. M., Übersetzung Abteilung IG Farben Hauptsitz*, cachet poste *Berlin 17.7.1931.* Citation de Rilke recopiée à la main. Archives Lange, 11 C-12-1988. Collections particulières, bibliothèque de l'Université McGill, Montréal.

———

Auch ich stehe still und voll tiefen Vertrauens vor den Toren dieser Einsamkeit, weil ich für die höchste Aufgabe einer Verbindung zweier Menschen diese halte: dass einer dem andern seine Einsamkeit bewache — Rilke

Crois-moi quand je te dis que ceci est le lien le plus précieux entre deux êtres: que chacun protège la solitude de l'autre.

Ma traduction! — BL. 3 sept 1988
à Toronto

L'appel me fut transmis par le central téléphonique. Ma grand-mère Constance souhaitait me parler.

«Il se passe quelque chose, Granny? Tu vas bien?»

J'entendais un brouhaha. J'étais agacé, nous n'avions pas le droit de recevoir des appels personnels. Mais le Dr Ziegler était à Lisbonne, mes collègues étaient rentrés chez eux, et je mangeais une orange en lisant le roman qui faisait depuis un mois le tour du bureau, *La terre chinoise*, de Pearl Buck.

«Mon petit Billy, je suis au Frankie's Bar.»

À la consternation de mon père, ma grand-mère était devenue une habituée du Frankie's English Bar, où elle jouait aux courses et buvait des cocktails au champagne avec ses amis turfistes, en majorité des vieux. Willie Chopdelau, le bookmaker, avait deux lignes de téléphone au Frankie's Bar et prenait des paris sur toutes les courses irlandaises et anglaises.

«Tu ne pourrais pas faire un saut ici, Billy? J'ai une dette d'honneur. Je suis un peu à court.»

Les «dettes d'honneur» de Constance étaient toujours des dettes de jeu.

«Combien?

— Mon chéri, j'ai misé cent marks sur Cockpen pour le derby, mais April the Fifth est arrivé premier. Quelle barbe quand c'est le favori qui gagne! Les courses sont d'un mollasson cette année. Ce cher Willie m'a avancé la somme, mais je me rends compte maintenant qu'il me manque quarante marks.»

Je fus tenté de lui dire d'appeler mon père, mais je savais que cela lui saperait le moral d'avoir à repêcher sa propre mère dans un bar. Et si cela m'agaçait tellement, c'était parce qu'elle tombait à un des rares moments de calme au bureau, en début de soirée, à l'heure où je pouvais lire un roman en paix.

Ziegler était un chef impressionnant. En dépit de ses costumes américains et de ses cols mous, il avait des manières sévères et protocolaires. Il était d'une exigence terrible, et détestait le travail bâclé, mais il veillait sur « ses hommes » quand il s'agissait de mutations et de promotions.

Tout le monde au département Traduction d'IG Farben était jeune. J'avais pour amis proches Robert Briesewitz, dont l'attitude s'était réchauffée après sa froideur initiale, et Ernest Mack, un autre membre de la tribu apache de Walden, qui avait un doctorat en chimie organique. Tous deux aimaient le jazz. Ernest avait une fabuleuse collection de disques et Robert jouait de la trompette.

La traduction était reconnue comme un excellent entraînement pour les futurs *Prokuristen*, les fondés de pouvoir. Nous avions bel et bien l'impression de constituer une élite. Dans notre département, nous attendions tous des promotions et des postes à l'étranger. Une succursale commerciale IG s'ouvrait en Chine, notre plus gros client à l'exportation pour tout ce qui était teinture, et nous pensions qu'une ou deux places seraient disponibles à Shanghai pour des gars de chez nous. *La terre chinoise* venait de sortir aux États-Unis et en Angleterre, et un de nos camarades en avait rapporté un exemplaire de New York. Nous étions ensorcelés par les charmes de la Chine tels que contés par Pearl Buck. Je trouvais émouvant l'attachement mystique de Wang Lung au terroir. L'ironie voulait qu'il aimât tellement sa terre qu'il fut dévoré par un terrible appétit matériel qui provoqua non seulement sa ruine, mais aussi brisa sa famille et retourna ses fils contre lui.

Nous voulions tous «la Chine», mais il était inutile de se porter candidat. À IG Farben, on vous informait en temps voulu du poste qui vous était échu, personne n'osait poser de question.

N'empêche, j'y pensais beaucoup. Que ferais-je si du cinquième étage tombait la nouvelle de ma mutation au bureau de Shanghai? La Chine était une page blanche. Une aubaine. Une augmentation de salaire. Des notes de frais. La belle vie, quoi.

Sauf que ceux qui étaient envoyés en Chine ou en Amérique du Sud étaient censés y rester des années, à la limite y faire toute leur carrière.

Au début de l'été, Karin avait passé une semaine à Walden. Sa mère était en convalescence après la première intervention pour lutter contre son cancer, mais je n'avais eu que très peu d'occasions de lui parler. Elle m'avait salué une ou deux fois de la main dans l'allée, en passant à vive allure dans de puissants roadsters.

«Trop vite!» se plaignait Buck, soucieux comme toujours de la sécurité de ses chevaux.

Je m'imaginais postant mes lettres à Karin depuis l'exotique Shanghai. Mais que lui écrirais-je? Je détestais l'idée qu'elle puisse épouser un type qui avait une décapotable de sport.

En attendant, il fallait que je règle le problème de ma grand-mère. J'attrapai mon chapeau, sautai dans la cabine du paternoster puis dans le tram. Les rues obscures reluisaient sous l'averse. Francfort était dépourvu de vie nocturne, à moins de compter les défilés, les émeutes et les échanges de coups de feu entre SA du parti national-socialiste et tireurs du parti communiste, les premiers comme les seconds se bagarrant avec les troupes en uniforme de la Reichsbanner.

J'étais trempé en arrivant au Frankie's Bar, situé dans une rue étroite non loin de la maison de Goethe, à côté d'un magasin d'instruments de musique. L'entrée était gardée par un portier, Brutus, qui se disait prince russe «blanc». Il trafiquait aussi du haschisch, des bracelets-montres et des pièces détachées pour automobiles sans doute volées.

Après minuit, des SA pris de boisson s'attroupaient parfois sur le trottoir d'en face et vociféraient des injures à l'adresse des clients qui sortaient du Frankie's Bar en tenue, selon eux, «décadente», à savoir en robe du soir et smoking. Depuis la victoire au printemps dernier du NSDAP – devenu le premier parti allemand aux élections du Reichstag avec près de 40 % des suffrages – les *Sturmtruppen* ne se gênaient plus pour vilipender ceux dont l'habillement ne correspondait pas à leurs critères, surtout quand ils leur trouvaient «l'air juif». Il arrivait que la *Schutzpolizei* intervienne. Rarement.

Au département Traduction, sous la férule du Dr Ziegler, nous avions la prétention d'appartenir à une élite cosmopolite et sophistiquée. Et quoi de plus sophistiqué à Francfort que de siroter un Dry Martini ou un Manhattan au Frankie's Bar? Sauf que c'était trop cher pour que nous en fassions notre quartier général, outre que ces crétins de SA nous guettaient dehors avec leurs matraques en caoutchouc, leurs fouets pour chiens et l'insulte à la bouche. Ils nous vilipendaient, nous qui étions donc si peu germaniques que nous préférions des chaussures cousues main anglaises aux bottes en cuir épais, et des Manhattan au bon cidre qui coulait à flots dans les antres enfumés des *Apfelweinwirtschaft.*

Le Frankie's Bar consistait en une salle toute en longueur bordée d'un côté par un comptoir en acajou rutilant et de l'autre par des banquettes disposées en stalles. Il y avait aussi des *tables à deux**, une petite piste de danse et après 11 h du soir, en général, un orchestre de jazz.

Même par cette canicule, il y faisait frais. On y respirait une odeur de glace, de vitres propres, de liqueur. Derrière le bar, les bouteilles et les seaux à champagne étincelaient. La minuscule cuisine ouvrait à minuit. Un jeune cuistot originaire du Siam préparait les deux uniques plats au menu : *Irish stew* de Frankie et œufs brouillés au bacon. Eddy Morrison, le propriétaire, était un dur à cuire d'East Belfast qu'on ne voyait jamais qu'en veste de smoking aux revers en satin, mais qui n'en avait pas moins la carrure d'un baroudeur. Il avait reçu une balle dans le cou en 1916, lors de la bataille de la Somme. Le bourrelet de la cicatrice dépassait de son col dur. Morrison avait vécu à New York et à San Francisco avant d'ouvrir le Charlie's American Bar à Paris, une semaine après l'atterrissage de Lindbergh en France. À en croire ce qu'il m'a raconté un soir, il aurait envoyé un télégramme à «Lindy» lui proposant une association.

«Je serais étonné qu'on lui ait jamais offert une telle occasion. Mais voilà, pas de réponse. La tête dans les nuages, m'est avis.»

Eddy, après quelques démêlés avec la police parisienne, avait débarqué en Allemagne. Comme il pariait lourd aux courses, je suppose que ma grand-mère l'avait tuyauté sur les chevaux de Walden. Il m'appelait Charles ou Charlie, m'expliqua-t-il, parce que je lui rappelais Lindbergh.

J'aperçus mon aïeule assise sur une banquette, en train de jouer aux cartes avec Karin Weinbrenner. Cela faisait des mois que je n'avais pas vu Karin.

Quand elle séjournait chez ses parents à Walden, elle se promenait souvent dans une tenue très débraillée pour une jeune fille de son milieu. Un bouton ou deux manquaient à son chemisier; au lieu d'une élégante étole, elle drapait sur ses épaules un vieux manteau militaire vert-de-gris; au lieu d'une jolie robe, elle portait des culottes d'équitation. Pareil laisser-aller devait sans doute irriter sa mère, mais elle avait lancé une mode et pendant quelque temps la jeunesse dorée féminine de Francfort s'était habillée *à la Karin**: manteaux dont elles laissaient pendre la ceinture, chemises à moitié déboutonnées, vieux jodhpurs, col roulé et bottes d'équitation. Les filles s'étaient presque toutes fait couper les cheveux à la garçonne, mais la coupe de Karin avait quelque chose de brutal, comme si elle se les était taillés elle-même à coups de ciseaux. Elle avait une chevelure châtain si abondante et brillante que malgré ce massacre elle était très belle.

Je ne me suis jamais senti à l'aise autrement qu'impeccablement mis. Toute ma vie, j'ai été plus attentif à mes vêtements que ne devrait l'être un vrai gentleman. À cause d'un manque de confiance en moi-même, à l'évidence. J'avais un statut social incertain: mes parents n'étaient pas propriétaires de la maison où j'étais né.

Ce soir-là, au Frankie's Bar, Karin portait une robe tube avec un sautoir de perles. Son cou et ses épaules étaient blancs. Elle avait une allure longiligne, sophistiquée, urbaine – «très Berlin», me dis-je, quoique ses cheveux fussent, comme à l'accoutumée, ébouriffés de manière charmante. Je n'avais jamais vu Berlin. J'avais toutefois été à Paris pour des raisons professionnelles. Et il était entendu que je prendrais l'avion pour Birmingham en compagnie du Dr Ziegler dans deux semaines : mon baptême de l'air. Et puis je méditais sur la possibilité de partir à Shanghai. En somme, malgré quelques doutes, j'étais plutôt content de moi, ou plutôt de ce que je commençais à considérer comme une *carrière*, d'où les cravates de soie achetées rue de Rivoli. Je me sentais compétent, expérimenté. Un homme moderne. Un homme d'IG Farben.

Vous savez que les employés de cette firme se sont comportés de façon honteuse une fois que leurs directeurs se sont acoquinés avec le parti nazi. Ils ont soutenu Hitler en 1933. Ils comptaient bénéficier de la conquête de l'Europe. Des milliers de personnes ont été réduites à l'esclavage dans les usines IG Farben à Auschwitz pour produire du caoutchouc et du carburant. Et vous savez que le Zyklon-B, le gaz qui a servi à se débarrasser des « esclaves improductifs » et de tant d'autres victimes dans les camps de la mort, était, à l'origine, un pesticide fabriqué par IG Farben.

Au début des années trente, j'étais *fier* de faire partie de la belle et grande maison IG Farben.

« Salut, Billy. » Karin semblait plus âgée et moins compliquée que dans mon souvenir, plus séduisante même.

« Salut, Karin. »

Je restai bêtement debout devant la table, plus tellement sûr de moi. Toutes deux étaient concentrées sur leur jeu de cartes.

Si j'avais été une montre, elle aurait été un aimant. Me rapprocher d'elle me déboussolait.

« Billy mon chéri, dit ma grand-mère, s'il te plaît, va voir M. Chopdelau. »

Willie Chopdelau, le bookmaker, était installé dans une stalle devant la cassette qui lui servait de caisse et ses deux téléphones. Ce jeune Polonais au physique athlétique était toujours vêtu de tweed. Il buvait à petites gorgées un verre de lait en lisant le *F-Zeit*. Il prit mon chèque de quarante marks sans commentaire. La conversation qui suivit se déroula en français.

«Comment c'est, dehors, Charlie?

— Il pleut. Des cordes.

— Cher ami, des SA?

— Pas ce soir.

— J'aime bien la pluie, Charles, conclut Willie. Ça nettoie.»

Il n'y avait pas foule. C'était encore trop tôt, car le Frankie's Bar attirait les noctambules. Je commandai une chope de bière. J'aurais préféré boire un cocktail, mais c'était trop cher pour moi.

Karin me sourit de l'autre bout de la salle. Ma grand-mère brassait le paquet d'une main experte. On aurait dit qu'elles s'apprêtaient à faire une autre partie. Je regardai Constance battre les cartes. Dès que cette partie serait terminée, je les ramènerais toutes les deux à Walden, en taxi. Je ne prenais jamais de taxi seul, trop onéreux, mais ma grand-mère n'aimait pas le tramway et, qu'elle soit en fonds ou pas, elle circulait en taxi. Quant à Karin, cela m'aurait étonné qu'elle soit déjà montée dans un tram.

«Tu n'as qu'à mettre Constance dans un taxi, Billy, suggéra Karin. Elle a raflé la mise. Reviens ensuite, tu me payeras un verre. Je suis curieuse de savoir ce que tu deviens.»

Boire un verre au Frankie's Bar avec Karin *von?* C'était extraordinaire. Je franchissais le dernier degré de la sophistication.

«Bonne nuit, ma chère, dit Constance en embrassant Karin sur la joue. Ne parlez pas à des inconnus.

— Je ne parlerai à personne d'autre qu'à votre très beau petit-fils.»

Ma grand-mère s'accrocha à mon bras.

«Elles ne s'entendent pas, sa mère et elle, fit-elle remarquer.

— Elles ne se sont jamais entendues.

— En Irlande, la famille de sa mère est réputée pour sa froideur. Je ne m'entendais pas non plus avec mes parents. Mais j'ai épousé le capitaine Jack, et quelques mois plus tard, nous partions pour la Californie. Je ne lui ai pas dit que j'étais enceinte avant de voir la côte brésilienne. Je ne pouvais supporter l'idée qu'il me laisse en Irlande… Oh, ton grand-père ne tenait pas en place, il fallait toujours qu'il parte! Si je ne l'avais pas rencontré, j'aurais eu pour époux Charlie Butler. Mes parents tenaient absolument à ce que j'épouse ce pauvre Charlie, mais moi je voulais mon intrépide marin allemand. Ton grand-père, c'était du vif-argent! Tu n'imagines pas à quel point.»

Pas un mot sur mon chèque au bookmaker, ou plutôt sur l'éventualité de rembourser son petit-fils.

Deux taxis stationnaient en permanence devant le bar, du moins tant que les SA ne les avaient pas chassés. J'aidai ma grand-mère à grimper dans l'automobile.

«Merci, mon grand. Ne parie jamais sur le favori. C'est pas amusant. Même quand on gagne… pas amusant du tout.»

Je suivis des yeux le véhicule qui s'éloignait. Il ne pleuvait plus. Les pavés gris miroitaient. Pas un SA en vue. Je retournai à l'intérieur, confiant en ma propre force, la mince histoire de ma vie m'apparaissant comme une longue chaîne d'exploits. Les Louisiana Seven (des musiciens de jazz originaires de Duisburg et de Cologne) se chauffaient : grincements discordants, dérapages, roulements de batterie. C'est en homme mûr, expérimenté, en homme du monde que je rejoignis Karin sur sa banquette capitonnée de cuir.

Elle me sourit au moment où je me glissai à ses côtés. Un garçon vint nous demander ce que nous voulions. Karin commanda un autre Dry Martini comme le dernier, je l'imitai. À Francfort, quand on en trouvait, ce cocktail était servi dans un verre à l'ancienne avec des glaçons. Un tiers de vermouth, sans olive. Mais elle préférait le sien avec quelques gouttes de vermouth par mesure de gin, le tout agité dans un shaker avec des glaçons et filtré dans un verre spécial à bord évasé frappé... ah ! et servi avec une olive. À Berlin, cela s'appelait un « Extra-Dry ».

J'étais venu sauver ma grand-mère prisonnière de sa dette de jeu en payant son bookmaker, ce qui aurait pu être pour moi une situation embarrassante, mais Karin semblait n'avoir rien remarqué. En attendant nos cocktails, elle me demanda une cigarette. Elle secoua le paquet, en fit sortir deux et les colla dans nos bouches respectives avant de les allumer. Un autre sommet de sophistication venait d'être atteint.

« Où te les procures-tu ? » dit-elle.

Je fumais des Sweet Afton. Elles coûtaient un peu plus cher que les marques allemandes – Eckstein, Mokri, Atika – et ne s'achetaient que chez un seul buraliste de Francfort. Je les trouvais chic et pensais qu'elles me donnaient l'air moins banal que mes pairs.

« Elles sont irlandaises... de chez Rothstein.

— Billy Lange, Billy Lange, sourit Karin. Je ne te connais pas du tout, n'est-ce pas ? Quelle intéressante cravate tu as. Tu es à l'université, maintenant? Tu n'es pas un bagarreur, je vois. »

Je lui rappelai que j'appartenais désormais au département Traduction d'IG Farben. Ce n'était pas le genre de la « brigade volante » de porter la *Schmiss*. Toute personne arborant la cicatrice d'un coup de sabre aurait été la risée du bureau. Krebs était le seul nazi, et il savait qu'il avait intérêt à être discret. Le Dr Ziegler n'était pas un homme de parti.

Malgré la présence parmi nous de deux Juifs, Kracauer et Rothbart, Krebs gardait pour lui ses opinions politiques et racistes; il haïssait Kracauer, qui était sans doute responsable de la remise en circulation du vieux surnom de Günter, Ducky.

L'« esprit de corps » était vivace. À une époque de rareté de l'emploi, ma situation dans la firme ultramoderne IG Farben faisait de moi un veinard. Je me sentais avisé: j'étais un garçon plein de ressources. Au bureau, nous proférions autant de jurons anglais et américains que nous pouvions nous le permettre. Nous appelions le Dr Ziegler *Chief* ou parfois *Boss*, une liberté tolérée nulle part ailleurs dans la maison. Nous portions des borsalinos au bord rabattu, à la manière des gangsters de Chicago. Nos chemises à rayures sans un pli venaient tout droit de Jermyn Street, à Londres. Et, surtout, nous tenions dans le plus grand mépris les gros souliers allemands: seules nous convenaient les chaussures cousues main anglaises.

J'espérais que mon élégance vestimentaire cacherait ma gêne: je buvais un verre au Frankie's English Bar avec Karin Weinbrenner.

Je savais ce que je devais faire dans l'éventualité d'une mutation en Chine: me faire vacciner, m'acheter des costumes légers, dire au revoir à mes parents, et partir.

J'ignorais si j'allais être capable de la quitter, *elle*.

Quelques années plus tôt, après une séance de tir, elle m'avait demandé d'enterrer les robes qui nous avaient servi de cibles. Elle ne voulait pas que sa mère tombe dessus. J'étais allé prendre une pelle. Il y avait eu quelque chose de mélancolique dans cette tâche, comme si j'enterrais un oiseau mort, un rouge-gorge tué par un chat. J'avais gardé une des robes. Rouge, trouée d'une seule balle. Ma mère l'avait découverte et m'avait lancé un drôle de regard. Elle n'avait rien dit mais l'avait emportée. Je ne l'ai jamais revue.

J'offris à Karin une autre Sweet Afton et allumai nos cigarettes. Le garçon était parti chercher nos boissons. Le bookmaker Willie Chopdelau se disputait gentiment avec un ami de ma grand-mère – Istvan, un comte hongrois sans le sou. Lui aussi devait de l'argent à Willie. En vérité, les amis de ma grand-mère étaient presque tous dans le même cas, et dans le même style qu'Istvan : des joueurs cultivant une allure martiale et férus de courses hippiques.

Karin était silencieuse. Cela me convenait. J'avais déjà assez de mal comme ça à m'ajuster : c'était la première fois que je me retrouvais avec elle dans ma peau d'adulte. Les paroles étaient inutiles. Sa présence agissait en général comme un révélateur de qui j'étais. Après le moment de gêne initial, je me voyais moi-même toujours avec plus de lucidité.

« Il est confortable, cet endroit, me dit-elle. À Berlin, tout est si brutal. Ce qu'on a dans la tête nous empêche de réfléchir. À Berlin, mes pensées tournent en rond. Et toi, comment vas-tu ? »

Je lui dis que j'allais prendre l'avion pour l'Angleterre dans quelques jours, un voyage d'affaires en compagnie du Dr Ziegler. Il y avait aussi la possibilité de Shanghai, ajoutai-je. Si on me proposait ce poste, je ne savais pas quelle décision prendre.

« Ah, Billy, mon frère de sang, la Chine, c'est trop loin. »

Le garçon revint avec nos cocktails. Mon premier Extra-Dry. La sensation de force de la première gorgée de gin me coupa le souffle. À moins que ce ne fût de m'entendre appeler son frère de sang qui me donna le tournis.

« Sais-tu ce que j'ai sur le mur de ma chambre, Karin ?

— Ne me dis pas que tu es devenu un collectionneur d'art.

— Des cartes routières. Les États d'Amérique. Ça date du lycée. Je les ai punaisées d'est en ouest et j'ai tracé la route à travers El Llano Estacado. »

Elle prit deux autres Sweet Afton, en piqua une entre ses lèvres et me tendit l'autre. « Quand est-ce que tu pars ?

— As-tu relu les histoires de Winnetou, Karin ? Elles sont décevantes. En fait, elles sont plutôt ridicules.

— Elles nous ont fait rêver.

— Les cartes routières ne fournissent pas de réponse, Karin.

— Ah bon ?

— Il faudrait d'abord de l'argent. Et le ciel bleu… eh bien, ce n'est que du ciel bleu. Dans le vrai Texas, il y a des métayers. Plutôt des paysans, en fait, qui vendent pour rien le coton qu'ils récoltent. Ils ne peuvent pas se payer de chaussures, ils ont des haillons sur le dos et meurent de faim. Je lis des articles sur ce sujet dans le *Paris Trib.*

— Nous ne sommes pas obligés de rester coincés là où la société nous a mis, Billy. Tu n'es pas obligé de devenir celui qu'on est en train de faire de toi, un homme d'affaires de Francfort. Old Shatterhand, si tu t'en souviens bien, travaillait sur les chemins de fer quand il a rencontré Winnetou. Il a vite laissé tomber.»

Je traverserai el llano *si tu viens avec moi.*

Un peu plus et je prononçais ces mots, lançant par-dessus bord mes prétentions à la sophistication, mon aisance dans le monde, ma merveilleuse carrière.

Au lieu de quoi, je commandai deux autres cocktails, puis je m'inquiétai à la pensée que je n'avais peut-être pas assez dans mon portefeuille pour régler l'addition.

«C'est rassurant de te voir, mon vieux Billy. Tu as l'air d'un homme du monde.»

Moi, je me livrais à des additions dans ma tête, essayant de calculer combien de marks il me restait.

«Tu as rendez-vous avec quelqu'un? me demanda-t-elle. Une fille? Tu as des plans pour la soirée?

— Non, aucun.»

Elle posa un doigt sur ses lèvres. «Un secret, d'accord? Je ne suis pas à Walden. J'ai un petit appartement sur Eschenheimer. Mon *pied-à-terre**. Mes parents… ils ne savent pas, ça leur ferait de la peine. Tu ne diras rien?

— Non, bien sûr que non.

— On a besoin de sortir de Berlin de temps en temps.

— Oui, mais… tu ne devrais pas voir ta mère quand même? Elle ne va pas très bien.

— Je devrais, si.»

Nos cocktails arrivèrent.

«Tu connais Berlin, Billy?

— Pas vraiment.

— Cette fois, je suis partie en catastrophe. Il y avait un homme chez moi… il refusait de s'en aller. C'était trop. L'un de nous devait partir. Pour tout t'avouer, il m'a fait peur. Alors c'est moi qui suis partie.

— Longo ? Tu ne peux pas le foutre dehors ? »

Quelques mois auparavant, j'étais tombé sur Longo dans le hall d'entrée d'IG. Il avait paru impressionné par ma situation et m'avait donné sa carte de visite. Il avait un poste de haut fonctionnaire à Berlin.

Elle rit. « Non, pas Longo. Ç'aurait été plus simple. Longo faisait toujours ce que je voulais. Non. Ce type est un ami de Marie Zeiten…

— Qui est-ce ?

— … Je l'ai rencontré à un cocktail chez la Zeiten. Je lui avais à peine parlé, et voilà qu'il se pointe chez moi en répétant qu'il est un homme dangereux. Et il refuse de déguerpir. Un vrai boulet, ce type. Je me suis fait la malle pendant qu'il était dans son bain… bon, un sac de voyage, et j'ai pris le premier train pour ce bon vieux Francfort.

— Tu l'as laissé dans ton appartement à Berlin ?

— Avec un peu d'argent. Assez pour gagner Paris, en tout cas. Il a un pistolet.

— Un pistolet ?

— Heureusement que j'ai appris à voyager léger. Qui a besoin de plus de deux robes et de deux paires de chaussures ?

— Appelle ton *Hausmeister*[1]. Appelle la police ! Fais-le arrêter.

— C'est que j'ai pitié de lui. J'y retournerai dans un jour ou deux. D'ici là, il aura dégagé. Je suis venue ici tout droit de la gare. J'ai laissé mon sac dans les toilettes.

---

1. Concierge [NDT].

— Qui est ce type? Un criminel ou quoi?» À l'époque, les journaux à scandale publiaient à tour de bras des articles sur les tueurs à gages et les trafiquants de drogue de Berlin.

«Un Russe. Je crois qu'il n'a nulle part ailleurs où aller.»

Je croyais entendre un dialogue de film. J'avais vu son nom défiler en un éclair au générique de films de l'UFA, comme *Aimé des dieux*. Je savais qu'elle «écrivait» pour le cinéma, même si j'ignorais en quoi cela consistait.

Me taquinait-elle? Se moquait-elle de ma crédulité?

«Quel genre de pistolet?

— Une drôle de petite arme russe… son cher Tokarev. Il prétend qu'il est un homme dangereux, mais à mon avis, c'est lui qui est en danger. Son allemand est loin d'être parfait.

— Je vais te raccompagner à Berlin. Je veillerai à ce qu'il parte.»

Le gin m'était sûrement monté à la tête. J'étais un commercial junior au département Traduction d'IG Farben, portant une coquette cravate parisienne, discutant Russes et pistolets Tokarev avec la jeune femme la plus surprenante de Francfort. Je n'avais pas la plus petite idée de ce qu'on devait faire face à un Russe armé d'un pistolet. Et je devais pointer au bureau le lendemain matin.

Les Louisiana Seven faisaient swinguer *Back Home Again in Indiana*. Je possédais une collection de disques et, comme un million d'autres jeunes de ma génération, je m'exerçais à danser en suivant des pas inscrits sur des cartes achetées par correspondance. Tout le monde dansait le fox-trot à cette époque, quoiqu'il y en ait eu quantité de versions différentes.

Karin sirotait son Extra-Dry. «Il ne peut pas retourner en Russie parce qu'il s'est rangé du mauvais côté là-bas. Il dit qu'il ne peut pas demander son aide au parti communiste. Ils le renverraient tout de suite à Moscou. Si je parle de lui à Anna, elle voudra appeler la police.

— Anna?

— Anna Rabou. Anna von Rabou.

— La romancière?

— Anna déteste les communistes. Elle ne voulait pas que j'aille chez Marie… Bon, je lui ai laissé de quoi partir pour Paris. Je peux travailler ici.

— Que diras-tu à tes parents?

— Oh! ils ne sauront rien. Je ne vais pas à Walden. Ils font trop d'histoires. Ils posent trop de questions. Cet appartement, je sais, c'est une folie, mais… Tu ne diras pas que tu m'as vue, à personne, hein, Billy, pas même à tes parents, qui en informeraient les miens, sans l'ombre d'un doute. Constance est un amour, elle m'a promis de se taire.

— Tu peux compter sur moi.

— Tu es toujours mon frère de sang, Billy Lange?

— Oui. »

Des Russes, des pistolets, Paris, des petits appartements sur Eschenheimer Anlage. Passer une soirée avec elle, c'était comme percevoir des sons suraigus en général inaudibles.

Elle sourit. «Billy Lange, tu es devenu l'homme que j'espérais que tu deviendrais. C'est épatant quand les gens ne nous déçoivent pas. Tu ne m'invites pas à danser?»

Avec Karin dans les bras, ce n'était plus du tout comme suivre des pas dessinés sur le sol. Je m'enivrais à son parfum. Je me révélais plutôt bon danseur. Elle était contente.

Il était près de 3 h du matin lorsque nous quittâmes le Frankie's Bar après un petit-déjeuner d'œufs brouillés, de bacon et de café. La pluie avait cessé. Le ciel était bleu nuit, scintillant d'étoiles.

« Sales Juifs ! Suceurs de sang ! »

Sur le trottoir d'en face, deux SA, sanglés dans leurs uniformes et leurs bottes, les mains sur les hanches, nous braillaient des insultes cependant que, d'un coup de sifflet, Brutus, le portier, hélait le dernier taxi de la nuit.

« Sangsues ! Vampires ! Pute ! Pute ! Pute juive ! »

Elle grelottait en montant en voiture. À Francfort, les gens se plaisaient à répéter que le parti national-socialiste importait des culs-terreux du fin fond de la campagne, mais je savais qu'ils pouvaient aussi bien être des gars de la ville. Nous passâmes devant la vitrine éclairée du magasin BMW où une motocyclette étincelait comme un projectile, un symbole de vitesse, prêt à fendre l'air. Je devais retourner au bureau dans quelques heures seulement. J'avais dépensé presque tout ce que j'avais sur moi. Heureusement, Eddy Morrison, comme le bookmaker de ma grand-mère, avait accepté un chèque – j'espérais que la banque ne le rejetterait pas. Toujours est-il que j'avais tout juste assez pour la course jusque chez Karin, sur Eschenheimer Anlage, mais pas pour franchir le Main et rentrer chez moi. Le premier tram à Francfort était à 6 h du matin. J'avais devant moi une longue marche. J'aurais à peine le temps de prendre un bain, de me changer, d'avaler une tasse de café et d'éluder les questions de mes parents, qu'il me faudrait repartir.

Nous regardions chacun par notre fenêtre la ville obscure défiler sous nos yeux. Nous n'étions pas encore assez loin des hurlements bestiaux des SA. Je me rappelai les cadavres jetés sur le trottoir en 1919. Manteaux, chapeaux éparpillés, sang noir et le tram pile à l'heure qui nous ramenait à Walden.

J'allumai deux Sweet Afton. Elle accepta la sienne sans un mot et le taxi bifurqua sur Eschenheimer. Une minute plus tard, il freina devant un imposant building blanc. Je priai le chauffeur de patienter.

«Non, dit-elle, laisse. Monte avec moi, Billy. On ouvrira les portes-fenêtres et on regardera le lever du soleil. J'ai besoin de soleil, désespérément.»

Le vieil *Hausmeister*, en uniforme de grenadier, somnolait dans le hall sur un banc de pierre. L'ascenseur nous déposa au deuxième étage. La porte n'était pas fermée à clé. Je la suivis à l'intérieur.

Ses parents n'ont jamais appris l'existence de cet appartement. Une grande pièce blanche avec une énorme hauteur de plafond, c'est ce dont je me souviens. La salle de bains était carrelée, et la baignoire, immense. À travers un entrebâillement, j'aperçus un coin de lit bas, spartiate.

Les meubles étaient la barbe, disait-elle souvent, ils pompaient la lumière et ne donnaient rien en retour. Dans une pièce, seule la lumière comptait.

Dans la minuscule cuisine, je la regardai remplir la bouilloire et la poser sur le feu. Nous n'avions pas échangé un mot depuis le taxi. Les cris des nazis résonnaient peut-être encore sous nos crânes.

Je ne savais pas ce qui était attendu de moi.

«Je devrais peut-être partir.

— Non, je t'en prie, reste.» Elle reposa la bouilloire et m'embrassa. Un baiser rapide, sec, stupéfiant, sur les lèvres. «Nous allons coucher ensemble, pas ce soir, n'est-ce pas, mais je ne veux pas que tu partes, Billy. Tu te rappelles ce bel après-midi où tu m'as portée?

— Oui.

— N'aie pas l'air aussi gêné, on n'a rien fait de mal. Tu veux bien rester un peu? Billy, je revendique ta compagnie. On va s'asseoir tous les deux et regarder le jour se lever. S'il te plaît.

— Bien sûr.»

Elle disparut dans la chambre. Lorsque la bouilloire siffla, je préparai le thé dans une théière en argent, que je reconnus comme étant «Bauhaus». Il s'agissait en fait d'un design de Marianne Brandt, d'une forme dépouillée qui me semblait parler la langue de la vitesse. «Vite. Vite. Dépêche-toi.»

Elle reparut en robe de chambre écossaise. Elle l'avait enfilée sur sa robe et s'était débarbouillée. Elle avait la peau pâle et brillante. Elle ferma les yeux et respira les effluves de thé. Elle posa le service sur un plateau et je portai le tout dans la grande pièce blanche.

Karin ouvrit les deux portes-fenêtres et je sentis l'odeur de la pluie sur les arbres du Palmengarten de l'autre côté de la rue. L'air était frais, humide, propre. Elle apporta deux poufs marocains pour qu'on puisse s'asseoir et servit le thé. Je ne savais pas trop quoi faire de mes jambes. Elle s'installa dans une posture dont par la suite j'appris le nom: la posture du lotus. Jambes croisées, dos droit. Lentement, la lumière emplissait le ciel.

Karen Weinbrenner était une jeune femme qui attendait avec impatience la lumière du jour; elle l'attendait activement, délibérément. Pour elle, c'était important d'être éveillée à l'aube, et elle l'était presque toujours. L'éblouissement progressif des lueurs de l'aube sur l'Allemagne, des ciels semblables à des ecchymoses bleuissant à vue d'œil.

« Dis-moi qui tu es, Billy Lange. Dis-moi qui tu es là-dedans. Aimes-tu l'aventure ? Tournes-tu les pages pour voir la suite ? Aimes-tu l'air raréfié ? N'est-ce pas qu'il fait froid là-haut ? Tu t'es déjà écrasé ? Tu fais des cascades aériennes ? Qu'est-ce que ça fait de se tenir debout sur l'aile d'un avion ? Tu aurais de la place pour une passagère ? »

Et tout d'un coup, elle se tut. Ce qu'elle venait de dire n'avait ni queue ni tête, mais je ne dis pas un mot. Je laissai le silence s'installer. Ces garçons haineux devant le Frankie's Bar, ils nous poursuivaient. Nous avions besoin de silence pour nous ancrer dans le temps présent, dans une sorte de sécurité.

Elle se mit à chantonner. Sans mélodie, le simple chant du vent à travers le grillage d'une palissade.

Il y avait de l'électricité dans l'air, comme si nous étions sur les hautes plaines et qu'une tornade fonçait vers nous à toute allure, un ciel noir sur le point d'exploser. J'entendais encore les voix des SA, et elle aussi.

« Billy ?

— Oui ?

— Raconte-moi une histoire, mon vieux. J'en ai bien besoin, je suis en manque. Invente-moi un conte. »

Je n'aspirais qu'à la calmer, la rassurer, la bercer. Je ne trouvai rien d'autre que le récit de la naissance de mon père à des milliers de milles dans le Pacifique, au large des côtes mexicaines. Je lui racontai son premier contact avec la terre ferme, sur la Barbary Coast, à bord d'une chaloupe débordée du *Lilith* qui avait jeté l'ancre dans la Yerba Buena Cove.

Je lui racontai mes visites à mon père en prison, puis le chagrin de ne pas l'avoir revu après ça pendant des années. Je lui fis humer avec moi la brise glaciale, l'air pollué sur l'impériale d'un bus londonien en hiver, je lui fis voir des aviateurs éjectés d'un zeppelin en feu telles des braises incandescentes que cracherait une flambée. Je lui décrivis ma traversée de la mer d'Irlande en compagnie de ma mère et ma peur de la voir sauter par-dessus bord. Je lui fis traverser les tourbières avec mon grand-père McDermott, celui qui couchait avec sa jolie petite bonne, et galoper sur un poney au côté de Mick McClintock, et braconner le saumon dans les eaux vives de la Ballisodare, et naviguer sur une péniche au long du Rhin où un jeune soldat était mort d'une balle dans la tête.

Si j'étais fait de quelque chose, c'était, me semblait-il, de ces histoires-là.

Ce qui venait après, sans doute, a été un moment d'intimité. La lumière emplit tout doucement la pièce. La théière design refroidit. Nous ne bougions pas, et au bout d'un moment mon calme revint. Encore quelques minutes de silence. Jamais je ne m'étais senti aussi proche, aussi lié à quelqu'un.

Et je me dis soudain que ce que j'avais de mieux à faire, c'était de me lever, de ramasser mon chapeau et de partir avant que les tramways commencent à tintinnabuler en bas sur le boulevard. Je partis sans lui dire au revoir. Droite, calme, la respiration égale, sereine dans le clair de jour, elle souriait.

———

Je n'avais pas le temps de rentrer chez moi. Je pourrais toujours me laver dans les toilettes du bureau avant de pointer. Au café du Grüneburgweg, je pris un café et un petit pain.

Assis à mon bureau du département Traduction, j'étais heureux comme un pape. Je téléphonai à mes parents pour les informer que j'avais passé la nuit sur un dossier – c'était peut-être la première fois que je leur mentais. Ils s'étaient inquiétés, mais ils savaient que le Dr Ziegler pouvait nous retenir tard dans la nuit, et puis il n'était pas encore venu, le temps où, lorsqu'une personne ne rentrait pas, on se disait tout de suite que quelque chose de monstrueux lui était arrivé.

«Tu portes la même cravate qu'hier, *liebster* Billy, me fit observer Günter Krebs au déjeuner. Et la même chemise, ma parole. J'ai l'impression que tu as découché. On a joué au chat et à la souris? Aurais-tu attrapé une souris, cher Billy?»

Je me sentais épuisé et plus mûr, mais au fil de la journée, je me surpris à ruminer sombrement… Ce Russe, quel qu'il fût, avec son pistolet Tokarev. En sortant du bureau, au lieu de prendre mon tram habituel, je remontai Eschenheimer Anlage et priai le vieil *Hausmeister* de sonner chez Karin.

«Pas la peine! glapit-il. Il y a personne! La jeune dame est partie.»

J'arrivais à la maison tremblant de fatigue, et mort d'inquiétude. J'avais besoin de conseils mais n'osais parler du Russe de Karin à mon père, qui aurait jugé qu'il était de son devoir d'en informer le baron, tout comme Eilín aurait été le rapporter à Lady Maire.

Je passai une seconde nuit blanche à me faire du mauvais sang pour Karin, le Russe et le pistolet. En reprenant le chemin du bureau le lendemain, ne sachant quoi faire d'autre, je m'arrêtai chez Rothstein, le buraliste, d'où je téléphonai à Longo au ministère, à Berlin.

Je n'aimais pas Longo, mais il était un ami de longue date de Karin. Et il était à Berlin, d'après sa carte de visite, il occupait un poste à la direction des Affaires civiles et du Sceau du ministère de la Justice.

Une secrétaire me déclara d'un ton sévère que Herr D^r von Müller-Languedoc ne répondait jamais au téléphone avant 11 h du matin.

À l'heure du déjeuner, je descendis dans la rue et, la poche cliquetante de menue monnaie, dénichai un autre marchand de cigares équipé du téléphone, et je rappelai. Cette fois, je franchis la barrière du secrétariat. Lorsque je dis à Longo que j'appelais de la part de Karin, il répliqua par un reniflement.

«Mon cher, c'est que je ne la vois plus guère ces temps-ci.»

En effet, je ne l'avais plus croisé à Walden, mais Karin n'y était jamais non plus.

Je lui confiai que Karin avait peut-être des ennuis.

«Une *Schlampe* comme cette petite Karin ne peut que les attirer. Elle les traîne avec elle comme un chat traîne une tête de poisson.»

Il me parlait durement, comme quand il s'adressait autrefois aux garçons d'écurie. Je suppose que c'était ce que j'étais pour lui désormais, un garçon d'écurie.

«Dans ce merdier qui porte le nom d'UFA, il n'y a que des semeurs de troubles. Ça pue, là-dedans. Même topo pour son vieux. Il sème la discorde partout.»

Je me dis que c'était employer un bien curieux langage à propos d'une famille qui lui avait toujours offert l'hospitalité.

«Ils ont fait un de ces merdiers, cette tribu de Juifs râleurs, et après ils essayent de nous le coller sur le dos. J'en ai marre, tu peux me croire. Ils ont pourri tout ce qui était décent et honorable en Allemagne. Et maintenant ils protestent. Il est temps de faire quelque chose. »

Je fus saisi d'une furieuse envie de raccrocher : j'avais eu tort de l'appeler.

« Dis-moi, c'est le soi-disant baron qui t'a demandé de me téléphoner ? poursuivit Longo. C'est mal vu ici de recevoir ce genre d'appel, on a des affaires importantes à traiter et je ne vais quand même pas m'emmerder avec les Weinbrenner et les conneries de Karin. D'accord ? Au revoir. »

Il raccrocha. Le souffle coupé, j'étais pris de vertige. Longo avait perdu tout ce qu'il avait jamais possédé d'humanité. J'avais eu la sensation de parler à une machine, une machine malade. Cela faisait quatre ans qu'il était inscrit au parti. Il devait avoir peur que son ancienne connexion à ce « traître de baron juif » ne joue en sa défaveur.

Je consultai les horaires des chemins de fer. Il y avait un express, un FD-Zug, à 17 h 09, arrivant à Berlin avant minuit. Ce n'était pas donné, les trains rapides ne proposant pas de troisième classe, mais je n'avais pas le choix si je voulais me rassurer. Bien entendu, j'ignorais totalement où elle habitait dans Charlottenburg, et je ne pouvais pas poser la question à ses parents.

Nous avions au bureau des annuaires de toutes les villes d'Allemagne. Je prélevai discrètement celui de Berlin. Il était divisé en quartiers et à Charlottenburg – ha! –, je trouvai une *v. Weinbrenner, K. Giesebrechtstraße 5.* J'étudiai le plan des rues. Mon train arriverait à Anhalter Bahnhof. Je pourrais prendre soit le Bahn jusqu'à la Uhlandstraße, soit le tram remontant le Kurfürstendamm qui me déposerait pas loin.

Quelques minutes plus tard, notre préposé au courrier déposa une carte postale sur ma table. Je reconnus le bâtiment de la Tonkreuz, «la croix du son», des studios Babelsberg. Elle n'était pas signée, mais je savais que c'était elle. Au dos, elle avait recopié une citation de Rilke, extraite non d'un poème mais d'une de ses lettres.

Elle n'était plus en danger, elle n'avait pas besoin de moi, elle ne voulait pas de moi là-bas. Elle était en sécurité. Je laissai tomber mon absurde plan de sauvetage. Rentré chez moi, je restai longtemps éveillé, en pensant à elle.

Plus tard, le même mois, Solomon Dietz conduisit ses parents à Berlin pour des rendez-vous avec des hauts fonctionnaires à propos du musée d'art que Lady Maire avait l'intention de construire sur le domaine. Karin les invita à un «cocktail» chez elle à Charlottenburg, à la suite de quoi Lady Maire raconta à Eilín qu'ils avaient trouvé l'appartement de leur fille plein de gens bruyants bizarrement habillés, qu'ils étaient partis aussi vite que possible.

1938

Mes parents devaient retourner à Bad Homburg. Otto les reconduisit, ainsi que le Dr Lewin, de l'autre côté du Main, dans son taxi. Karin monta faire une sieste dans son ancienne chambre, sur un matelas de tapis et de couvertures.

Vers la fin de l'après-midi – la nuit tombait tôt, on était en novembre –, Herta faisait du pain à la cuisine et j'étais seul dans la bibliothèque lorsque le vieil homme se mit soudain à marmonner, à gémir et à se tortiller.

Il reprenait connaissance pour la première fois depuis son agression. Comme je pensais qu'il ne s'en tirerait pas, je pris ses grognements et ses balbutiements pour des râles d'agonisant. Il faut dire qu'il avait vraiment l'air d'un moribond. Au fond, je l'avoue, j'espérais qu'il mourrait. Karin et moi devions partir pour Rotterdam. Notre bateau appareillait dans quelques jours. Avant de partir, je voulais enterrer le vieux auprès de son fils.

Ses yeux bleus s'ouvrirent tout d'un coup, il cilla des paupières en gémissant. Herta, qui entrait pile à cet instant, appela Karin, laquelle dévala l'escalier.

Une demi-heure plus tard, elles avaient réussi à asseoir le vieux monsieur et à lui faire avaler de la soupe – Herta la préparait, Karin la lui donnait à la cuillère.

«Prends ton temps, papa. Tu vas te sentir mieux, tu vas voir.»

Son père, cramponné à de minces voiles de conscience, avait à peine la force d'entrouvrir les lèvres, et elle, je ne l'avais jamais vue aussi tendre. Toute son enfance elle avait dû se constituer une réserve de sentiments passionnés et à présent, alors que sa mère n'était plus et que son père agonisait, ces sentiments étaient lâchés et couraient dans tous les sens comme des écoliers à la sortie des classes.

Quelques minutes plus tard, Hermann, Freiherr von Weinbrenner, vomissait et chiait avec une violence si épouvantable qu'on aurait dit qu'il se vidait de ses entrailles.

Nous changeâmes ses draps. Il poussa des cris stridents quand nous essayâmes de le soulever. Je me servis de ma cravate pour lui faire un garrot au bras. Karin prit une inspiration et enfonça l'aiguille, pour une première injection, de quinze millilitres. Le visage de son père vira au gris foncé, le blanc de ses yeux se macula de jaune.

Il perdit très vite connaissance, mais trois heures plus tard, il était réveillé, ou plutôt conscient, manifestement souffrant le martyre : il se contorsionnait, se tordait affreusement. La douleur était pareille à un serpent qui se serait glissé en lui et s'enroulait, se déroulait, s'enroulait, se déroulait. Karin avait mis une *Sérénade* de Mozart sur le gramophone. Herta et moi lui tenions le bras pendant que Karin le piquait comme si elle lui donnait des coups de poignard, cherchant en vain la veine. Elle laissait couler ses larmes en silence. *Eine kleine Nachtmusik* tournoyait follement dans la pièce. Enfin, elle trouva la veine et appuya beaucoup trop vite sur le piston de la seringue. Les yeux de son père roulèrent en arrière.

« Oh ! mon Dieu, Billy, je l'ai tué. »

Nous tendîmes l'oreille, j'espérais que c'était le cas, mais il continuait à respirer avec un bruit rauque. Un bruit qui me rappela celui de l'autobus nous hissant ma mère et moi en haut de la côte de Muswell Hill sous un ciel plombé par la guerre.

Nous nous confectionnâmes des matelas de tapis et de couvertures sur le sol de la bibliothèque. Au milieu de la nuit, son père reprit péniblement connaissance. Ses gémissements et son agitation nous tirèrent du sommeil. Je l'immobilisai pendant qu'elle lui injectait une nouvelle dose.

LE LYCÉE KLINGER

Arten von Licht Buch [*Variétés de lumières*], Karin v Weinbrenner. Non paginé. En anglais avec des occurrences en allemand. Archives Lange, 11 C-12-1988. Collections particulières, bibliothèque de l'Université McGill, Montréal.

Vous aurez, étalée devant vous, la carte d'une terre de prairies, et je vous désignerai le tracé du territoire connu sous le nom de « Llano Estacado » ou « Plaine entaillée ». Ce doit être une carte récente, basée sur les dernières explorations ; sinon vous aurez du mal à visualiser les limites assignées à cette région singulière, et pourtant encore presque inviolée.

Thomas Mayne Reid,
The Lone Ranch, 1871

En janvier 1933, von Papen et son entourage proposèrent le poste de chancelier à l'«invraisemblable Danubien». Mon père affirmait que les Allemands ne toléreraient pas longtemps cette crapule. Cette nomination était trop scandaleuse. *Ce type* était un imbécile, un débile mental. Les hommes politiques partisans d'un pouvoir réactionnaire se servaient de lui comme d'un pantin pour éliminer les socialistes et les libéraux. Mais les généraux ne se soumettraient jamais à ce chimpanzé dont le programme dément ne pouvait que mener à une guerre désastreuse.

Ce type ne tiendrait pas plus de deux semaines. Un mois tout au plus.

L'analyse de Buck était raisonnable, seulement elle n'avait rien à voir avec la réalité.

Tout de suite après la nomination de Hitler à la chancellerie, Günter Krebs commença à arborer son insigne national-socialiste sur le revers de sa veste. Alors que le port d'un insigne, quel qu'il soit, était proscrit par le règlement d'IG Farben, personne ne le réprimanda. Puis, un jour, c'était un vendredi, il fit son entrée au bureau en uniforme noir de la SS. Günter ignora les coups d'œil courroucés du Dr Ziegler et nous expliqua laborieusement le sens des différents insignes et emblèmes ornant sa tunique, informant tous ceux qui voulaient bien l'écouter que son grade de SS-Untersturmführer correspondait plus ou moins à celui de sous-lieutenant.

«Tu ressembles à un croque-mort, dans ce déguisement! lui lança mon ami Ernst Mack.

— Et toi, tu ne parais pas fier d'être allemand ! répliqua Günter. Vous et votre cosmopolitisme, vous êtes sérieusement détraqués ! Mais ça va changer. »

Le lundi suivant, il revint dans son costume habituel, mais il y avait eu un précédent et, dès lors, au moins une fois par semaine, il apparaissait vêtu de son uniforme SS.

En outre, le *Horst-Wessel-Lied* était devenu l'hymne national. Lors d'une réunion avec les commerciaux du département Exportation, il nous fut distribué des feuilles avec les paroles, et tout le monde, y compris Kracauer, le dernier Juif de notre département, fut obligé de se lever pour chanter :

> *Pour la dernière fois retentit l'appel au combat !*
> *Déjà nous sommes prêts !*
> *Bientôt les drapeaux hitlériens flotteront dans toutes*
>   *les rues.*
> *La servitude ne durera plus longtemps !*

Un après-midi, le Dr Ziegler s'arrêta à côté de mon bureau pour me féliciter au sujet d'un bulletin d'actualités économiques que j'avais préparé à partir de la presse financière américaine.

« C'est du bon travail, Lange, même si je ne sais pas s'ils sont d'humeur à le lire en haut lieu.

— Ça, je n'y peux rien.

— Pensez-vous que le *Horst-Wessel-Lied* rendra bien le sens en traduction ? me demanda-t-il d'un ton sardonique.

— Pas vraiment.

— C'est aussi mon avis. Personne ne nous comprend, nous autres Allemands. Je ne suis pas sûr de nous

comprendre moi-même. Je viens d'autoriser la mutation de Kracauer à notre succursale de Montevideo. Au
moins, il ne sera plus obligé de chanter le *Horst-Wessel.* »

Quelques semaines plus tard – le 27 février 1933 –,
le Reichstag brûla. Le lendemain matin, les journaux
et la radio prétendirent que l'incendie avait été provoqué par des bolcheviques préparant un putsch. Même
la gazette préférée de mon père, le libéral et respecté
Vossische Zeitung, mettait la nation en garde. Des sus-
pects furent arrêtés. Soudain, les SA se conduisaient en
auxiliaires de la police. Sur le chemin du bureau, je vis
leurs sections de chemises brunes patrouiller dans des
camions réquisitionnés.

C'était par un matin gris où tombait une neige
mouillée. À 11 h, le département au complet fut convoqué dans une des belles salles de conférences du sixième
étage – l'étage de la direction. Nous prîmes place autour
de la magnifique table en acajou. Des grandes fenêtres,
on avait une vue étendue sur la ville et les eaux noires
du Main. Des jeunes femmes nous servirent du café dans
des tasses en porcelaine estampillées du logo doré d'IG
Farben.

Nous étions une bande de jeunes gens agressifs et
nous avions une bonne opinion de nous-mêmes. Chacun
de nous maîtrisait au moins deux langues, et nous trai-
tions de « bourdons » les employés des autres branches
d'IG Farben. Nous qui étions bruyants en groupe, ce
matin-là, nous attendions dans un silence parfait. Nous
n'avions, pour la plupart, jamais mis les pieds au sixième.
Nous ignorions qui allait venir nous parler, nous n'étions
même pas certains de l'identité de celui qui avait organisé cette réunion. Notre chef, le Dr Ziegler, n'avait pas
donné signe de vie. Où pouvait-il bien être passé ?

Les minutes s'égrenaient et aucun directeur ne se présentait : la tension monta, si bien que j'eus la sensation de me trouver dans un habitacle pressurisé. Cette convocation avait-elle un lien avec les événements extérieurs, les camions de SA patrouillant dans la ville ; les décombres fumants du Reichstag ? Et où était passé notre patron tant admiré ?

En nous comptant, je pris conscience que le seul absent, outre le Dr Ziegler, était Günter Krebs.

Au cours des dernières semaines, le Dr Ziegler avait passé le plus clair de son temps à l'usine de Hoechst ou bien enfermé dans son bureau, dont la porte était gardée par sa ravissante secrétaire juive, Fraülein Reffe. Notre supérieur étant devenu insaisissable, certains camarades du département, lorsqu'ils tombaient sur un os, s'étaient mis à consulter... Günter. À bord de notre navire, le second commençait à s'emparer du commandement sans que personne émette le moindre commentaire. Bizarre. Nous étions accoutumés à un ordre hiérarchique clair et net, et cette ambiguïté jetait un trouble. Ducky Krebs n'avait pas la compétence nécessaire pour remplacer notre capitaine, à peine aurait-il pu prétendre servir de matelot sur le pont. Son autorité, il la tenait exclusivement de son uniforme. L'atmosphère à IG Farben avait changé radicalement dès l'accession de Hitler au poste de chancelier. Tout à coup, on avait entendu aboyer des *Heil Hitler!* dans le hall d'entrée. Les insignes nationaux-socialistes fleurissaient sur les revers de col des *Prokuristen*, ces messieurs les fondés de pouvoir élégamment vêtus que je n'apercevais que le matin, lorsqu'ils traversaient le hall pour entrer dans un paternoster qui les hissait sans bruit jusqu'au sixième.

« Une armée en noir ? avait ricané Kracauer le jour où Günter nous était apparu pour la première fois dans sa panoplie SS. Qu'est-ce que tu reproches au bon vieux vert-de-gris ? Ce n'est pas un uniforme que tu portes, Ducky, c'est un déguisement, et tu vois même pas la différence. »

Le sens de la dérision de Kracauer me manquait. Lui au moins aurait su remettre Ducky à sa place. Il ne lui aurait pas passé aussi facilement ses prétentions à une autorité fondée sur le port de boutons de col en argent à l'effigie d'une tête de mort.

La porte de la salle de conférences s'ouvrit sans bruit et deux hommes entrèrent. Je reconnus le Dr Schiller, le *Prokurist* responsable des exportations dans l'hémisphère occidental. Ce brillant chimiste représentait l'employé d'IG Farben dans toute sa splendeur : grand et svelte, vêtu d'un costume gris merveilleusement coupé, la tête volumineuse par rapport à son corps – il ressemblait à un professeur d'université très bien habillé. À son poignet, montée sur une bande de cuir marron, la montre la plus mince que j'aie jamais vue, pas plus épaisse qu'une pièce de cinq marks.

Je ne connaissais pas le deuxième homme. Plus jeune que le Dr Schiller, assez corpulent, il portait un costume chiffonné en tweed rougeâtre et avait l'air affairé avec ses dossiers sous le bras.

La tension monta encore d'un cran. Des croassements de corbeaux résonnèrent dans la pièce. Sans s'asseoir, le Dr Schiller posa les deux mains à plat sur la table et nous regarda tour à tour.

« Désolé de vous retenir ainsi alors que vous avez d'importantes choses à faire. Mais une mise au point s'impose à plusieurs titres. Tout le monde est présent ? Krebs, non ? Bon, Unterstürmführer Krebs a des choses importantes à régler.

Pour commencer, le Dr Ziegler ne fait plus partie du département Traduction. Il ne fait plus partie d'IG Farben. C'est un fait, je ne suis pas habilité à vous en dire plus. À partir d'aujourd'hui, vous êtes sous les ordres du Dr Winnacker. » Schiller jeta un coup d'œil à son gras acolyte, lequel nous salua d'une légère flexion du buste. « Le Dr Winnacker est un scientifique de renom, un linguiste et un bon Allemand, même si, à mon avis, il a passé beaucoup trop de temps en Amérique du Sud. Toujours est-il qu'il est à présent au siège, et votre patron. Il vous revient de l'informer des projets actuels et de l'assister dans tout ce qui lui permettra de prendre la direction du département. Compris? Oui? Bien.

Deuxièmement, et sachez que cet avis va être lu à voix haute ce matin dans nos bureaux et nos usines partout dans le pays, partout dans le monde en fait… »

Il leva la feuille qu'il avait à la main et lut d'une voix forte.

« Compte tenu de la délicate situation à laquelle est confronté notre Führer par la faute des bolcheviques, le comité de direction d'IG Farbenindustrie déclare à son personnel et au peuple germanique qu'Adolf Hitler, le parti national-socialiste et la nation allemande ne font qu'un, et que nous soutenons le bienvenu changement de pouvoir ainsi que toutes les mesures prises par notre Führer pour maintenir l'intégrité et la dignité du peuple allemand. »

Le Dr Schiller balaya l'assemblée d'un regard circulaire. Je n'aurais su dire s'il croyait à ce qu'il venait de nous lire. Son métier de directeur exécutif l'avait entraîné à s'exprimer avec véhémence, qu'il fût ou non convaincu de ce qu'il affirmait : peu importait ce qu'il pensait. Il fut mis à pied d'IG Farben trois ans plus tard, avec une retraite minable, après un mot malheureux lors d'une réception à l'ambassade des États-Unis.

Ne nous restait plus qu'à hocher bêtement la tête. La réunion fut suspendue et nous retournâmes à nos bureaux sans un mot, abattus. Le Dr Winnacker s'installa dans le bureau du Dr Ziegler, et on n'en parla plus. Fräulein Reffe faisait triste figure, mais elle n'allait sûrement pas protester.

———•———

En rentrant chez moi, je marquai une halte devant la vitrine du magasin BMW et inspectai leur dernier modèle de motocyclette, la R11.

La passion à l'état métallique, voilà la pensée qui me traversa l'esprit. Mille pièces détachées s'associant dans un même but. Un fragment de vitesse, une promesse… de distance, de transcendance. Cette machine trapue, ensorceleuse, avait sur moi un pouvoir dont la nature se rapprochait de celui qu'avaient sur l'âme des croyants les retables, christs des Rameaux et autres calices de Lady Maire.

Un jeune vendeur, voyant que je dévorais la moto des yeux, sortit pour m'aborder.

«Belle machine, hein? me lança-t-il. Je peux vous poser une question? Je vous ai déjà vu pas mal de fois. Vous êtes intéressé ou vous rêvez?

— Y a-t-il des pièces détachées BMW disponibles aux États-Unis? Dans l'Ouest? Au Texas? Au Nouveau-Mexique?»

Sous la pluie de neige fondue qui tombait ce soir-là sur Francfort, quel plaisir j'eus à m'entendre prononcer ces mots brillants de soleil! Texas. Nouveau-Mexique.

« Aucune idée ! répondit le vendeur avec un sourire joyeux. Je ne peux pas vous dire. Mais je vais me renseigner. »

———

J'étais au bureau, le lendemain matin, à l'heure où Herta courut à l'écurie trouver mon père, folle d'inquiétude. Son mari, Solomon, sorti la veille au soir boire une bière au club-house de la Reichsbanner à Niederrad, n'était pas rentré. Elle craignait qu'il n'ait été arrêté par les SA, qui servaient désormais d'auxiliaires à la police.

Solomon était fort en gueule, bagarreur et très fier de faire partie des anciens combattants de la Reichsbanner. Herta était trop craintive pour aller voir au club-house. Tout le monde savait comment se conduisaient les SA, ivres, dans des camions volés et non bâchés roulant à tombeau ouvert dans les rues et sur les ponts. Tout le monde avait entendu l'animateur à la radio proclamer qu'en représailles de l'incendie du Reichstag des « nids de communistes » allaient être « nettoyés ».

Elle supplia mon père de faire quelque chose. Solomon était un Juif travaillant pour le traître-baron-juif, ce qui suffisait à faire de lui une cible si jamais il se trouvait au mauvais moment au mauvais endroit. Et le club-house des membres de la Reichsbanner la nuit après l'incendie était exactement ça.

Le baron et Lady Mairc séjournaient en Angleterre : la baronne chassait à courre sur le domaine de son frère, dans le Northamptonshire.

Herta s'effondra en larmes. Mes parents se consultèrent. Buck décida de se rendre à Niederrad pour voir ce qu'il en était. Il était possible que Solomon ait été arrêté.

À ce stade, c'était la pire éventualité que mes parents osaient envisager. Dans leur esprit, une « arrestation » était déjà abominable. Après celle de Buck en 1914, ils avaient été privés du contrôle sur leur vie pendant quatre ans et demi. L'emprisonnement de mon père leur avait coûté leur tranquillité, la sensation d'avoir leur propre vie en main.

Jusqu'à l'incendie du Reichstag, il n'avait sans doute pas été déraisonnable de penser que la vie en Allemagne retrouverait peu à peu son cours normal, mais mes raisonnables parents ne se rendaient pas compte que tout indiquait à présent le contraire.

Buck avait l'intention de faire un saut au club en question, puis, si nécessaire, au poste de police, afin de leur donner des assurances sur l'honnêteté, la situation et les faits de guerre de Solomon. Si le chauffeur était accusé d'un délit, et pas seulement en train de cuver sa bière quelque part, mon père appellerait à la rescousse l'avocat du baron, Kaufman.

Tandis que se déroulaient ces événements, j'étais à mon bureau du département Traduction où il y avait du flottement dans l'air. Non seulement le Dr Ziegler avait disparu, mais encore Günter Krebs n'avait pas pointé depuis l'incendie du Reichstag. On disait que Ducky avait demandé une semaine de congé pour « remplir ses obligations de membre du parti », une requête grotesque qui aurait néanmoins été approuvée par notre nouveau patron, le Dr Winnacker.

Était-il acceptable désormais à IG Farbenindustrie d'être ouvertement nazi ? Cette question, il fallait du courage pour la poser. Peut-être était-ce justement pour l'éluder que le Dr Winnacker se planquait dans son bureau.

De l'autre côté du Main, mon père s'en allait à pied vers le centre de Niederrad. Ce quartier vétuste entre Walden et Francfort se présentait comme un village délabré de la Hesse. Depuis 1919, rien n'avait été fait pour le rénover. On y gardait des poules, des cochons, des vaches. Les rues comptaient autant de voitures à cheval que d'automobiles.

Buck fila tout droit au club des anciens combattants sur la Schwanheimerstraße, où ce qu'il découvrit l'horrifia : les vitrines cassées, les portes défoncées. Un feu avait été allumé à l'intérieur. Il pénétra dans la salle. Des murs barbouillés de suie. Un air poisseux de fumée. Tout fracassé, brisé.

Personne n'était disposé à raconter ce qui s'était passé. Les piétons détournaient les yeux et passaient en toute hâte devant le sinistre. Finalement, un marchand de journaux de l'autre côté de la rue apprit à mon père qu'il y avait eu pendant la nuit une descente des auxiliaires de police, autrement dit de SA à brassard blanc armés de fusils Mauser. Après avoir fait monter les hommes de la Reichsbanner à l'arrière d'un camion, ils avaient décampé.

Le marchand de journaux aurait-il une idée de l'endroit où ces hommes avaient été conduits ? L'homme se borna à pincer les lèvres et fit dès lors comme si mon père n'existait pas.

Buck était tout à la fois perplexe, énervé et, bien sûr, effrayé. Il n'avait qu'une envie : retourner à Walden auprès de ses chers yearlings, loin de la puanteur du club incendié. Il n'avait jamais porté dans son cœur Solomon Dietz. Mais Herta avait le droit de savoir où était passé son mari.

Il décida donc de se rendre à la *Schutzpolizei*. Si Solomon était sous les verrous, la police locale saurait l'orienter vers son lieu de détention, n'est-ce pas ?

Là-bas, l'Oberwachtmeister lui jura que ses cellules étaient vides. Si les auxiliaires avaient arrêté ces hommes, c'était sûrement eux qui les détenaient. Lui-même ignorait totalement ce qu'il en était.

« Les détenir où ?

— Vous feriez mieux de laisser tomber, Herr Lange. Votre homme finira bien par rentrer, tôt ou tard.

— Mais, vous, où croyez-vous qu'ils sont ? À votre avis, ils sont maltraités ?

— Si vous y tenez absolument, vous pouvez toujours vous adresser au commissariat central sur le Römerberg. Mais ce serait une perte de temps, ils ne le sauront pas plus que nous. »

Buck ne pouvait quand même pas rentrer bredouille. Il sauta dans un tram qui traversait le Main. Des camions et des autos de SA déboulaient de tous les coins de rue. Les vitrines des magasins dont les propriétaires étaient juifs avaient été cassées. Il y avait du verre brisé partout.

Au commissariat, Buck s'enquit du sort de Dietz, Solomon, mécanicien employé par le baron Hermann von Weinbrenner, vu la dernière fois au club de la Reichsbanner, à Niederrad.

« Le baron juif, hein ? grimaça le *Wachtmeister*. Revenez demain.

— Vous le détenez, oui ou non ? Vous l'avez arrêté ? » Buck ne faisait jamais de rentre-dedans, mais il pouvait se montrer têtu. « Si c'est bien le cas, sous quelle accusation ? Je dois en informer son épouse.

— Comment voulez-vous que je le sache ? Personne ne me dit rien.

— Ce n'est pas justement votre fonction de savoir ?

— Vous n'allez tout de même pas m'apprendre mon métier ? se rebiffa le policier. De toute façon, vous êtes quoi… anglais ?

— Je suis chargé de le localiser, pour rassurer sa femme, qui est bouleversée, comme vous pouvez l'imaginer. Si vous pouviez m'indiquer…

— Vous connaissez la Klinger-Oberrealschule ?

— C'était le lycée de mon fils.

— Eh bien, un petit oiseau m'a dit qu'il s'en passait de drôles au sous-sol… un de leurs "camps sauvages". À votre place, je n'irais pas y fourrer mon nez. Maintenant, si vous voulez bien dégager, monsieur, et me laisser tranquille. J'ai eu une foutue journée, je peux vous le dire ! »

Sonné, en proie à la sensation étrange de se retrouver dans une ville inconnue, mon père entra dans un bar et commanda une tasse de café, ce qui ne lui ressemblait pas, lui qui estimait ce genre de dépense inutile.

Les journaux du soir criaient haro sur le complot communiste : un réseau de pyromanes ayant ordre de mettre le feu aux structures de la civilisation en Allemagne. Il y avait un téléphone dans l'arrière-salle du café et Buck m'appela au bureau – c'est la seule fois qu'il le fit.

« À en croire le *Wachtmeister*, il y aurait du grabuge dans ton ancien lycée. Au sous-sol. Un camp sauvage… Saurais-tu par hasard ce que cela signifie ?

— Pas du tout.

— *Ach so*, Billy, je ne sais que penser. Crois-tu que Dietz ait de sérieux ennuis ? Serait-il mêlé à cette histoire de putsch ? »

Les gens avaient en effet, pour la plupart, avalé la fable selon laquelle l'incendie du Reichstag avait été provoqué par les communistes pour s'emparer du pouvoir.

Le pyromane hollandais qui avait été arrêté sur les lieux du sinistre était, sans aucun doute, un communiste. Le Dr Goebbels, le chef de la Propagande, s'était empressé d'exploiter l'événement.

«Tu penses que je devrais y aller, dans ton ancien lycée? Dois-je envoyer un télégramme au baron?»

Mon père m'avait-il jamais avant cela demandé conseil? Je ne crois pas.

Nous étions encore persuadés que Hermann, Freiherr von Weinbrenner, avait le bras long à Francfort. Lors de son soixantième anniversaire, l'université ne l'avait-elle pas gratifié du titre de sénateur honoraire? La Ville de Francfort ne lui avait-elle pas offert une plaque en argent en le nommant citoyen d'honneur? À ma connaissance, il siégeait toujours au comité directorial d'IG Farben. Lorsqu'il n'était pas en train d'assister à des courses de chevaux en Belgique ou à des ventes de yearlings en Angleterre, il consacrait le plus clair de son temps à l'étude des plans du nouveau musée d'art que souhaitait faire construire Lady Maire. La grande maison était surencombrée de retables d'Italie et des Pays-Bas, de christs des Rameaux allemands, de calvaires bretons, de figures saintes de tous les coins de la chrétienté, de caisses de calices et d'objets liturgiques d'or battu. Il y avait des malles pleines de chasubles de drap flamand ayant miraculeusement subsisté à travers les siècles. Lady Maire était déterminée à bâtir un musée sur le domaine de Walden, afin d'abriter et d'exposer sa collection comme elle le méritait. Plus son cancer l'affaiblissait et le régime durcissait, plus elle se passionnait pour son projet.

Quant au baron, tout comme mon père, l'idée qu'un musée puisse attirer du monde à Walden l'horripilait. Il ne fallait surtout pas troubler la tranquillité des chevaux.

Et il n'était pas question d'abandonner une partie des écuries ni un seul hectare de pâturage. Si musée il devait y avoir, il faudrait tailler dans la forêt. Mais l'abattage des arbres en Allemagne ne se faisait pas du jour au lendemain, nécessitant des déclarations préalables aux autorités municipales, régionales et gouvernementales, doublées de négociations avec des bureaucrates difficiles à convaincre. Le projet de Lady Maire n'avançait par conséquent pas rapidement. Eilín se plaignait amèrement de ce retard : on privait une grande malade de son rêve le plus cher. Mais cela convenait sans doute très bien au baron et à mon père.

« Je pourrais envoyer un télégramme en Angleterre, mais je ne sais pas trop ce qu'il pourrait faire, dit Buck. Weinbrenner a ses propres ennuis, en ce moment. »

Il y eut une pause tandis qu'il allumait une cigarette. Lorsqu'il reprit la parole, ce fut d'une voix lasse.

« Tu vois, Billy, je suis inquiet. Ce camp sauvage ne me dit rien qui vaille. Il vaudrait mieux pour lui qu'ils ne le retiennent pas trop longtemps. »

Une deuxième pause. Je crus que la ligne avait été coupée. Par la téléphoniste ? Quelqu'un nous écoutait ?

« Papa ? Tu es toujours là ?

— Oui. Je réfléchis. Herta était au bord de la crise de nerfs quand je suis parti.

— Je n'ai pas vraiment le temps de parler, papa.

— Bien sûr, elle est sorabe, elle est très émotive. Mais lui est juif, en plus d'être à la Reichsbanner. S'ils le détiennent… tu m'entends, Billy ? Si ces "chemises brunes" le gardent, je pense qu'ils ne vont pas le ménager. Oh, non ! C'est tout le contraire. »

Ce chevrotement dans sa voix, il ne pouvait être attribué à une mauvaise communication. Soudain, je le revis

– aussi nettement que si c'était hier – assis seul sur ce banc de parc londonien par une journée d'hiver, juste après sa libération d'Ally Pally, à l'époque où nous attendions d'être déportés. Assis là, solitaire, le regard dans le vide.

«Billy, que crois-tu que je devrais faire?»

Ne m'appelle pas au bureau, songeai-je. Depuis trois ans, je goûtais aux plaisirs vertueux du salariat. Je gagnais alors – je possède des relevés de la *Pensionskasse* et pourrais vérifier, quoique ce soit inutile – cent soixante-dix marks par semaine, plus du double de mon salaire de départ. Je n'ai jamais su combien gagnait mon père à Walden, mais je doute que ce fût autant, quoiqu'il touchât en plus une part sur les gains des chevaux.

Aussi consternant que cela puisse paraître, même après ce qu'ils avaient fait au Dr Ziegler, et malgré les rodomontades de Ducky Krebs, j'étais toujours fier d'appartenir à IG Farben. Je n'étais pas près d'épingler l'insigne national-socialiste sur le revers de ma veste, mais je n'allais pas non plus faire un esclandre. Et voilà que mon père inquiet souhaitait me parler de la disparition d'un mécanicien socialiste au téléphone, alors que notre conversation risquait d'être écoutée à tout instant par les téléphonistes, le Dr Winnacker, le Dr Schiller ou mes collègues porteurs de l'insigne. Mes tripes me hurlaient : Gare aux emmerdements! Plus un pas! C'est une coupe empoisonnée! Tu risques de perdre tout ce à quoi tu as jamais aspiré dans la vie.

Je savais qu'au cours des dernières quarante-huit heures, à Francfort comme sans doute partout ailleurs en Allemagne, des dizaines, voire des centaines de gens de gauche avaient été internés dans des *Konzentrationslagern* improvisés, les fameux «camps sauvages». À la radio, ils parlaient de «détention de protection».

Solomon était un membre de la Reichsbanner, une grande gueule et un Juif employé par un baron juif traître à l'Allemagne. À chacun de ces titres, il était menacé par les «auxiliaires de police» lâchés dans notre belle ville. J'avais vu leurs camions rouler à tombeau ouvert dans les rues étroites du centre médiéval, au mépris du Code de la route, et j'avais envie de dire à mon père de prendre le tram, de retraverser le pont sur le Main, de rentrer à la maison et de fermer le portail de Walden derrière lui, qu'il oublie ce qu'il avait vu et entendu.

Puis une solution germa dans mon esprit. L'heure ne se prêtait ni à l'émotivité ni à l'irrationnel. Le problème de Solomon devait être réglé prestement et efficacement, de la même manière qu'un dossier. En d'autres termes, en le confiant à un tiers.

«Ce qu'il faut faire, dis-je, c'est contacter Kaufman. Laisse-le s'en occuper. Herr Kaufman est avocat, il saura à qui s'adresser. Ne va surtout pas à Klinger, papa. Ne cherchons pas les ennuis.

— Je ne suis pas loin. C'est à dix minutes à pied.

— Je vais appeler Herr Kaufman. Rentre, papa.

— Kaufman est juif, lui aussi, fit remarquer mon père. Qu'est-ce qui va lui arriver s'il y va?

— Il est avocat, insistai-je. Il appartient au barreau. Ils ne se permettront pas de l'envoyer balader.

— Je ne peux pas rentrer les mains vides. Herta va hurler.

— Je téléphone tout de suite à Herr Kaufman.

— Bon, mais je vais aller voir là-bas…

— Non! Pas question! Rentre!»

Je raccrochai et regardai autour de moi. Ils avaient tous l'air absorbés par leur travail, mais ils n'avaient sans doute pas perdu une miette de la conversation. Quatre autres employés, outre l'absent Krebs, arboraient l'insigne. Mon père et moi avions parlé en anglais, mais on se trouvait au département Traduction. Tous ceux qui étaient à portée de voix connaissaient parfaitement cette langue.

Ils gardèrent la tête baissée. Personne ne croisa mon regard.

Ceux de ma génération savaient que le plus sage était de se tenir éloigné des ennuis des autres. Mais mon père, avec cette douceur qui lui était particulière, pouvait se montrer implacable. Je songeai que, en dépit de mes recommandations, il irait quand même à la Klinger-Oberrealschule.

J'appelai Kaufman. Je n'étais pas autorisé à me servir du téléphone pour des affaires personnelles, et le Dr Winnacker, si jamais il l'apprenait, me le ferait certainement payer cher, mais je n'avais pas le temps de courir de l'autre côté de la rue, chez le buraliste.

Frau Fleck, l'indomptable secrétaire, exigea que je lui donne la raison de mon appel. Je n'étais pas dans ses petits papiers, et elle n'avait aucune intention de me passer le grand homme.

Je lui fis savoir que j'appelais du siège d'IG Farben et lui répétai plusieurs fois qu'il s'agissait d'une question grave concernant le baron von Weinbrenner, un des pontes de la société. Sa soumission obséquieuse à l'autorité prit le dessus. La voix de Kaufman résonna à mon oreille.

« D'accord, mon cher Billy, dans quel pétrin s'est encore fichue notre Karin ? »

Je ne m'attendais pas du tout à ce qu'il suppose que j'appelais de la part de Karin. Sa méprise me donna un petit frisson de plaisir, mais je m'empressai de lui expliquer que Solomon avait été arrêté, sans doute par une bande de SA, et était sûrement détenu au sous-sol de la Klinger-Oberrealschule.

«Vous plaisantez! Un lycée! Un sous-sol!»

J'ajoutai qu'à cette minute mon père était en route pour ledit lycée.

«Votre père ne devrait pas s'en mêler.» Kaufman paraissait ennuyé. «Il n'est pas habitué à ce genre de chose. Il n'obtiendra rien et on ne sait pas quelles conséquences cela pourrait avoir pour lui et monsieur le baron. Bref, il ne devrait pas y fourrer son nez. Rien ne les oblige à lui dire quoi que ce soit.»

Nous parlions allemand, Kaufman maîtrisait mal l'anglais. Je ne l'avais jamais trouvé sympathique. Au temps où j'étais commis à son cabinet, il m'avait semblé pointilleux et critiquant tout continuellement. Il se vantait de connaître sur le bout des doigts la constitution de la république de Weimar, laquelle était déjà depuis longtemps lettre morte. Comme le baron, il avait été au front, pour sa part dans l'artillerie du grand-duché de Hesse, 25ᵉ division. Il gardait lui aussi sa croix de fer dans un écrin, sur son bureau. Et tout comme Eddy Morrison, le propriétaire du Frankie's English Bar, Kaufman avait été blessé au cou pendant la bataille de la Somme. Le bout de sa cicatrice, qui débordait, laissait imaginer des marques de serres.

«Vous pouvez peut-être vous en charger, avançai-je.

— Vous voulez que j'aille là-bas?»

Silence.

Je n'avais pas pris la mesure de ce que je demandais, à savoir que lui, un avocat de renom à Francfort, riche, puissant, respecté – mais juif –, aille planter un bâton dans un nid de vipères. J'avais toujours pris Kaufman pour un notable, ami du premier bourgmestre, Ludwig Landmann, que j'avais d'ailleurs vu dans son bureau. Une personnalité que même les SA traiteraient avec précaution, respect même. De quoi Herr Kaufman avait-il peur?

Buck, en revanche, avec son costume anglais et son léger accent britannique dès qu'il était fatigué, mon père, oui, était vulnérable. Mon père pouvait de nouveau devenir une victime.

«Bien, dit Kaufman, je pourrais téléphoner à un ou deux gars dans la police que je connais, mais cela m'étonnerait que je sois bien reçu. Cette histoire de "détention de protection"... la loi n'est pas du tout claire là-dessus. Il n'y a pas de doute que les rouges préparaient un coup d'éclat.

— Cela m'étonnerait que Solomon ait préparé autre chose qu'une beuverie.»

Il gloussa. «Quel gueulard, celui-là. Je ne sais pas pourquoi monsieur le baron ne le fiche pas dehors. Bon, mais pour Weinbrenner, je suppose qu'il faut que j'aille moi-même voir de quoi il retourne.»

Je commençais toutefois à avoir des doutes. «Ce sont les SA, vous savez, pas la police normale...

— Évidemment, les chiens ont été lâchés par leur maître, ce porc.

— Je ne voudrais pas qu'il arrive quelque chose à mon père.

— C'est idiot de sa part de s'en mêler ainsi.»

Il se tut, puis reprit sur un autre ton, celui, sec et guindé, que je l'avais entendu utiliser lorsqu'il dictait son courrier à Heidi, la jeune et jolie Heidi à la belle poitrine qui avait épousé un éleveur de cochons.

«Je pars pour Klinger. Je vous en informe afin que vous en preniez bonne note, vous comprenez? Si vous n'avez pas de nouvelles de moi d'ici quelques heures, mettons quinze, allez au commissariat du Römer. Demandez à parler à l'Oberleutnant Schwamborn. Vous avez noté? Oberleutnant Hermann Schwamborn. Dites-lui que maître Kaufman, qu'il connaît bien, s'est rendu au lycée Klinger et n'en est pas revenu. Ils ont beaucoup de respect pour moi, ces *Schupos*. C'est bien compris?

— Tout à fait.

— Votre père a plus de courage que de jugeote, vous savez ça?»

Il raccrocha.

J'avais honte. Je venais de forcer la main à Kaufman, parce que j'avais peur d'agir moi-même. Pourtant, c'était à mon propre lycée qu'ils avaient emmené Solomon.

J'avais obéi à un réflexe, comme un rat flairant le danger, je m'étais glissé dans l'ouverture la plus proche.

Je détestais de plus en plus le chauffeur, à cause de qui j'étais confronté à ma lâcheté. Et j'en voulais à mes aînés, à mon père comme à l'avocat juif, de faire montre d'autant de courage.

Moi, le «garde du corps». *Quelle blague*!*

Pendant l'heure suivante, je tentai en vain de me concentrer sur mon travail. Je me levai sans cesse et tournai en rond comme un chien malade. Un compte rendu détaillé de l'état de l'industrie de la pâte à papier et du papier au Québec, notre plus grand marché en Amérique du Nord pour nos agents de blanchissement (le chlore et la soude caustique), était arrivé sur mon bureau, écrit dans un anglais exécrable au point d'en être incompréhensible. Les paragraphes flottaient devant mes yeux sur la page blanche. J'étais chargé de résumer ce rapport le plus brièvement possible en un allemand parfait.

J'avais senti que Kaufman, en dépit de son assurance apparente, était conscient du péril représenté par les SA. Je me mis à imaginer mon père tombé entre leurs pattes. N'y tenant plus, je pris mon chapeau et mon manteau, et me dirigeai d'un pas rapide vers le bureau du Dr Winnacker. Je préférais ne pas croiser le regard de mes collègues. Je n'avais confiance qu'en deux personnes, Ernst Mack et Robert Briesewitz, et en personne d'autre.

La porte du Dr Winnacker était fermée, bien entendu. Je passai devant la secrétaire, Fräulein Reppe. Elle semblait toujours secouée : elle adorait le Dr Ziegler. Je me demandai combien de temps encore, elle qui était juive, allait garder son poste à IG Farben. Ducky Krebs l'avait toujours traitée respectueusement. Cela comptait peut-être, peut-être énormément.

Je frappai à la porte de notre nouveau patron. Cela ne se faisait pas, à IG Farben, les subalternes ne dérangeaient pas leur supérieur ; c'était toujours l'inverse. Fräulein Reppe me regardait bouche bée, trop sidérée pour protester.

« Oui, c'est pour quoi ? »

J'entrai. Il avait les pieds sur la table. Le Dr Winnacker était un homme massif aux os épais et aux épaules carrées. Il avait l'air fatigué. Tout ce que nous savions à son sujet, c'était qu'il avait vécu à Buenos Aires et avait contribué à monter Anilinas Alemanas, la succursale argentine d'IG Farben. Une rumeur circulait selon laquelle sa femme était une Juive argentine.

Le Dr Winnacker s'habillait avec un goût raffiné. Au milieu de l'hiver, il portait des chaussures bicolores. Par la suite, il me confia qu'il se faisait faire ses costumes dans un magasin mythique de Buenos Aires où officiaient des tailleurs anglais.

« Vous avez des ennuis », me dit-il calmement.

Lui ou Fräulein Reppe avaient dû écouter ma conversation avec mon père. J'ouvris la bouche pour parler quand Winnacker m'arrêta en levant la main.

« Je ne veux rien entendre, si vous avez un problème personnel à régler, vous pouvez partir. Il n'y a rien qui presse sur votre bureau, que je sache ? Allez-y. On vous verra demain. On parlera. Je veux connaître chacun de mes employés. *Ich wünsche Ihnen viel Glück*[1].

———

J'entrai dans le paternoster. Il n'y avait de la place que pour une personne dans ces cabines : vous y entriez seul et vous en sortiez seul, vous montiez ou descendiez en silence.

Cet ascenseur était à l'image de ma situation à IG Farben : silencieux, exigu et confiné. Un petit espace rien qu'à soi.

Dehors, il faisait froid et gris. Des giboulées délavaient la neige en y imprimant des traces de pattes de chat que des bourrasques effaçaient instantanément. Chaque fois que je me retrouvais sur le trottoir à la sortie du bureau et que je me retournais, j'étais impressionné par les dimensions de notre immeuble. C'était comme longer un paquebot transatlantique à bord d'un petit voilier ou d'un skiff. Si l'immense navire sombrait, vous couleriez avec lui.

À l'abord d'Eschenheimer Tor, je sautai du tram et terminai à pied. Il pleuvait fort, une pluie drue, glacée.

J'étais à quelques rues de mon ancien lycée quand je les vis qui s'avançaient vers moi, sans comprendre de quoi il s'agissait : une parade, un défilé ? Un groupe de SA, fusil sur l'épaule, marchait au milieu de la chaussée. Ils ne marchaient pas en cadence, mais d'un air

———

1. Je vous souhaite bonne chance.

décontracté, à croire qu'ils se promenaient. Alors qu'ils se rapprochaient, je vis qu'ils tenaient un prisonnier. Les SA souriaient et se lançaient des plaisanteries, et le prisonnier trébuchait de faiblesse, et quelle ne fut pas mon horreur lorsque je reconnus Herr Kaufman! Autour de son cou, ils avaient accroché une pancarte: JE NE ME PLAINDRAI PLUS JAMAIS À LA POLICE.

Sans son pantalon ni ses chaussures, il ne portait que son imperméable marron sur ses sous-vêtements d'hiver, des caleçons longs. Les véhicules s'écartèrent devant les SA. Il tombait une pluie normale, des ouvriers pédalaient sur des bicyclettes normales. Les piétons jetaient un coup d'œil à Kaufman et passaient leur chemin sans ralentir. Un spectacle stupéfiant. Le nouveau régime en pleine action. On le sentait tout de suite: le pouvoir était là, et nulle part ailleurs. Quatre garçons en chemise brune, mausers sur l'épaule, c'étaient eux désormais qui faisaient la loi.

Et c'était moi qui avais jeté Kaufman dans la gueule du loup. Si je ne lui avais pas téléphoné – parce que je n'avais pas voulu prendre mes responsabilités –, à l'heure qu'il était, il serait assis à son bureau.

Kaufman, en dépit de cette mise en scène destinée à l'humilier, ne paraissait pas humilié du tout. Il n'avait même pas l'air effrayé. Son visage revêtait exactement la même expression que lorsqu'il examinait un travail mal fait. Cet avocat de cinquante-quatre ans respecté, diplômé de l'école de droit de Marburg, que l'on traînait dans les rues dans son linge de corps, parvenait quand même à paraître dédaigneux, comme s'il était en train de rédiger mentalement la plainte officielle qu'il déposerait auprès de la véritable force de police, les dédommagements qu'il demanderait, les peines de prison qu'il faudrait infliger à ces rebelles, qui devaient être punis sévèrement et sans tarder, afin que l'ordre fût restauré en Allemagne, cette précieuse Allemagne en laquelle Herr Philipp Kaufman – croix de fer de 2ᵉ et de 1ʳᵉ classe, blessé au cou à la bataille de la Somme – croyait si dévotement.

Après leur passage, je me ruai dans Bethmann Park et vomis dans les buissons détrempés. La peur, et le dégoût de soi. Bien entendu, j'avais été trop effrayé pour me jeter devant eux et leur tenir tête. «Effrayé» était un euphémisme. C'était bien la terreur, une panique paralysante, qui avait retenu mes jambes raides, alourdi mes bras et retourné mon estomac.

Je repris le chemin du lycée Klinger. Il me fallut tout le courage qui me restait. Je me figurais que mon père s'y trouvait, et Dieu sait ce qu'ils lui avaient fait subir.

Ce lycée avait été un lieu bénéfique. J'y avais eu des amis, de brillants professeurs.

Une petite foule battait la semelle sur le trottoir en face de l'entrée principale. Des ouvriers, trempés sous leurs casquettes en toile. Aucun n'avait de parapluie. Des camions étaient garés n'importe comment. Deux SS en noir gardaient la porte. Cela m'étonna : les auxiliaires de police étaient en général des SA. Les SS, les épaules enveloppées d'une cape en latex noire, se protégeaient de la pluie sous l'auvent.

«Que se passe-t-il? demandai-je. Il est arrivé quelque chose? C'est mon ancien lycée.»

Un jeune ouvrier en bleu de travail me glissa un bref regard. «Ce n'est plus un lycée, c'est un KZ.

— Un quoi?

— Un *Konzentrationslager*. Ils ont des prisonniers dans la cave.»

Il se détourna brusquement et s'éloigna. Personne d'autre ne prononça un mot. Nous regardions tous les SS en noir. Peu à peu, de plus en plus de gens se détachèrent de la foule pour s'en aller. Le groupe des badauds se rétrécissait.

À un moment donné, Günter Krebs sortit du bâtiment, deux tasses fumantes à la main, qu'il tendit aux sentinelles. Günter Krebs, Ducky, avec toute la panoplie SS : les bottes noires, l'uniforme noir, le ceinturon avec baudrier et holster, la cravate, le képi à mentonnière. Les SS donnaient l'impression d'être beaucoup plus intelligents et mieux habillés que les SA.

« Krebs ! » l'interpellai-je.

Les factionnaires froncèrent les sourcils, mais Günter me vit, sourit et me salua de la main.

Je m'approchai. « Je cherche mon père. Tu l'as vu ?

— Viens par ici, on ne va pas te mordre. Ah, Billy, mon vieux, j'allais te téléphoner, mais je me suis dit que ça ne te ferait pas plaisir, un appel de ce genre au bureau. Ton vieux est à l'intérieur. Tu n'as qu'à entrer, ramène-le chez lui, nous n'avons rien contre lui. Laissez passer, les gars, ordonna-t-il aux factionnaires. C'est Billy *der Engländer*, il n'arrive pas à décider s'il est un vrai Allemand ou pas. Allez, mon cher Billy, entre donc, c'est trop mouillé dehors. »

Je le suivis à l'intérieur. L'électricité éclairait les couloirs familiers de mon ancien lycée, mais les salles de classe étaient plongées dans le noir.

« Nous avons renvoyé les élèves chez eux, des petites vacances, déclara Günter.

— Qu'est-ce que vous faites ici ?

— Viens, Billy, tu dors ou quoi ? Mes hommes ont reçu l'ordre de regrouper les prisonniers.

— Pourquoi ? Qui ça ?

— Ces putains de rouges, forcément. Nous nettoyons la ville. Comme il n'y avait plus de place à la prison, on a ouvert un camp de concentration ici.

— Günter, mon père n'est pas un rouge.

— Non, bien sûr que non. Mais il travaille pour les Juifs riches, non ? Il a débarqué ici avec un avocat juif. Ton père devrait être plus avisé. Nous avons renvoyé vite fait ce type avec une bande de bouseux de SA qui nous cassaient les pieds. Il ne reviendra pas, ça je peux te l'assurer. »

Des cris et des coups résonnaient dans les entrailles du bâtiment.

Günter Krebs, mon collègue, mon ancien camarade de classe, semblait étrangement calme, et enthousiaste. Son uniforme était bien coupé. Il avait un pistolet dans son holster fermé par un bouton-pression. Ses bottes brillaient.

J'étais désorienté. Les anciennes écoles étant pleines des cendres de nos états d'âme passés, je me sentais de nouveau jeune et très vulnérable. Était-ce un mauvais rêve que nous faisions tous les deux, Günter Krebs et moi ?

Ou peut-être avais-je échoué je ne sais comment dans le rêve de Ducky. J'avais mal à l'estomac, à la gorge, un goût de brûlé dans la bouche.

Sous nos pieds, un homme hurlait.

« Oh, c'est une bande de hyènes, dit Günter. Mais nous leur apprenons à bien se tenir. Ton père va bien. Je l'ai mis à l'abri dans une cave à charbon. Viens. Il vaut mieux sortir d'ici le vieux monsieur. Comment as-tu réussi à t'absenter du bureau, au fait ? Le Dr Winnacker sait que tu es ici ?

— Je ne lui ai rien dit.

— J'ai beaucoup de nouvelles responsabilités. Winnacker a intérêt à se montrer plus souple que Ziegler, sinon il va y avoir du grabuge.»

Il me conduisit le long d'un couloir. Du plancher montait la même odeur d'encaustique que dans ma jeunesse. Un hurlement en provenance de la cave se réverbéra sur les murs.

«Celui que mon père est venu chercher est le chauffeur des Weinbrenner…»

Günter se figea et me saisit par les épaules. Ses yeux gris sous ses sourcils blonds plongèrent leur regard dans le mien. À mon avis, il vivait un moment de triomphe. Il s'était enfin trouvé une personnalité. Au lycée, il n'avait pas été populaire. Une ou deux fois, il avait persuadé une poignée de camarades de taper sur d'autres qui étaient juifs. Kracauer avait été une de leurs victimes ; ils avaient jeté ses livres et ses bottes par-dessus le mur. Günter avait été leur meneur, mais une fois le «pogrom» terminé, ils n'avaient plus rien voulu avoir à faire avec lui. Au cours des derniers mois avant la fin de nos études secondaires, les garçons s'étaient mis à se murmurer que Krebs sentait affreusement mauvais. Son odeur était-elle tellement plus désagréable que la nôtre, je ne sais pas, mais elle devint légendaire. Le matin, lorsque la porte de la classe s'ouvrait, on voyait parfois des dizaines de savonnettes Nivea empilées sur le pupitre de Krebs. C'était peut-être un complot ourdi par quelques élèves juifs, dont Kracauer était sans doute l'initiateur. L'incident se reproduisait toutes les deux semaines. Tout le monde trouvait ça très drôle, sauf Krebs. Rouge de colère, il nous bousculait pour entrer, s'emparait des savonnettes, soulevait le couvercle de son pupitre et les faisait disparaître.

Après la guerre, Krebs devint représentant de commerce à la BASF, une des firmes qui succéda à IG Farben. Il mourut au cours d'un safari-photo en Afrique du Sud, en 1979.

« Écoute les conseils d'un vieux camarade de classe, Billy. »

Il était jovial. Ses acolytes et lui s'étaient peut-être déjà assez défoulés comme ça dans les geôles, il pouvait se permettre une pause amabilité, se félicitant de sa gentillesse. Les cris dans la cave : un concert de musique de chambre avec les SS de Günter jouant des instruments. Leur vie était enfin au diapason.

« Arrêtez de poser des questions sur le communiste Dietz. Laissez les autorités s'en occuper, tu as compris ? On va lui régler son compte, je te le promets. Tu as compris ? Et ne va pas clamer sur les toits que tu dois ta situation à IG Farben à l'ignoble baron juif Weinbrenner. Tu ne te feras pas des amis comme ça. »

Tout cela se déroulait avant que moi comme le reste du monde ayons pu voir un demi-siècle de films sur la police secrète et les nazis, la brutalité d'hommes ordinaires et « honnêtes » en uniforme, aussi n'ai-je pas bien déchiffré la situation, je ne connaissais pas le synopsis. Mon esprit à la traîne n'arrivait pas à comprendre ce qui se passait. Mais ce qui avait commencé par être une journée comme les autres devenait au fur et à mesure plus sombre et plus folle. J'étais abasourdi.

Ducky se remit en mouvement, de sa démarche en canard, les talons de ses bottes crissant sur le linoléum. Il poussa le double battant d'une porte anti-incendie. Je le suivis dans la cage d'escalier blanche, jusqu'au sous-sol, une partie du lycée qui avait toujours paru plus ancienne et plus sale que le reste du bâtiment : une galerie de débarras, de chaufferies, de caves à charbon, des plafonds parcourus de gros tuyaux. Briesewitz et moi y descendions en cachette pour fumer des cigarettes.

Deux SS s'avancèrent vers nous avec des pistolets et des sourires carnassiers. Ils avaient l'air de très bonne humeur. Ivres sans doute, mais pas d'alcool, d'autre chose. Je me sentais comme Alice au pays des merveilles, quand elle tombe dans le trou noir du terrier du lapin blanc.

Les portes des débarras étaient fermées. J'entendais des cris, des gémissements. Puis un cri plus fort, qui dura trois ou quatre secondes avant d'être coupé net. Ducky ne ralentit pas.

Un jour, bien plus tard, j'entendis un cri similaire dans les Everglades, en Floride. Le guide m'informa qu'il s'agissait d'une panthère sur la patte de laquelle venait de se fermer la mâchoire d'un piège.

Ducky et moi nous faufilâmes pour passer devant cinq ouvriers d'âge mûr, à genoux par terre, grognant, le visage pressé contre le ciment du mur. Les SS avaient placé sur le sol des manches à balai et obligeaient les hommes à s'agenouiller dessus.

La vapeur sifflait dans la tuyauterie. Les SS devaient avoir alimenté les chaudières, ça chauffait à fond. Nous arrivâmes à la hauteur de la porte métallique de la cave à charbon. Un grand SS se dépêcha de se mettre au garde-à-vous pour saluer Krebs, qui lui rendit nonchalamment son salut. Le gardien ouvrit la porte à la volée.

«Vous voilà, Lange! claironna Ducky. Levez-vous! Allons-y! Vous êtes libéré.»

Lange, pas *Herr Lange*. Un de mes camarades de classe s'adressant à mon père avec cette désinvolture, le sol se dérobait sous mes pieds. Même après les démonstrations de brutalité dont j'avais été témoin, j'étais choqué.

« Vous avez un bon fils, il est venu vous chercher pour vous ramener chez vous. Vous aurez l'amabilité d'informer votre cher *Judenbaron* qu'il devrait faire plus attention aux gens qu'il embauche, de sales petits youpins comme Dietz, ce bolchevique. » Quelque part, un gramophone joua une valse de Strauss, et tandis que nous gravissions l'escalier, la musique nous poursuivit de sa mélodie moqueuse. Depuis, je n'ai jamais pu entendre une valse viennoise sans bouillir de rage et être pris d'une sorte de violent mal de mer. À travers ma manche, je sentis la poigne de mon père se refermer sur mon bras. Avant de franchir la porte, je m'arrêtai pour l'aider à enfiler son manteau.

Le petit attroupement de badauds prolétariens avait été chassé. Il ne restait plus que les SS dans la rue miroitante de pluie. Nous nous éloignâmes le plus rapidement possible.

« Billy, sais-tu ce qu'ils ont fait de Kaufman ?

— Oui, je les ai vus. »

Des larmes coulaient sur ses joues ; il les essuya du revers de la main. « Des vipères, voilà ce qu'ils sont. Il faut qu'on fasse quelque chose, Billy. On ne peut pas laisser ça continuer…

— Je vais téléphoner à la police, la vraie police. »

J'entraînai mon père chez un marchand de cigares. Ses mains tremblaient quand il alluma sa cigarette pendant que, dans la cabine, je demandai au central le numéro que m'avait donné Kaufman. Un homme répondit, je demandai à parler à l'Oberleutnant Hermann Schwamborn.

« L'Oberleutnant n'a pas le temps de parler à tout le monde. De quoi s'agit-il ? »

Le marchand de cigares nous surveillait d'un œil méfiant.

«Maître Kaufman m'a chargé de signaler sa disparition. Kaufman a disparu.

— Comment cela, "disparu"? S'il a disparu, comment a-t-il pu vous transmettre ses instructions?

— Avant de se rendre à la Klinger-Oberrealschule… écoutez, il a vraiment disparu. Il y a une demi-heure, il a été emmené sur Eschenheimer par des SA.»

Silence à l'autre bout du fil.

«Pouvez-vous, s'il vous plaît, me passer l'Oberleutnant?

— Impossible. Il n'est pas là.

— Eh bien, puis-je parler au responsable, s'il vous plaît? Je voudrais faire un rapport.

— Ils sont tous occupés. Essayez demain ou après-demain. Il n'y a plus d'intervention aujourd'hui. Bonsoir.»

Je n'entendis plus que des grésillements sur la ligne.

J'essayai le bureau de Kaufman – Frau Fleck devait pouvoir faire appel à des gens susceptibles de faire quelque chose.

Personne ne répondit.

Mon père m'empoigna par le bras.

«Il faut que j'envoie un télégramme au baron, lui saura quoi faire.»

Nous nous rendîmes à pied au bureau de poste, où je le regardai écrire le message en anglais avant de le tendre au préposé.

Le tram nous fit traverser le Main. Je lui demandai s'il avait vu Solomon Dietz.

«Je ne l'ai pas vu, je l'ai entendu. Ils l'ont tabassé… d'une façon terrible.»

Nous chuchotions presque.

Cela me rappelait les autobus londoniens pendant la guerre, lorsque certains passagers se prenaient à parler en allemand. Ma mère et moi nous sentions si vulnérables.

477

« Tu es sûr que c'était lui ?

— Sans aucun doute. Mais je t'en prie, ne dis rien à ta mère. Cela va seulement l'inquiéter.

— Tu plaisantes. Qu'est-ce que tu vas lui raconter ? Que tu es tombé dans un tombereau de charbon ? Tu ne vois donc pas que tu es couvert de suie ?

— Le premier bourgmestre, Landmann, il est juif. Bonté divine, il ferait bien d'intervenir pour faire cesser cette chienlit. »

Nous franchîmes les grilles de Walden. Mon père voulait voir Herta sans tarder. Ma mère nous aperçut dans l'allée.

« Où étais-tu passé ? s'écria-t-elle.

— Il y a eu une suite de malentendus, répondit Buck. Du commencement à la fin de la journée. Quelle stupidité partout ! Mais les choses sont en train de se calmer.

— Se calmer ? Ce n'est pas l'impression que j'ai. Le Dr Goebbels vitupérait à la radio. Il n'y a pas d'autre mot. Vitupérait !

— Bon, mais on n'a pas le choix, il faut garder profil bas, ne pas chercher les ennuis.

— C'est ça que tu as fait en allant au club de la Reichsbanner ? objecta-t-elle. Aujourd'hui, en plus ? C'est une drôle de façon d'éviter les ennuis, si tu veux mon avis. »

Nous descendîmes l'allée gravillonnée jusqu'à la remise à calèches. La pluie nous accordait une trêve. Branches gainées d'un manchon de glace grise. Nuées de brume ondoyant comme de la fumée à travers les bois.

La forêt ne pouvait pas nous cacher. Un arc apache ni même un pistolet automatique Browning ne pouvaient nous protéger. Nous habitions soudain un autre pays, un pays inconnu.

Nous gravîmes les marches en bois vitrifiées par le gel. Herta avait dû nous entendre approcher ; elle ouvrit la porte sans laisser à mon père le temps de frapper.

« Il est mort. Ce n'est pas la peine de me le dire. » Son visage était blême.

« Frau Dietz, tout ce que je sais, c'est que votre mari a été arrêté par les SS. Je n'ai pas pu le voir, mais je sais qu'il a été interrogé. J'ai envoyé un câble à monsieur le baron.

— Ils ne lui laisseront pas la vie. Il les déteste trop. Il est trop fort. Il les hait. » Herta paraissait à moitié endormie, comme une personne luttant contre le sommeil. Elle avait peut-être bu. « Ils le tueront. »

Mon ancien camarade de classe Günter Krebs était-il prêt à tremper ses mains dans le sang ? Comment allais-je réagir lorsque Krebs se pointerait au bureau ?

Nous n'avions rien de plus à dire à Herta. Nous rentrâmes à Newport. La pluie avait repris et déposait une cuticule de glace sur les branches grises.

« J'ai horriblement froid », dit ma mère. Mon père tenta de la prendre par les épaules, mais elle s'esquiva.

Dès que nous fûmes à la maison, il rappela le cabinet Kaufman. Cette fois, on décrocha. Je reconnus la voix de Frau Fleck, parce qu'elle hurlait ; elle me tenait pour responsable. Elle finit par admettre que l'avocat était à cette heure en sécurité dans son appartement. Ces brutes de SA l'avaient relâché.

Mon père s'empressa de téléphoner chez Kaufman. Sa femme répondit. Frau Kaufman était beaucoup plus jeune que son mari, qui avait l'habitude de se plaindre de ses notes de couturière, envoyées directement à son cabinet.

Buck lui demanda s'il pouvait parler à Kaufman, mais elle lui dit qu'il était au lit et ne voulait parler à personne.

« Frau Kaufman, je vous en prie, c'est très important. Nous sommes désolés d'avoir mêlé votre époux à cette terrible affaire. Mais il faut faire quelque chose, et vite, pour ce pauvre Solomon Dietz. Herr Kaufman et moi devons envisager ce… »

Elle avait raccroché.

Buck soupira, et réfléchit à haute voix. Il ne voyait pas ce qu'il pouvait faire d'autre pour Solomon sans aggraver sa situation, quelle qu'elle fût. Finalement, mon père annonça qu'il allait à l'écurie voir comment se portaient les poulinières, mais ma mère le pria instamment de monter s'allonger. Finalement, il obtempéra. Elle monta avec lui.

C'est moi qui pris ensuite le téléphone, je demandai à la téléphoniste de me passer les Universum Film Studios, à Potsdam.

Je n'avais jamais essayé de l'appeler. Je ne l'avais pas revue depuis l'aube où je lui avais conté mes histoires sur le balcon, l'année précédente.

Où avais-je la tête ?

Tenaillé par la peur et le remords, je ne voyais pas vers qui d'autre me tourner.

Elle était la fille de son père. Elle devait connaître des gens importants à Berlin, des gens qui pourraient intervenir, sauver le mécanicien.

Oui, j'avais peur. Je faisais plutôt bonne figure, mais en mon for intérieur, j'étais terrorisé.

On me passa le standard de l'UFA. La minute d'après, Karin prit la communication. « *Hallo ? Wer spricht ?* »

Le son de sa voix transmis par un fil électrique depuis l'autre bout de l'Allemagne me fit l'effet d'un choc.

« *Wer spricht ?* Qui est à l'appareil ?
— C'est moi… Billy.
— Qui ?
— Billy Lange.
— *Ach so !* Billy. Maman… ça va ?
— Ta mère est en Angleterre. »
Une pause.

« Qu'est-ce qu'elle fiche en Angleterre, en mars ? La maison de mon oncle est horriblement froide et humide. Elle ne devrait pas voyager, ça la fatigue tellement. Quelle mine elle a ?

— Ça va. Elle est amaigrie.

— Ta mère m'a écrit. Bon, dis-lui que je serai bientôt à Francfort, j'ai trop tardé. Elles partent cet été ? Elles ont prévu une expédition ?

— En Styrie, je crois.

— Je ne voudrais pas qu'elle tombe malade dans un de ces horribles villages autrichiens.

— Karin, il faut que je te raconte ce qui s'est passé. »

Je trébuchai sur mes mots, déroulant tant bien que mal le récit des épouvantables événements. Elle n'arrêtait pas de me demander de parler plus lentement, mais c'était plus fort que moi : je traînais un sentiment de culpabilité comme un cheval emballé, son attelage.

« Les porcs ! s'exclama-t-elle. C'est déjà terrible à Berlin, mais je ne pensais pas que ça prendrait ces proportions à Francfort. Ils essayent d'avoir mon père, tu ne vois pas ?

— Je crains que mon père ne fasse une bêtise, comme de retourner à la Klingerschule demain matin.

— Longo ! s'écria-t-elle. Ce bon vieux Longo bosse au ministère de la Justice sur la Prinz-Albrechtstraße. Je vais lui téléphoner. »

Je n'avais jamais mentionné ma conversation avec « ce bon vieux Longo » l'année précédente. Ce n'était pas la peine de le faire à présent. Peut-être se laisserait-il convaincre de faire une bonne action.

« On va tirer cette affaire au clair. Kaufman, Kaufman… Mon Dieu, il faut faire quelque chose pour lui… Quand mes parents doivent-ils rentrer ?

— Je ne sais pas.

— Dis à ta mère d'envoyer au cabinet Kaufman un bouquet de roses, des roses jaunes. Un énorme bouquet. Il déteste sans doute les fleurs. Dis à ta mère de ne rien mettre sur la carte, pas de nom, mais ceci : *Pour le Mérite**. Compris ? »

Tout petit écolier allemand savait que la croix *Pour le Mérite* était la plus prestigieuse des décorations attribuées par le royaume de Prusse.

« J'appelle tout de suite Longo », conclut-elle.

———————

Le lendemain matin, tout ou presque parut être rentré dans l'ordre. Plus d'essaims de chemises brunes sillonnant la ville. Au bureau, personne ne fit allusion ni aux SA, ni aux SS, ni aux KZ improvisés. Comme si sous l'effet d'un accord tacite nous ne devions pas discuter de ces sujets, tant ils jetaient des notes discordantes dans le paysage habituel de notre quotidien. Même mon ami Robert Briesewitz, qui avait remplacé Kracauer dans le rôle de principal tourmenteur de Günter Krebs, garda le nez dans ses dossiers pendant les jours qui suivirent.

Günter Krebs ne fit pas son apparition au bureau. S'il était revenu, l'aurais-je interpellé ? Sans doute pas.

Notre ancien collègue Kracauer aurait peut-être trouvé quelque chose de caustique et de drôle à propos de ces culs-terreux de chemises brunes se déchaînant dans une ville aussi sophistiquée que Francfort, mais Kracauer était en route pour l'Uruguay.

Le Dr Winnacker passa le reste de la semaine à faire le tour du département, sous prétexte d'une inspection informelle, se présentant à chacun personnellement, posant un bout de fesse sur le coin des bureaux et bavardant, essentiellement de tout et de rien.

Votre attention, s'il vous plaît! S'il vous plaît! Est-ce que par hasard vous auriez vu quatre brutes en état d'ébriété, quatre fauves en uniforme, traîner un avocat respecté de Francfort dans Eschenheimer hier après-midi, sous le grésil?

Mais je ne dis rien, et il n'y avait rien dans les journaux.

Günter Krebs ne revint jamais travailler sous les ordres du Dr Winnacker. Deux semaines après l'incendie du Reichstag, il vint à nos oreilles qu'il avait été promu à la direction du personnel de l'usine de Hoechst.

Kracauer n'arriva jamais à Montevideo. Alors qu'il était en route pour Bremerhaven et l'Amérique du Sud, un gang de chemises brunes l'avait accosté sur le quai de la gare de Hanovre. Il voyageait avec des bagages de luxe en cuir, cadeau de ses parents. Une de ces brutes balança une valise sur la voie, obligeant Kracauer à descendre la chercher. Il se hissait sur le quai quand un coup de pied l'envoya heurter de la tête l'acier d'un rail. Le chef de gare réussit à arrêter le train avant qu'il ne lui passe sur le corps, mais Kracauer n'était pas revenu à lui.

La nouvelle de sa mort nous parvint alors qu'il était déjà enterré. On ne nous dévoila aucun détail, seulement qu'il était décédé des suites d'un malencontreux accident. Des semaines plus tard, je tombai sur Rothbart, un autre ancien de la Klingerschule et de la tribu Winnetou de Niederrad, qui me raconta toute l'histoire.

Les parents de Karin rentrèrent d'Angleterre une semaine après l'incendie du Reichstag. Lady Maire avait le bras en écharpe : elle avait chuté de cheval en chassant à courre avec son frère dans le Northamptonshire. Le baron avait acheté une jument, Mountain Pass, à Doncaster. De Londres, il avait téléphoné et envoyé des tas de télégrammes en Allemagne, dans l'espoir de retrouver son chauffeur. À cette époque, Weinbrenner se prenait encore pour quelqu'un de puissant. Par habitude, comme il pensait qu'il était non seulement chez lui en Allemagne, mais qu'il n'y avait pas d'Allemagne sans lui. Dès qu'il fut rentré, il se précipita à Berlin où il apprit par le truchement d'un ancien uhlan, comme lui, travaillant au ministère de l'Intérieur, que Solomon Dietz était détenu dans le nouveau *Konzentrationslager*, à Dachau, en Bavière.

Comme il ne parvenait pas à joindre le commandant du camp au téléphone, le baron décida d'y aller lui-même, et cela en dépit de toutes les mises en garde. Mon père voulait l'accompagner, mais le baron refusa net. À la descente du train à Munich, il eut toutes les peines de monde à persuader un taxi de le conduire au KZ de Dachau. Finalement, il dut proposer au chauffeur une somme quatre fois supérieure à celle de la course. Il portait ses croix de fer (1re et 2e classe) épinglées à son manteau.

Je ne sais pas exactement ce qui s'est passé, mais ils ont trouvé moyen de l'humilier. Peut-être l'ont-ils brutalisé. Il avait eu de la chance de ne pas avoir été arrêté, dit mon père, mais à cette époque ils se méfiaient encore de gens comme le baron, quoiqu'il ne leur fallût guère de temps pour surmonter leurs inhibitions.

Le baron n'avait jamais plus été le même après ça. Pour commencer, il ne remonta plus jamais à cheval.

Cet été-là, pendant qu'Eilín et Lady Maire faisaient leur tour d'Autriche en auto, le nom de *Dietz, Solomon* figura sur une liste de prisonniers publiée par les journaux avec la mention : *abattu alors qu'il s'évadait.*

———————

La dernière semaine de mars 1933, le jeune vendeur de motocyclettes, Meyer, m'avait téléphoné au bureau pour m'annoncer un nouvel arrivage, les derniers modèles : il fallait absolument que je fasse un saut au magasin, rien que pour voir.

« Assurément les plus belles machines du monde, s'enthousiasmait-il. Avec une routière comme ça, la route vous appartient. Il ne vous reste plus qu'à apprendre à conduire, Lange. C'est une sensation à nulle autre pareille, toute cette puissance entre vos jambes. »

Je lui promis de passer. Meyer et moi étions en très bons termes. Nous avions passé plusieurs soirées ensemble au cinéma, puis à boire de l'*Apfelwein*. Il partageait avec Günter Krebs le goût du cidre fort et des westerns, mais contrairement à Krebs, Meyer trouvait Gary Cooper formidable. Il espérait émigrer aux États-Unis. Son oncle habitait le Delaware, où il était chimiste industriel.

Ce samedi était sombre et mouillé, pas du tout un temps à rouler à moto. Toute la semaine, les journaux nazis avaient annoncé le boycott des commerces juifs à partir de samedi, mais je me disais que ce n'était pas possible. Les gens avaient besoin de faire des courses. Je pris le tram et descendis non loin du Zeil. Des bandes de SA patrouillaient devant les grands magasins, arpentant le trottoir et aboyant des insultes aux quelques personnes qui osaient y entrer, sans leur barrer néanmoins le passage. Devant chez Wronker & Co, il y avait du monde, en majorité des femmes avec des cabas. De plus en plus de gens passaient outre et s'engouffraient précipitamment dans le magasin – après tout, on trouvait chez Wronker & Co la meilleure sélection d'articles à des prix raisonnables. Le boycott s'avérait un échec.

En bifurquant vers le magasin de motocyclettes, je remarquai de loin une foule attroupée. Bizarre. C'était un samedi matin maussade, et une rue commerçante ordinaire, sinon de second ordre, sans grand magasin ni café prestigieux, où l'on ne trouvait que le local d'exposition des motocyclettes, des garages et un atelier d'imprimeur.

Ce n'étaient pas des gens qui faisaient leurs emplettes cette fois, mais une véritable meute. Il s'en dégageait presque de la vapeur, comme d'une énorme bête mouillée. Au milieu des bruits de gorge fusa un hurlement : «Tuons-le! Préparez la corde!»

J'aperçus alors le malheureux Meyer flanqué de deux policiers qui le tenaient fermement. Il avait été passé à tabac. Une manche de son costume bleu était arrachée. Les chemises brunes se disputaient avec les agents de police.

Il y avait comme une atmosphère de camaraderie. Les gens offraient des cigarettes autour d'eux, ils se les allumaient sous la pluie. Je reconnus plusieurs collègues de bureau en tenue de week-end. Ils restaient à la périphérie de la cohue, mais semblaient tout à fait détendus, à croire que c'était un samedi ordinaire et qu'ils étaient tombés par hasard sur un match de football amateur en passant devant le terrain de sport. L'un d'eux avait en laisse un superbe setter irlandais.

Les chemises brunes avaient atteint leur apogée. Ils n'étaient plus nécessaires maintenant que Hitler avait l'armée, d'ailleurs, l'année suivante, il ferait assassiner leur chef, et dès lors on n'entendit presque plus parler d'eux jusqu'en 1938. Mais ce samedi 1er avril 1933, ils avaient tous les droits.

Je touchai la manche d'un monsieur élégamment vêtu qui devait avoir l'âge de mon père. « Que se passe-t-il ? »

Il me dévisagea quelques instants avant de répondre : « Ils veulent pendre le bougre.

— Qu'est-ce qu'il a fait ?

— Ils l'accusent de s'être mal conduit avec une Aryenne. Il l'a emmenée à moto sous la pluie. Ils ont eu un accident. Elle est à l'hôpital. C'est idiot de rouler avec ça quand il pleut. Il est juif, ils veulent le pendre, mais la police n'est pas de leur avis. C'est ridicule. Je ne sais pas où va cette ville. »

Sur ces paroles, il me tourna le dos et s'éloigna. Il estimait sans doute qu'il en avait trop dit. Quelques minutes plus tard, je m'éloignai à mon tour et attendis le tram qui me ramènerait à Walden.

Le lundi, je préférai ne pas prendre par la rue où se trouvait le magasin de motocyclettes – pourquoi passerais-je par là ? Ce n'était pas le chemin le plus court entre l'arrêt du tram et le siège d'IG Farben. En plus, j'étais un jeune homme pressé. J'avais du travail qui m'attendait.

Je ne voulais pas savoir ce qu'il était advenu de Meyer. Il n'y avait rien eu dans les journaux. Des choses démentes se produisaient, et on n'en parlait pas. On ne vivait plus dans le monde réel.

Je ne passai pas par là le mardi, non plus. Ce soir-là, dans mon lit, je songeai aux guerriers et aux frères de sang de la plaine entaillée. Je ne trouvai pas le sommeil, me tournant et me retournant pendant des heures entre mes draps trempés de sueur.

J'étais un lâche, voilà un constat que je trouvais dur à avaler. Il fallait que je lutte contre ma propre nature.

Le mercredi matin, je m'obligeai à passer devant le magasin BMW. La vitre avait été remplacée, la motocyclette exposée brillait de mille feux, mais ils n'avaient pas encore ouvert. Il était trop tôt. Je m'en réjouis.

Mais en sortant du bureau, je me forçai de nouveau à prendre ce chemin. Deux vendeurs s'affairaient à l'intérieur. Je ne reconnus ni l'un ni l'autre. Le premier était occupé à polir une moto. Il n'y avait aucun client.

J'entrai. Celui qui frottait la moto leva les yeux. Un blond costaud. « Bonjour.

— Bonjour. Je cherche Meyer.

— Meyer ? » Il avait l'air de ne pas savoir de qui je parlais.

« Oui, Meyer. Il me donnait des conseils pour l'achat d'une moto. »

Ils se consultèrent du regard. Tous deux haussèrent en même temps les épaules.

« Meyer ne travaille plus ici, répondit le blond.

— Vraiment ?

— Meyer a démissionné. »

Il me regarda et moi je vis en lui un double de moi-même, un jeune homme rongé d'ambition qui ne demandait qu'à aller de l'avant. Et comme la mienne, son ambition était teintée d'effroi.

« Savez-vous où je peux le trouver ? »

Certes, nous avions bu plusieurs fois des verres ensemble, mais à cette époque, il fallait connaître les gens très bien avant de livrer des détails sur sa vie privée. Je n'aurais su dire où il habitait ni s'il avait de la famille.

« Je regrette. Mais puis-je vous aider ? Vous étiez intéressé par un modèle en particulier ?

— J'aimerais parler à Meyer. »

Le blond ouvrit les mains, il n'y pouvait rien. « Meyer a démissionné. »

Le second vendeur, un brun, intervint : « Vous posez trop de questions ! Qu'est-ce que ça peut vous faire ? Interrogez-nous sur les motos, pas sur les Juifs.

— Savez-vous où il habite ? insistai-je auprès du blond.

— Aucune idée. Je peux vous présenter tout ce qui est exposé ici. Laquelle vous intéresse ? Vous avez beaucoup roulé déjà ?

— Je n'ai pas le temps aujourd'hui. » Je tremblais. Peut-être l'ont-ils remarqué, je ne sais pas.

« Revenez une autre fois, nous vous ferons une démonstration. »

Je sortis du magasin et n'y retournai jamais, et je ne revis jamais Meyer.

Le Frankie's English Bar fut fermé au lendemain de l'incendie du Reichstag, gardé par deux SA qui prenaient note ostensiblement des noms de tous ceux assez stupides pour venir demander quand le bar rouvrirait. Personne ne vit plus Eddy Morrison. On disait qu'il était parti pour Londres, Paris ou New York. J'appris que le bookmaker polonais, Willie Chopdelau, avait été arrêté et déporté.

Personne ne s'attendait que le Frankie's Bar rouvre, quand, au bout de six semaines, il rouvrit bel et bien ses portes. Le ciel s'était éclairci, les dernières congères avaient fondu dans les bois de Walden, et soudain l'enseigne néon brillait dans la rue non loin de la maison de Goethe, et nul autre qu'Eddy Morrison accueillait en smoking la clientèle. Willie Chopdelau était à sa table habituelle, avec son téléphone et sa cassette, et racontait à qui voulait l'entendre qu'il était allé en vacances dans le midi de la France, et Brutus, le portier russe blanc, vendait du haschisch à sa clique d'habitués et d'élégants bracelets-montres à tous les autres.

En juillet, pendant que nos mères sillonnaient la Styrie en auto, Karin me téléphona de Berlin au bureau pour m'annoncer qu'elle se rendait à la gare et devait voir son père pour des « questions d'affaires ». Nous nous fixâmes rendez-vous au Frankie's Bar, le soir même. Je me félicitai d'avoir pensé à ranger une chemise de rechange dans un tiroir de mon bureau, ainsi qu'un rasoir. Après m'être changé et rasé, je cirai mes chaussures et passai un bon moment à me coiffer, une brosse dans chaque main.

J'étais déjà sur place quand elle arriva tout droit de la gare.

Elle portait une jupe, une blouse de paysanne, des sandales et une veste en cuir. Je n'arrivais pas à m'ôter de la tête le moment où nous avions, l'an passé, assisté ensemble au lever du soleil, ni qu'elle m'avait dit qu'elle coucherait avec moi ou, plutôt, qu'elle ne coucherait *pas* avec moi.

Elle me confia qu'elle avait dû abandonner son appartement d'Eschenheimer. « C'était devenu trop cher. Je ne sais pas pendant combien de temps encore j'aurai du travail. Le régime augmente la pression. Les pontes de l'UFA sont hésitants. L'avenir, incertain. C'est tellement *fragwürdig...* comment tu traduirais?

— Discutable, ambigu. Le contraire de fiable.

— Vois-tu, Billy, le jour où tu m'as appelé pour me dire pour le pauvre Dietz, j'ai essayé d'obtenir l'aide de Longo.

— Tu sais que Dietz est mort?

— Je ne l'aimais pas, mais ils sont bien pires que lui, ceux qui l'ont tué. Maudit Longo... quatre messages, j'en ai laissé quatre à sa fichue secrétaire. Et tu croirais qu'il m'aurait rappelée, le salaud? Finalement, j'ai pris un taxi jusqu'à Potsdam où je savais qu'il habitait, avec des types du ministère de la Justice, une villa palladienne, au bord du lac.

Le domestique m'a affirmé qu'il n'était pas là, mais j'avais reconnu sa Mercedes. Je suis sûre qu'il y avait une femme avec lui, mais il aurait dû se douter que je me foutais royalement de qui il baisait, je voulais seulement qu'il m'aide à rappeler les chiens qui avaient attaqué l'avocat de mon père et enlevé son chauffeur. J'ai glissé un mot sous son essuie-glace où je lui demandais de me téléphoner, il ne l'a jamais fait.

Le lendemain matin, mon vieux Billy, je me suis pointée au ministère de la Justice. Prinz-Albrechtstraße. Je l'ai attendu dans le hall près de l'entrée, mais je ne l'ai pas vu. À mon avis, quelqu'un m'a reconnue et l'aura prévenu. Il a dû entrer par une autre porte. J'ai essayé de prendre l'ascenseur, mais les gardes m'ont jetée dehors.

Cette même semaine, je suais sur une scène que je n'arrivais pas à pondre. J'ai une paire de ciseaux nickelés dans un tiroir de mon bureau pour découper mes dialogues et faire mes collages, et tout d'un coup, je me vis me rendant en taxi à ce palais avec les ciseaux dans mon sac. Je renvoyais le taxi, m'ouvrais les veines avec les ciseaux et écrivais TRAÎTRES! ASSASSINS! PORCS! avec mon sang sur les murs du portique, puis je m'allongeais sur le marbre du seuil, afin que tout le monde puisse voir quels crimes sont commis en Allemagne.

— Mais tu ne l'as pas fait.

— Non, je ne l'ai pas fait.

— Tu ne devrais pas te raconter des histoires pareilles. C'est mauvais pour toi.

— Oh, Billy, mon cher Billy… toujours de bon conseil. Tu es si bon pour ce qui est bon. »

Elle grelottait. Je pris sa main dans la mienne, elle était froide. Elle voulut un autre verre, j'en commandai un pour chacun. La musique jouait, mais elle ne dansa pas. Nous rentrâmes à Walden en taxi, sans échanger un mot. Une fois sous la voûte de la porte cochère, elle m'embrassa sur la joue et courut à l'intérieur avec sa valise.

Le lendemain après-midi, elle retourna à Berlin, et je ne la revis plus avant l'été.

1938

Herr Kaufman téléphonait tous les matins pour prendre des nouvelles du baron. Cependant, il refusait toujours de venir jusqu'à Walden. Il craignait que les SA ne le surveillent et il ne voulait pas les inciter à refaire une visite sur la propriété.

Selon moi, ce n'étaient pas les SA qui empêchaient Kaufman de venir. C'était surtout qu'il ne pouvait supporter de voir son vieil ami aussi démuni qu'il l'était lui-même.

Le Dr Lewin était parti pour Cuba sans avoir pu envoyer un autre médecin, et Karin n'abandonnait pas l'idée d'emmener son père dans un hôpital à Zurich.

Lorsqu'elle demanda à Herr Kaufman de débloquer des fonds afin qu'elle puisse transporter son père en Suisse, l'avocat la fit déchanter. Si elle tentait d'obtenir un permis de sortie du territoire pour son père, il devrait céder tous les biens qu'il lui restait au *Finanzamt*. Et les Suisses, de toute façon, ne lui accorderaient pas de visa.

« Comme vous devriez le savoir mieux que personne, fit observer Kaufman, ces chers Suisses ne voient pas d'un bon œil l'arrivée chez eux de réfugiés juifs miséreux. Bref, Zurich est une chimère. »

Dans l'après-midi, je traversai à pied le pont sur le Main puis la ville qui avait repris son visage habituel. Le verre brisé avait été balayé. Les vitrines cassées, remplacées. Un certain nombre de Juifs avaient disparu. Le vieux Francfort était presque riant sous une des rares apparitions du pâle soleil de novembre. Les rues près du Römer, bordées de maisons à colombages, grouillaient de monde. L'approche de Noël mettait dans l'air une note festive.

Je me rendais à l'agence de voyages dans l'espoir d'échanger nos billets pour une date ultérieure. J'avais prévenu Karin que nous ne pouvions pas repousser trop longtemps, sinon nous n'aurions plus d'argent, puisque je n'avais plus de salaire. Elle n'avait pas d'économies, et les reliquats de la fortune de son père étaient hypothéqués, pour le cas où il faudrait payer la *Reichsfluchtsteuer*.

«Je vous rembourse volontiers, me dit le sémillant jeune agent. Ces cartes d'embarquement, je peux les revendre en à peu près cinq secondes. Toutefois, impossible de trouver deux couchettes sur un autre navire en partance de Rotterdam : impossible. Ni du Havre ni de Southampton. Pas en ce moment, mon ami. Les Américains rentrent tous chez eux pour Noël et chaque Juif d'Allemagne essaye de gagner New York, et ils sont prêts à payer à prix d'or une traversée sur un bateau néerlandais. Mais je peux vous proposer deux couchettes classe touriste sur le *TS Bremen*. Il partira de Bremerhaven le 7 janvier, un beau bateau, rapide, de la Norddeutscher Lloyd, cinq jours pour New York. Vous ne pouvez pas faire mieux, mon ami.»

Les Juifs n'étaient pas traités comme les autres sur les bateaux des compagnies allemandes. Karin n'accepterait jamais un paquebot allemand.

«Non, ça n'ira pas.»

Le jeune homme me dévisagea d'un air perplexe. «Vous êtes sûr?

— Absolument. Nous gardons nos billets.

— Je comprends. Bon, eh bien, je crains de ne pouvoir vous aider dans ce cas. Au revoir.»

Mes parents vinrent au chevet du baron. Il était dans le coma et ne bougea pas de tout le temps qu'ils passèrent auprès de lui. Après qu'ils eurent quitté la pièce avec Karin, Otto, le chauffeur de taxi, resta quelques pas en arrière et m'interrogea d'un coup d'œil.

« Pas fameux, hein ? me lança-t-il.

— Non, c'est le moins qu'on puisse dire.

— Mon vieux, il a reçu un coup sur la tête, sur un chantier. Au dépôt de chez Krupp, ils chargeaient des poutrelles d'acier avec une grue, l'une d'elles s'est détachée… vous imaginez le reste. Ça l'a assommé net. Ils l'ont gardé pendant des mois à l'hôpital, sans changement. Après ça, il a passé six semaines à la maison, sur son lit, à gober l'air comme un poisson, à chier et à dégueuler chaque fois qu'on essayait de lui donner à manger. Il parlait plus, même pas un mot. Les yeux dans le vide. Les prêtres l'ont arrosé d'eau bénite… C'était vraiment moche. Finalement, il est mort. Ç'a brisé ma mère. J'aurais dû… mais je me le suis dit trop tard… j'aurais dû… abréger ses souffrances. Je lui aurais épargné ces dernières semaines. J'étais le fils aîné, bonté divine, qui d'autre aurait pu le faire ? Il pouvait être salaud quelquefois, mais je lui devais bien ça. Je le devais à ma mère. Mais voilà, j'étais un petit con de quinze ans, j'ai pas eu le cran. »

Otto désigna le baron de la pointe du menton. « Ce pauvre bougre, il est au bout du rouleau, non ? La vie ne vaut pas un clou, hein ? Et c'est dur pour la Fräulein. Écoutez, petit, vous n'avez qu'un mot à me dire, et je ferai pour lui ce que j'ai pas pu faire pour mon vieux. Je me servirai de cet oreiller, c'est facile comme tout. Il se réveillera pas. Il a déjà un pied dans la tombe, non ? Je le ferais pour un chien, pas vous ? »

J'étais sur le point de dire : Oui, tout à fait, allons-y. Parce qu'il avait raison, cela aurait été mieux pour tout le monde, en tout cas pour elle. Mais à cet instant, Herta entra dans la bibliothèque avec un plateau et un bol de cette horrible soupe jaune qu'elle concoctait, dont l'odeur commençait à nous donner à tous la nausée. Mon père rappela Otto. Mes parents devaient retourner à leurs postes à l'hôtel.

« Il serait temps que quelqu'un fasse ce qu'il faut », me glissa le chauffeur en coiffant sa casquette.

CHARLOTTENBURG

Lettre adressée à *Herr Billy Lange, Übersetzung Abteilung, IG Farben, Hauptsitz Frankfurt A.M.*, cachet poste *Berlin 17.09.1934*. Archives Lange, 11 C-09-1934. Collections particulières, bibliothèque de l'Université McGill, Montréal.

———

KVW
Giesebrechtstraße 5, Berlin
17.9.34

Mon cher Billy,

C'est bon, tu peux venir, s'il te plaît.
J'arrive du K'damm, ça me rend folle.
Septembre à Berlin est follement chaud,
septembre est trop lumineux dans cet
appartement. Je me suis toujours dit Karin ce
que tu chercheras toujours, et tu en voudras
toujours plus, et tu n'en auras jamais assez :
du temps et de la lumière, Zeit und Licht
      Zeit und Licht
      Mais à Berlin j'en ai trop, cet horrible
septembre pue, viens Billy nous irons au
Wannsee avec un panier à pique-nique
rempli de grappes de raisin et de vin. L'épicier
Egeler n'est pas un mauvais bougre il vient
du Brisgau et il parle le Schwäbisch avec
les Berlinois qui infatués de leur Schnauze
font semblant de ne pas comprendre, mais il
s'est toujours montré très gentil et aimable
avec moi. Il y a une heure je me suis arrêtée

dans sa boutique acheter des pêches et une grappe de raisin merveilleux par cette canicule je mange seulement des fruits et de petits bouts de fromage. Sur la table dehors le jeune Herbert Egeler fils faisait une magnifique pyramide de pêches et de fraises, il livre sur sa bicyclette noire et il est gentil comme tout. Aujourd'hui il porte l'uniforme des jeunesses hitlériennes. Et sur son vélo de livreur sont accrochés 3 petits Hakenkreuzflagge avec la croix hideuse. Je me suis sentie malade. Que puis-je pour vous Fräulein Weinbrenner?

Herbert, vous êtes vraiment content de M. Hitler?

Oh, oui, assez je crois.

Qu'est-ce qui vous plaît chez lui?

Eh bien il est viril. Il va rendre l'Allemagne pure et forte. Il va nous débarrasser des idiots.

Il vaut mieux que tu viennes à Berlin mon cher Billy.

D'Anhalter Bahnhof, l'U-Bahn pour Uhlandstraße, de là 10 minutes à pied.

Ta vieille amie,
K.

Lettre adressée à *Herr Billy Lange, Übersetzung Abteilung, IG Farben, Hauptsitz Frankfurt A.M.*, cachet poste *Berlin 17.03.1935*. Archives Lange, 11 C-03-1935. Collections particulières, bibliothèque de l'Université McGill, Montréal.

—◆—

KVW
Giesebrechstraße 5, Berlin
17.3.35

Cher Billy,

Je ne peux pas t'expliquer pour ma mère parce que cela me rend malade. Oui je devrais lui rendre visite plus souvent mais en fait j'ai peur d'elle. Quand elle souffre, elle dit toujours des choses méchantes. Méchantes et banales. Ce qui les rend encore pires.
« <u>Qu'est-ce que tu as fait à tes cheveux!</u> »
Elle sait si bien souffrir.
Quant à quitter l'Allemagne, je ne le conçois pas, peut-être dans un an ou deux si les choses deviennent abominables, mais... pas maintenant. <u>Mon</u> savoir-faire dans le système des permis et de la <u>Reichsfluchtsteuer</u> (si on peut appeler ça un système) est PRÉCIEUX ici et je n'ai pas le droit de m'en aller. Ce bon vieux Kop a d'excellents contacts

chez les Sud-Américains alors on pousse les Juifs dans cette direction.

Je vais te demander : viens à Berlin dès que tu peux. Je sais que tu as tes propres affaires. Mais tu dois savoir ce que tu es pour moi. Je suis une vieille folle. En bref : j'ai besoin de toi. De te parler. D'être au lit avec toi. De danser et de dormir dans tes bras Buffalo Bill. Si tu prends la Wanderer au lieu du train, on pourrait aller se balader. Oh mon honorable frère.

Ta K.

À l'été 1934, mon père et le baron firent courir des chevaux au Grand Prix de Paris, au Grand International d'Ostende et au Deutsche Derby. Eilín et Lady Maire voyageaient en auto en Pologne, où les routes étaient réputées très mauvaises.

En juin, je fus muté du département Traduction d'IG Farben à l'Exportation. Le changement s'accompagnait d'une hausse substantielle de salaire. Mon ami Robert Briesewitz franchit le cap en même temps que moi. Nous étions contents de quitter le nerveux Dr Winnacker et de monter au quatrième étage. Notre nouveau patron, le Dr Anton Best, était un vieux briscard des opérations d'IG Farben outre-mer, il avait récemment été rapatrié au siège, après cinq ans au Pérou.

Afin de mieux me glisser dans la peau d'un homme d'affaires international sophistiqué, j'investis la plus grande part de mon salaire dans l'achat de costumes neufs, un bleu en laine peignée et un gris en flanelle, commandés à un tailleur britannique de Hambourg. Je portais des chemises anglaises à rayures, mes merveilleuses cravates parisiennes et, brièvement, une moustache expérimentale. Je devins un habitué du Frankie's Bar, y engloutissant plus de temps et d'argent que je ne pouvais me le permettre. Je me racontais que le Frankie's English Bar était le seul endroit en ville où je me sentais chez moi. En juillet, on apprit par la presse la répression des chemises brunes, les suicides parmi leurs chefs. Selon les journaux, ils préparaient un putsch. Personne ne savait exactement ce que cela signifiait. Pouvait-on envisager un retour à la normale, si ce terme avait un sens dans l'Allemagne de l'époque ?

Je me racontais que j'avais besoin de l'atmosphère cosmopolite du Frankie's, du jazz, des martinis Extra-Dry que je savourais en l'honneur de Karin. Elle était venue rendre une brève visite à ses parents au printemps, alors que j'étais en voyage d'affaires en Belgique.

Je l'avais attendue tout l'été, sans me douter à quel point elle était impliquée dans le remue-ménage à l'UFA, où un putsch était bel et bien en cours.

Par une soirée caniculaire du mois d'août, alors que nous sortions tard du bureau, Robert Briesewitz et moi nous rendîmes au Frankie's Bar. Robert avait avec lui sa trompette, qu'il gardait dans un tiroir de son bureau. Il avait une passion pour les trompettistes de La Nouvelle-Orléans, surtout King Oliver et Louis Armstrong, mais pour lui le plus grand cornettiste de tous les temps était Bix Beiderbecke.

Par habitude, je regardai si Karin était là. Elle n'y était pas. Nous bûmes deux verres, après quoi Robert fut convié à jouer avec l'orchestre de la maison, les Louisiana Seven. Robert pouvait être assez ennuyeux quand il vous expliquait les différents styles de jazz, mais ses solos illuminaient la salle. En l'entendant interpréter *Singing the Blues* ou *I'm Coming Virginia*, je me sentais chaque fois transpercé. Cet humour jubilatoire était tellement plus humain que l'ersatz d'émotivité de rengaines véreuses comme le *Horst-Wessel*. Mon ami Robert Briesewitz soufflant dans sa trompette cet été-là, c'était l'opposé de tout ce qui était approuvé par le régime. Ses solos témoignaient de la vraie vie, et en même temps, ils *étaient* la vraie vie.

Robert… il a été porté disparu à Stalingrad.

Combien la salle semblait petite, au Frankie's Bar, et combien nous étions des outsiders réfugiés dans cet antre éclairé au milieu d'une ville apeurée. Les visages exprimaient le ravissement, l'émerveillement. Les gens se promenaient peut-être avec de telles expressions dans les rues de La Nouvelle-Orléans ou de Kansas City, mais à Francfort, jamais.

Il ne restait plus que quelques heures avant de retourner au bureau. Je n'étais pas un oiseau de nuit comme les musiciens de Robert. Vers 1 h du matin, je pris un des derniers trams qui traversaient le Main.

Je venais de franchir le portail de Walden et me dirigeais vers Newport quand j'entendis, en provenance de la piscine, de la musique, des bruits d'eau et des éclats de voix... des accents de Berlin.

Du jazz s'échappait d'un gramophone installé devant la cabane de la piscine. Sid Kay's Fellows. Robert n'aimait pas ce big band de Berlin qu'il trouvait trop commercial, mais moi je les trouvais pas mal.

Des verres et des bouteilles de champagne parsemaient la pelouse. Une bouffée de haschisch parfumait l'air nocturne.

Certains barbotaient en tenue de soirée – les hommes en habit, les femmes en robe longue. D'autres semblaient dévêtus.

Une jeune fille de petite taille à la belle poitrine se hissa hors du bassin, tout à fait nue, et je reconnus la vedette de cinéma Rosy Barsony. Elle me salua d'un grand signe de la main, comme si elle me connaissait, puis plongea.

Je me sentis soudain ridicule, debout sur l'herbe, dans mon costume anglais en laine peignée, ma serviette en cuir à la main. J'avais bu trois ou quatre verres au Frankie's et la trompette de Robert avait réveillé en moi, comme souvent, un vague désir latent. En traversant tout à l'heure le Main, dans le tram vide, je m'étais pris à songer aux faits divers dont on entendait parler, à ce que l'on lisait dans le *F-Zeit*, ces âmes perdues se jetant dans les tourbillons obscurs de la rivière. Quels sentiments, ou absence de sentiments, pouvaient bien pousser quelqu'un à faire une chose pareille?

À regarder les amis de Karin folâtrer dans la piscine, je fus saisi d'un accès aigu de solitude, comme si un éclat d'obus venait de me trouer la peau. Voilà quel était son monde, et je n'en faisais pas partie.

« Billy! À l'eau! »

Au début, je ne la distinguai pas dans toute cette agitation; il fallut qu'elle nage jusqu'à mon côté de la piscine et qu'elle en sorte. Elle était aussi nue que Rosy Barsony.

Nos mères faisaient une tournée dans l'Est cet été-là, à la chasse aux icônes dorées et aux stupéfiantes figures de la douleur. Le baron était chez lui, dans la grande maison. Mon père, au lit, à Newport. Ce tintamarre, le jazz, les cris l'empêchaient sans doute de dormir, mais il ne lui viendrait pas à l'idée de se plaindre, sauf s'il pensait que cela dérangeait ses juments et ses yearlings.

Karin s'enveloppa dans un drap de bain. « Mon vieux Billy, j'ai perdu mon boulot.

— Quoi?

— On est tous dans le même cas. Renvoyés, virés, *kaputt*. L'UFA est désormais une zone non juive. Seuls les bons Allemands y font des bons films allemands. »

Elle n'était pas grande, avec un corps souple, robuste, et pourtant tout en finesse, à la fois fort et délicat;

508

puissant, féminin… oh, que cela m'horripile de la décrire en ces termes, comme Longo parlant d'un cheval de course. Quel mauvais goût. Immoral. Pire, outrageant.

Ils sont sûrement tous morts aujourd'hui, non? Rosy Barsony, j'ai vu l'annonce de son décès il y a déjà des lustres. Presque tous ceux qui se trouvaient cette nuit dans la piscine n'allaient pas tarder à mourir. Assassinés à Dachau, Theresienstadt et Auschwitz s'ils étaient juifs ou engagés en politique. Tués sur les steppes s'ils n'étaient ni l'un ni l'autre. Ou brûlés vifs sous les bombes incendiaires, ou étouffés sous une montagne de décombres.

Anna Rabou n'était plus des leurs. Les Juifs avaient tous été licenciés de l'UFA, et Anna avait choisi de rester au service du chef de la Propagande hitlérienne, ce Dr Goebbels qui ambitionnait de régenter toute la production cinématographique allemande.

« Où est ta motocyclette, Billy? Tu n'es pas exactement habillé comme un démon de la vitesse. »

Je fus pris de court, au milieu de tout ce qui se passait.

« Ma motocyclette? répétai-je. Non, je n'en ai pas. Le magasin a été saccagé au moment du boycott, l'année dernière. Mon ami Meyer a disparu. Je ne vais plus par là-bas. J'ai un nouveau poste à IG, Karin.

— Ah bon? Moi je rêve d'*el llano*. »

Elle n'était pas ivre, elle ne criait pas comme ceux qui chahutaient dans la piscine, « insouciants du lendemain ». Elle parlait d'une voix claire et si distincte que chaque mot se détachait dans le brouhaha.

Le jour où je l'avais portée dans mes bras, en ce lointain après-midi, j'avais eu l'impression d'accomplir avec elle un rituel, ou d'interpréter une scène de théâtre. Je ne connaissais pas la pièce, mais nous savions nos rôles.

« Ils en ont après mon père maintenant, tu sais, me dit-elle.

— Tu n'as pas froid ?

— Je suis frigorifiée. Prends-moi dans tes bras. »

Elle était chaude, humide et sentait le chlore. Je me fichais totalement de mouiller mon foutu splendide costume en laine peignée.

« Cette petite bande que tu vois là, les derniers des youpins. Je n'aurais pas dû rester aussi longtemps à l'UFA. J'aurais dû quitter ce merdier depuis des mois.

— Je suis désolé.

— Ah, Buffalo Billy, tu m'avertiras quand tu partiras pour le Texas. Je viendrai avec toi. »

On peut voir la scène autrement, sous un angle absurde : des gens du cinéma (ex-gens du cinéma) se baignant, tout habillés ou dévêtus, avec de grands éclats de rire, quelques-uns — les réalisateurs et les techniciens — destinés à gagner bientôt Hollywood et ses paillettes. Mais Karin Weinbrenner gardait sa dignité, son petit corps drapé dans une serviette-éponge, les cheveux mouillés, emmêlés, le visage brillant, les jambes ruisselantes. Je sentis notre lien d'autrefois se ranimer, comme lorsque des musiciens après une série de solos reprennent ensemble, les cuivres, la batterie, la basse, 4/4, et ça swingue.

Le feulement d'une flèche en roseau au travers de mon chemin, un arc apache, une initiation à *Winnetou* et à l'Allemagne. Nous étions nés dans la même pièce d'une maison appelée Sanssouci, et soudain j'eus une révélation : en dépit de la présence de ses amis et collègues, de toute la petite bande de talentueux baigneurs de minuit au seuil de l'exil, j'étais celui qui était le plus proche d'elle. Malgré son indéniable réussite, quelque part, elle comptait sur moi.

Elle recula d'un pas et sourit. «Ton pauvre père. J'espère que ce tapage ne l'empêche pas de dormir.

— Il s'en remettra.

— Ton père, Buck, né à mille milles des côtes, au grand large.

— Oui.»

Dans la piscine, ça se démenait comme un banc de poissons pris dans un chalut.

«Bonne nuit, Karin. Bonne nuit à vous tous.

— Bonne nuit, Buffalo Billy.»

Je m'élançai à travers la pelouse pour gagner Newport. Elle comptait toujours sur moi. Je me sentais exalté, soulagé et incroyablement responsable.

Quelques semaines plus tard, sans crier gare, Günter Krebs refit son apparition. Notre chef à l'Exportation, le Dr Best, s'enferma d'un air penaud dans son bureau, sans un mot. Le Dr Best, murmurait-on, était encore un de ceux qui avaient eu la mauvaise idée d'épouser une Juive sud-américaine, dans son cas une Brésilienne.

Ducky ne fit pas mine de vouloir me parler; c'était toujours ça. Je l'observai avec les autres. À en croire Robert, Ducky passait le plus clair de son temps chez Hoechst, à prononcer des harangues stupides devant un parterre d'ouvriers. «C'est la mouche du coche de l'usine. Il leur déblatère des tas de saloperies toute la journée. La place idéale pour lui.»

Krebs se planta devant le bureau de mon collègue Willy Frey. Willy était chargé des exportations aux Indes des teintures et des agents de blanchissement. Si Krebs gardait ses distances avec moi, peut-être était-ce parce qu'il avait mauvaise conscience. Après tout, il avait le sang de Solomon Dietz sur les mains, et il savait que je le savais. Je n'avais aucune envie d'avoir avec ce meurtrier une conversation faussement normale.

Me méfiais-je plus de Ducky Krebs ou de moi-même ? À ce stade, il n'avait sans doute plus peur de personne, sauf de ses supérieurs. L'uniforme noir des SS avait pour fonction de leur conférer le pouvoir. Rien d'autre n'était nécessaire. L'uniforme était l'emblème radieux de leur toute-puissance.

Un commis faisait un tour rapide des employés, une corbeille bleue pleine de courrier sous le bras. « Voici pour vous, Herr Billy, ça sent le mot doux ! » claironna-t-il en jetant un petit paquet de lettres sur ma table. Dessus, une enveloppe de papier pur fil, avec ses initiales, *KvW*, gravées en caractères Bauhaus. Pas de lettres gothiques pour Karin.

Elle m'invitait à Berlin. J'étais stupéfait. L'intermède au bord de la piscine datait de deux mois, et maintenant elle me demandait de venir le plus vite possible la rejoindre. J'en avais la tête qui tournait. Tout le reste de ma vie basculait d'un seul coup au deuxième plan. À l'autre bout de la salle, Krebs dans sa tenue noire échangeait des plaisanteries avec Willy Frey, qui jusqu'ici m'avait pourtant semblé un type bien. Bon, mais je m'en foutais, maintenant, de ces deux-là.

Je consultai les horaires des trains. Le dernier FD-Zug *nach* Anhalter Bahnhof, Berlin, partait de Francfort à 18 h et arrivait après minuit. Je ne vis pas Ducky Krebs s'éclipser. En sortant du bureau, je pris le tram pour Walden, où je préparai mon sac à dos et informai mes parents que j'allais faire une randonnée dans le Taunus en compagnie de Robert et Ernst. J'aurais préféré débarquer à Berlin avec une valise – plus sophistiquée qu'un sac à dos –, mais il fallait bien étayer mon mensonge. Visiblement, j'étais bon menteur.

Je faillis rater l'express pour Berlin. Je me fendis d'un dîner au wagon-restaurant. Des hommes d'affaires qui parlaient trop fort se bâfraient de rôti de porc et de vin. Peut-être des fondés de pouvoir d'IG Farben, des *Prokuristen*, directeurs des ventes ou de laboratoire, même si je n'avais jamais vu ces visages. Des milliers d'hommes, travailleurs, compétents et cultivés étaient employés par la firme. Alors que le train fonçait à travers la Thuringe, ils burent leur cognac et fumèrent des cigares. Puis l'un d'eux se mit à chanter. Il avait une belle voix, en plus.

> *Libérez la rue pour les bataillons bruns!*
> *Libérez la rue pour les membres de la Section*
>   *d'assaut!*
> *Des millions de gens, remplis d'espoir, regardent déjà*
>   *la croix gammée,*
> *Le jour de la liberté et du pain arrive!*

Je crus d'abord à une parodie, à une plaisanterie de gros mangeurs repus – une parodie osée, provocante, plus que risquée si jamais des agents du SD ou des fanatiques du parti se trouvaient à portée de voix, car c'était l'ignoble hymne national-socialiste, le *Horst-Wessel-Lied*, et il était bien connu que les membres du SD voyageaient en première classe, qu'ils aient ou non payé leur billet.

Presque à la seconde, les dîneurs se mirent tous à chanter. Des hommes d'affaires, des dames élégantes, s'égosillant de tout leur cœur, plus ou moins en harmonie. Un chant de gangsters entonné par un chœur de passagers dans le wagon-restaurant d'un train express. Quant aux serveurs en veste blanche, ils se tenaient au garde-à-vous.

À l'issue du dernier couplet, le silence : le bruit du roulement des roues d'acier, mais le silence des hommes. Des grincements d'essieux alors que le convoi penchait dans un virage. Un ruban de fumée de cigarette, bleue.

Les serveurs se remirent en mouvement et, avec lenteur, le brouhaha des conversations reprit. Peu à peu, je réussis à m'abstraire de ce qui se passait autour de moi en songeant à Karin et à ce qui m'attendait à Berlin. J'avais beaucoup d'appréhension. Serait-elle réveillée à mon arrivée ? Sans doute pas à 2 h du matin. Le *Hausmeister* lui avait-il annoncé mon arrivée ? S'il ne l'avait pas fait, qui m'ouvrirait l'accès à l'immeuble ? Et puis je n'avais jamais passé la nuit avec une femme.

Dans une situation de ce genre, était-il d'usage de mettre un pyjama ?

Je pensais que non, mais j'avais fourré le mien dans mon sac, au cas où.

———————

Karin Weinbrenner était timide au lit, comme si elle s'efforçait de se détacher de ce que nous faisions. Je n'avais pas le droit de parler, elle préférait que je me taise. Je devais la tenir dans mes bras. Elle semblait tout à la fois terrifiée et désireuse d'accomplir cet acte. La violence des accouplements dans les écuries de Walden l'avait peut-être marquée – je ne sais pas. Toujours est-il que la saillie d'une jument n'a rien d'un spectacle réjouissant.

Les manières lointaines et sévères de Lady Maire avaient peut-être quelque chose à voir avec la réserve de Karin. Je fus le premier et, je crois, le seul homme avec qui elle ait couché. La fille rebelle, la garçonne, la fille qui brûlait la chandelle par les deux bouts à Berlin – pourtant, m'a-t-elle dit, elle n'avait jamais eu de relations intimes avec un autre.

«Et Longo alors?

— Ah, sûrement pas!»

Avait-elle couché avec Anna? Je ne lui ai jamais posé la question. C'est possible.

Quand elle était dans mes bras, je sentais que quelque chose manquait, seulement je n'arrivais pas à comprendre quoi exactement, elle était si belle, ce corps délicat, cette peau chaude, lustrée. C'était fascinant, mais j'avais conscience qu'elle se retenait. Je m'attendais à ce que faire l'amour avec elle soit à l'image d'une flamme – haute, vacillante, lumineuse. Mais pour elle, c'était comme se précipiter dans un terrier. Être au lit avec moi devint un lieu sûr où elle pouvait se cacher. Aussi peu expérimenté que je l'étais, jeune, immature et à bien des points de vue stupide – un *hobbledehoy* –, je l'ai senti très vite. Pour moi, le sexe était un monde alternatif, où tout était à l'envers, le sexe était l'opposé de mon existence à IG Farben. Pour elle, c'était un rituel lui permettant de se raccrocher à la terre, de pousser des racines. Le sexe était un refuge.

Cette première nuit à Charlottenburg, j'eus l'impression de me détacher de mon corps, mon corps qui devenait tel un avion que mon esprit tentait, tant bien que mal, de piloter. Pour retarder mon éjaculation, je m'obligeai à me rappeler ces hommes en feu tombant comme une pluie de braises incandescentes dans le ciel noir au-dessus de Londres. Après, je dormis d'un sommeil profond et, à l'aube, nous fîmes de nouveau l'amour, de toutes nos forces, sans paroles, puis Karin prit un bain.

Lorsqu'elle sortit de la salle de bains, je m'y enfermai pour me raser, me laver et m'habiller. Dans la chambre, à mon retour, je la trouvai vêtue d'une robe d'été, un chapeau de paille noir à la main.

« J'espère que ça allait, me dit-elle.

— Très bien, il restait plein d'eau chaude.

— Au lit, je veux dire.

— Oh.

— Tu as beaucoup d'expérience dans ce domaine ?

— Non, pas vraiment.

— Mais j'étais bien, non ?

— Bien sûr. Plus que bien. »

Elle me piqua la joue d'un baiser. « Maintenant, que va-t-on faire de notre journée, Billy ? Veux-tu visiter le zoo ?

— Ce que tu veux.

— Oh, non, il faut sortir, il faut que tu voies cette ville. Berlin, c'est comme nulle part ailleurs. »

Nous descendîmes par l'ascenseur et prîmes notre petit-déjeuner au café d'en face, à l'ombre d'un platane. Il faisait frais à cette heure matinale.

« Surtout, ne va pas croire que tu es aussi détraqué que moi. C'est juste que je ne supporte pas toujours ces foutus Allemands.

— Tu l'es pourtant, allemande.

— Allume-moi une cigarette, veux-tu ? Allons au zoo. »

En chemin vers le Kurfürstendamm, nous passâmes devant une épicerie. Je remarquai une bicyclette de livreur bardée de petits drapeaux à croix gammée. Un jeune homme en blouse arrangeait des poires sur une table. Il nous sourit et nous lança un amical *Guten Morgen*. Karin lui rendit son salut et me serra le bras.

«C'est dur quand ils font semblant d'être des gens sympas», me souffla-t-elle.

À cette époque, elle travaillait à l'Agence sioniste, elle ne s'y plaisait pas.

«Les sionistes estiment qu'ils tirent leur épingle du jeu avec le *Finanzamt*, qui leur dit, *Ja*, on est pour les Juifs en Palestine, bon débarras, du moment qu'ils leur laissent leur argent, tous leurs biens. Des souris qui négocient avec un chat, Billy, ça finit comment? Mal pour les souris, à coup sûr.»

À l'entendre, les sionistes espéraient le soutien de son père, mais elle doutait qu'ils l'obtiennent. «Il déteste quand les gens quittent l'Allemagne. De toute façon, il n'est plus si riche que ça.»

Sur le Kurfürstendamm, une foule de promeneurs chargés de draps de bain roulés, de sacs à dos, de paniers à pique-nique, s'écoulait vers les parcs et les lacs autour de Berlin. Elle parut soudain de meilleure humeur.

«Tout le monde à Berlin veut aller au bord de l'eau, dit-elle. Ils veulent tous un petit dériveur, d'un vert brillant, avec une barre noire et des voiles blanches.

— On pourrait louer un bateau.

— Tu sais naviguer, Billy?

— Pas vraiment.

— Et ton père est né à mille milles de la terre ferme.» Elle coula son bras sous le mien. «Non, je ne pense pas que ce soit une bonne idée. Une autre fois, peut-être. Aujourd'hui, le zoo. On va écouter le caquetage des singes. Peut-être faire la sieste. C'est toujours joyeux, au Tiergarten. Sauf pour ceux qui sont en cage, je suppose.»

Je me retournai en entendant se rapprocher des vociférations noyées dans un son grésillant. Un camion non bâché équipé d'un mégaphone progressait lentement sur le boulevard, semblable à une grosse bête grise. Il était bourré à craquer de SA ivres. Ils étaient à la chasse – j'avais entendu parler de ça à Francfort, sans en avoir encore été témoin. Ils ralentirent derrière nous. Une voix de maître d'école croassante tonitrua :

« *Nicht korrekt !* »

Le bras de Karin resserra son étreinte sur le mien. Je ne les regardai pas, mais j'entendais les sifflets et les huées des hommes debout sur la plate-forme. Je m'interdis d'accélérer le pas.

« C'est pas correct de porter des vêtements français ! glapit le haut-parleur. Du rouge à lèvres français ! Ce n'est pas pour la Frau allemande d'aujourd'hui ! *Nicht korrekt !* »

Je nous fis faire lentement demi-tour. Elle ne lâcha pas mon bras. La grosse bête grise continua sa route, traquant un nouveau gibier. Nous croisâmes un flot de visages, des visages normaux de piétons se dépêchant, faisant du lèche-vitrines et flânant sur le K'damm.

C'était toujours déboussolant, la normalité, le quotidien. Les Berlinois se préoccupaient de leur petite vie, de leurs emplettes, de ce qu'ils allaient manger.

La voix grésillante se refit entendre : les SA avaient trouvé une nouvelle victime.

Au zoo, après les gorilles, les hippopotames immergés, les lions jaunes méditatifs, nous nous assîmes sur un banc à l'ombre des platanes, et elle ôta ses chaussures, s'allongea, posa sa tête sur mes genoux et s'endormit.

———

Tous nos week-ends à Berlin – en réalité, ils ne furent pas si nombreux –, nous les passâmes essentiellement au lit. À dormir, oui ; à faire l'amour, oui ; mais aussi à lire ou à parler pendant des heures. Souvent, nous ne nous endormions pas avant l'aube. Nous ne nous levions qu'en début d'après-midi. En général, moi le premier, je préparais le café, et je le lui apportais au lit. Elle écrivait dans son cahier *Variétés de lumières* ou lisait de la poésie, toujours en allemand, ou un roman, souvent américain, ou travaillait sur ses dossiers, calculant la *Reichsfluchtsteuer* que ses clients seraient forcés de payer pour avoir le droit de fuir le pays.

J'apportais parfois du travail, que je faisais au lit, avec la sensation d'être quelqu'un. Cela lui était égal ; elle avait son propre travail. Elle avait quitté l'Agence sioniste pour une plus petite agence fondée par Stefan Koplin. J'expédiais des teintures aux quatre coins du monde. Kop et elle y expédiaient des Juifs allemands.

Sa chambre à Charlottenburg, la lumière de l'après-midi tombant à l'oblique à travers les portes-fenêtres, le subtil grondement de la ville, tout cela constituait un havre merveilleux : loin du danger, tranquille, frais. Elle avait des draps superbes, en lin irlandais provenant des champs et des usines que possédait la famille de Lady Maire à Belfast et à Derry.

Nous étions au lit quand elle me raconta que c'était Anna Rabou qui lui avait annoncé qu'elle était virée de l'UFA.

« Pauvre Anna, ils l'avaient chargée de nous prévenir. Une tâche tellement ingrate ! Elle aurait voulu qu'on la plaigne ! Nous savions tous évidemment à quoi nous attendre. Seule la célèbre, la généreuse Anna Rabou, se voilait la face. Elle inhalait les vapeurs nazies. "Un jour tu seras invitée à revenir." Voilà ce qu'elle m'a dit.

— C'est un *rat* », dis-je.

Nous adorions tous les deux ces films trépidants, soutenus par des dialogues percutants, tels que *L'ennemi public, Scarface*. Dans les films de gangsters américains, les traîtres et les mouchards étaient appelés des *rats*. Nous savions déjà depuis un certain temps que nous habitions un monde de gangsters.

« Ce sont les *rats* qui dirigent l'UFA maintenant. J'aurais dû répliquer : Ma chère, si ces procédés te répugnent, démissionne ! Ce rongeur de Dr Goebbels va prendre les rênes d'un jour à l'autre !... Mais, tu vois, je n'ai rien dit. Ils ont commandé une flotte de taxis pour emporter les Juifs, afin que les Allemands puissent faire leur cinéma. J'aurais dû dire à Anna le fond de ma pensée, devant tout le monde. Je ne l'ai pas fait. Je suis montée dans mon taxi. Voilà quelle a été la scène finale, le dénouement de ma carrière à l'UFA. Pas très réussi d'un point de vue dramaturgique, je te l'accorde. »

Au cours des mois où Lady Maire agonisait, des gens de l'Institut d'art Städel rôdèrent, murmurant, autour de la Haus-Walden : ils dressaient un inventaire de sa collection à l'usage des autorités fiscales.

Eilín détestait Herr Speck, le bras droit du conservateur, costume brun et chaussures grises, qui se déplaçait sur la pointe des pieds avec sa loupe pendant que la baronne grabataire suintait le sang par ses escarres, rendant les matelas de plumes bons pour le rebut. Le jour où il osa passer la tête dans la chambre de Lady Maire, ma mère lui lança une brosse en argent à la figure, et il ficha prestement le camp. Le soir, à Newport, Eilín nous raconta l'anecdote comme si elle essayait de nous faire rire, mais elle finit par fondre en larmes.

L'avais-je déjà vue pleurer? Je ne m'en souviens pas.

Ma mère et le baron se relayaient pour lire les romans de Somerville et Ross à la mourante. Herta et ma mère la lavaient avec des éponges douces et oignaient de crème sa peau cireuse, et pendant ce temps la préparation minutieuse du pillage de Walden progressait.

Karin fit quelques courtes visites, ne s'attardant jamais plus d'une nuit ou deux. Je l'apercevais parfois, mais elle allait et venait sans bruit, ainsi qu'une feuille au vent. Eilín nous raconta que Lady Maire avait demandé à Karin de lui apporter ses vêtements. Karin avait étendu des brassées de robes sur son lit, là où sa mère pouvait les toucher.

À Berlin, nous évitions en général de parler de Walden. Je me reprochais de mentir à mes parents. Karin, je crois, se sentait frustrée, impuissante et furieuse de savoir sa mère en train de mourir, sachant qu'elles ne pourraient jamais avoir une relation plus intime, plus affectueuse.

Berlin, même après trois années sous les nazis, avait encore un charme qui manquait à cette bonne et tranquille ville de Francfort. Berlin la ville-néon.

Un samedi après-midi. Avril 1936.

À la descente du train, j'allai tout droit retrouver Karin dans les bureaux de fortune de son agence et l'emmenai déjeuner dans un café d'Unter den Linden. Nous venions de terminer notre repas quand Anna von Rabou fit son apparition sur la terrasse. Je la reconnus sans hésiter, d'après les articles que j'avais lus dans les

magazines. Elle était très grande et solidement charpen-
tée – imposante, je dirais. Pas belle, mais intéressante.
Elle avait un visage un peu chevalin, quoique distingué.
En termes d'âge, elle se situait entre Karin et sa mère.
Elle publiait encore des romans et écrivait des scénarios
alors que les autres auteurs avaient été proscrits ou acculés à l'exil. Son mari, Fred Scheps, avait fui à Hollywood
et ne reviendrait pas.

Anna était accompagnée de plusieurs personnes,
habillées à la dernière mode et de joyeuse humeur. Le
groupe était en train de s'installer à une table lorsqu'elle
aperçut Karin, et tout de suite, elle laissa ses amis pour
s'approcher de nous.

Je me levai machinalement ; Karin se renfonça dans
son siège. Anna me serra la main, puis se baissa pour
frôler la joue de Karin avec ses lèvres. Karin resta tassée
sur elle-même, regardant droit devant elle, comme une
statue de cire.

Anna avait du toupet. Rien ne semblait pouvoir la
désarçonner. Elle s'assit à notre table. Sortant un paquet
de cigarettes anglaises de son sac, elle nous en offrit, et
j'en acceptai une par politesse. Karin fit non de la tête.

Anna se tourna vers moi. Elle paraissait tout savoir
sur ma famille, nos relations avec les Weinbrenner.

« Quelle histoire familiale passionnante vous avez,
Herr Lange. Lange est un bon vieux nom germanique,
mais vous n'êtes pas vraiment allemand, n'est-ce pas ? Et
pas vraiment anglais non plus. Est-ce cela être irlandais,
on est un feu follet ?

— Je suis qui je suis.

— Ah, bon ! dit-elle. Cela ne veut rien dire du tout,
n'est-ce pas ? Un homme de nos jours doit être capable
de décliner son identité et ses intentions.

— Quelles sont vos intentions, Frau von Rabou ? »

J'avais bu deux apéritifs, et je trouvais son attitude provocante – un navire de guerre pénétrant dans les eaux d'un paisible port et braquant ses canons.

« C'est bien simple, Herr Lange, je raconte des histoires. Je suis là pour comprendre notre pays en ces temps difficiles. Je fais partie d'une machine. Je me débats, je fais ma part, je défends les valeurs qui m'ont toujours été chères. »

Je fus soudain frappé par sa ressemblance avec la mère de Karin : même haute taille, même calme, même sévérité. Elles étaient toutes les deux issues de familles de militaires, de sorte que cela n'avait peut-être rien d'étonnant.

« Notre Karin, je le sais… je le sens… elle est toujours furieuse que j'aie choisi de continuer à travailler aux studios. L'injustice, les pogroms contre des Juifs innocents, la trahison des valeurs artistiques, et cætera. Elle croit que je fais partie d'une bande de voyous, que j'ai sacrifié la vertu sur les marches du temple de la renommée.

J'aimerais, Herr Lange, que vous expliquiez à cette enfant, puisqu'elle refuse de m'écouter, et m'a renvoyé toutes les lettres que je lui ai écrites depuis deux ans, que son Anna ignore la source de la renommée. Comme elle ignore et se fiche de la source de la richesse, ou des honneurs… elle ne sait même pas de quoi il s'agit. Son Anna reste la même, une artiste qui fait son travail et espère apporter sa contribution à la Patrie.

Assurez à notre petite amie, Herr Lange, que son Anna n'est pas d'accord avec la façon dont les Juifs ont été traités. Sur ce sujet, ma position est claire. Pour les étrangers, c'est une chose, mais pour les Juifs qui sont de bons Allemands, c'est honteux. Beaucoup de gens pensent comme moi.

Mais la volonté du peuple a peut-être déplacé les Juifs pour quelque temps seulement, afin de laisser à d'autres la possibilité de manœuvrer le navire. Une fois qu'ils seront plus à l'aise aux commandes, les choses se tasseront, et le peuple élu sera le bienvenu. Les meilleurs Juifs sont de bons Allemands. »

Karin se leva sans un mot et disparut à l'intérieur du café.

« *Ach so*, dit Anna. Elle ne se rend pas service en prenant ces airs hautains. »

Elle écrasa sa cigarette et se leva. Pas un instant, elle n'avait manifesté la moindre gêne. Je me levai à mon tour et elle me tendit la main.

« Transmettez-lui mon amitié sincère. Dites-lui que son Anna lui conserve sa tendresse. »

Nous échangeâmes une poignée de main. Je l'observai pendant qu'elle rejoignait ses amis. Elle dit quelque chose, et aussitôt après, ils mirent tous leurs chapeaux et leurs manteaux, alors que ce qu'ils avaient commandé n'était pas encore sur la table. Anna Rabou y laissa de l'argent et ils partirent. Elle ne regarda pas en arrière.

Karin devait avoir assisté à la scène de l'intérieur. Dès qu'Anna se fut éloignée, elle sortit sur la terrasse.

« Ça va ?

— Billy, j'étais amoureuse de cette femme. Elle était comme une mère pour moi. Plus encore. »

Je ne savais pas quoi dire.

« Mais c'est fini. Elle a tout gâché. Même les souvenirs. Ne t'avise pas de tout gâcher, Billy. Je te l'interdis. »

———————

Plus tard, ce même été olympique, 1936.

Lady Maire allait mourir. Un télégramme fut envoyé à Charlottenburg, convoquant Karin, et je fus dépêché à la gare pour aller la chercher. J'avais alors une auto à moi, une petite Wanderer que j'avais achetée d'occasion. Elle ne payait pas de mine, mais elle était robuste, économique et pratique.

Je franchis le portail et roulai vers le pont. Il soufflait une brise fraîche pour la saison. Il était tard, mais il y avait foule à la Frankfurt Hauptbahnhof : des trains arrivaient, d'autres repartaient. Odeurs d'acier, de traverses, de freins électriques qui chauffent. Au long des quais, des tourbillons soulevaient poussière, détritus et feuilles de journal.

L'express de Berlin entra en gare pile à l'heure. Elle descendit d'une voiture de deuxième classe, m'aperçut et me fit un grand signe de la main.

Nous nous saluâmes avec notre coutumière gaucherie. Il fallait toujours en passer par ce premier moment d'embarras. Causé par quoi ? La prudence ? Le fait que nous soyons à Francfort rendit cette minute encore plus bizarre, je ne sais pourquoi, nous nous embrassâmes maladroitement, comme des cousins éloignés. Je pris sa valise et nous nous dirigeâmes vers ma vieille automobile.

Je commençai par prendre la direction du pont, et elle sortit une cigarette de son sac.

« Tu veux qu'on s'arrête boire quelque chose ? proposai-je.

— Non, il vaut mieux qu'on y aille directement. Ma mère va mourir ce soir, non ?

— Ils sont en tout cas très inquiets.

— Ta mère va être très triste, elle qui est une si bonne amie pour la mienne.

— Comment ça va à Berlin ? »

Elle était en train d'allumer sa cigarette. « J'ai été une très mauvaise fille, Billy. Une peste.

— Non, je ne te crois pas.

— Ah bon! Mais qu'est-ce que tu en sais? »

Après le pont, nous traversâmes la partie lugubre de Niederrad et roulâmes à bonne allure jusqu'à Walden, dont j'avais laissé le portail ouvert. Il n'y avait plus de portier. Elle émit un drôle de bruit de respiration, comme si elle avait reçu une gifle.

« Ça va, Karin?

— Bien sûr que non. »

J'arrêtai la voiture et en descendis pour fermer les grilles. Lorsque je me remis au volant, elle se tenait absolument droite: une femme montrant le poing à son passé.

« Je suis désolé que tu aies à endurer ça, dis-je.

— La mort d'une mère, c'est dans l'ordre des choses, non? Je vois vingt personnes par jour qui ont des situations plus dures à gérer.

— La mort de ta mère n'est peut-être pas quelque chose qui se gère. Mais quelque chose qui arrive, et tu dois compter sur tes amis.

— Ne dis donc pas de bêtises, Billy, dépose-moi à la maison. »

J'arrêtai la voiture sous la porte cochère et pris sa valise sur la banquette arrière.

« Désolée, dit-elle. Ne fais pas attention, Billy. C'est sur toi que je compte, mon vieux. »

Elle m'embrassa sur la joue, se saisit de sa valise et se dépêcha d'entrer dans la maison. Je savais qu'Eilín montait la garde au chevet de Lady Maire. Elle veillerait à ce que tout se passe au mieux.

Je me garai devant Newport. La maison était plongée dans le noir, sauf la cuisine, où Buck et ma grand-mère étaient attablés, chacun devant son petit gobelet en cristal rempli de schnaps.

« Des nouvelles ? dit mon père.

— Pas que je sache. »

Mes parents avaient été avertis qu'ils devraient quitter Newport dès que la Ville aurait pris possession du domaine. La détention, la déportation, l'hyperinflation et, pour finir, le krach boursier ayant successivement réduit à néant leurs épargnes, où pouvaient-ils – eux et ma grand-mère – aller ? Ils n'avaient pas encore trouvé de solution. La ferme en Afrique du frère de Constance, peut-être iraient-ils là-bas.

Buck me proposa du schnaps, mais j'étais fatigué et je devais me lever tôt le lendemain pour aller au bureau. Je montai directement me coucher. Mes cartes routières Conoco, au papier raidi par les années, étaient toujours punaisées au mur, mais elles étaient devenues invisibles – en tout cas, je ne les voyais plus.

Je mis un temps fou à m'endormir. Lady Maire nous avait offert un foyer alors que nous étions des réfugiés débarquant dans un pays féroce. À présent, elle mourait, et tout allait à vau-l'eau. Rien ne durait jamais, me semblait-il.

Le baron était endormi lorsque Lady Maire poussa son dernier soupir à l'aube, mais Karin et Eilín étaient avec elle.

———

Ils avaient espéré pouvoir l'enterrer à Walden, auprès de son fils, mais l'évêque n'autorisa pas qu'on enfouisse son corps en terre non consacrée, et il fallut organiser promptement la descente de son cercueil dans la crypte de la modeste église catholique de Niederrad, Notre-Dame-du-Bon-Conseil, dont elle était la bienfaitrice.

Mes parents, ma grand-mère et moi nous rendîmes ensemble à la grande maison afin de présenter nos condoléances. Je remarquai, sous la porte cochère, la présence d'une palette sur laquelle étaient empilées des planches de bois jaunes. Les menuisiers de l'Institut Städel avaient commencé à fabriquer des caisses pour transporter les œuvres que le musée s'était appropriées. Le travail était suspendu pour le moment, mais ils seraient de retour après les funérailles.

Le cercueil de Lady Maire était installé dans le hall d'entrée. Weinbrenner et Karin étaient assis sur des chaises de salle à manger. Ils se levèrent à notre entrée, et tout le monde se serra la main cérémonieusement. Le rituel funéraire allemand. Le baron avait l'air d'un petit vieux. Il portait ses décorations. Karin avait les traits tirés, elle était très pâle. Elle était vêtue de la même robe noire qu'au Frankie's Bar le soir où j'étais tombé sur elle, avec un cardigan en cachemire noir posé sur ses épaules. Des couronnes mortuaires sans beauté, envoyées par la famille de Lady Maire en Angleterre et en Irlande, étaient disposées de part et d'autre du retable de *La lamentation*. Les fleurs dégageaient un parfum froid, artificiel. Le baron avait demandé à ma grand-mère de trouver des trèfles à répandre sur le cercueil avec une poignée de bleuets allemands.

À en juger par les noms sur le cahier de condoléances, il n'y eut pas beaucoup de visiteurs, et la plupart de ceux venus lui rendre un dernier hommage étaient juifs. Weinbrenner était un traître, les gens avaient peur.

Si j'avais pu la prendre à l'écart, j'aurais donné rendez-vous à Karin de l'autre côté du Main, au Frankie's

Bar. Martinis, musique, danse – voilà ce qu'il nous fallait. Mais Karin et son père durent accueillir d'autres visiteurs venus présenter leurs respects, et il nous fallut les laisser, aussi n'en eus-je pas l'occasion.

La nouvelle de la mort de l'épouse du vieux Weinbrenner ne tarda pas à faire le tour du bureau. Le jour des funérailles, le Dr Best marqua une halte à ma hauteur.

« Ce pauvre vieux monsieur, ils sont en train de le dépouiller de tout, n'est-ce pas ? » Best semblait le déplorer. « Ils ne lui laissent pas grand-chose. Sa mise à pied du comité directorial, c'est une honte. Ce n'est pas juste ! Il a été l'un des plus brillants coloristes d'Allemagne. Où se déroulent les funérailles ? À quelle heure ? J'y serai certainement. »

Karin décréta qu'elle irait à l'église à pied. Ma grand-mère lui demanda si elle pouvait l'accompagner, et Karin accepta.

Je me serrai avec mon père sur la banquette arrière de la Ford. Le baron s'assit devant, et Eilín prit le volant. En chemin, nous dépassâmes Karin et Constance qui marchaient au bord de la route. Karin tenait par la bride Paddy, le cheval de chasse de sa mère.

Il y avait peut-être une trentaine de personnes aux obsèques, en majorité des membres de vieilles familles juives de Francfort. Les autres étaient des fidèles de Walden : des domestiques, des entraîneurs, des garçons d'écurie. Le Dr Best ne se montra pas.

Anna Rabou était là, toutefois. Debout au fond de la petite église, très grande, vêtue avec élégance d'un tailleur à la coupe austère. Elle aurait pu être une comédienne dans une pièce de théâtre expressionniste, un personnage muet mais dont la présence sur scène possède une puissante densité dramatique.

Une fois la bière descendue dans la tombe de granit et la dernière bénédiction prononcée, Karin et son père sortirent de l'église en se tenant par le bras. Nous leur emboîtâmes le pas. Ma mère pleurait. Le temps s'était levé. Il y avait du soleil, il y avait de la circulation dans la rue. Ça sentait l'essence. Le vieux cheval irlandais de Lady Maire patientait, attaché à un barreau de la grille. Elle l'avait souvent monté pour se rendre à la messe. Le va-et-vient des voitures et des piétons ne l'effarouchait pas.

J'observai Anna Rabou alors qu'elle serrait la main du baron. Savait-il qui elle était? Sans doute. Il savait toujours tout sur tout le monde et sur tout le reste.

Anna et Karin échangèrent une courte poignée de main. Anna dit quelque chose. Karin opina de la tête, mais elle regardait déjà derrière l'épaule d'Anna la personne suivante dans la queue.

Une automobile avec chauffeur attendait. Je regardai Anna y monter et l'auto s'éloigner.

J'allais rester auprès de Karin, qu'elle le veuille ou non. Je m'approchai d'elle alors qu'elle détachait Paddy. Elle ne dit rien. Elle prit le cheval par la bride et nous voilà longeant la rue où défilaient les voitures.

«Pourquoi tu ne te mets pas en selle? proposai-je. Tu dois être fatiguée. Je te donne un coup de main.

— Je suis en robe.

— Ce ne sera pas élégant, mais on peut se débrouiller.»

Elle continua à marcher. Au bout d'un moment, elle me dit :

« Billy, ma mère ne serait pas d'accord.

— Non, sans doute pas. »

Elle s'arrêta brusquement, et me lança presque les rênes. « Toi d'abord. Il peut nous porter tous les deux. »

Ni selle ni étriers. Je pris mon élan. Paddy mesurant bien seize mains au garrot, j'eus un peu de mal à passer ma jambe de l'autre côté. Cela ne devait pas être un spectacle gracieux, mais je parvins à l'enfourcher. Je pris Karin par le bras et la soulevai de terre pour l'asseoir derrière moi, et ainsi nous longeâmes la rue au pas, en prenant garde de nous tenir à l'écart des camions et des voitures qui nous dépassaient à vive allure, elle sa robe retroussée, ses mains sur mes épaules.

———

Quelques jours plus tard, trois camions du musée franchirent le portail de Walden et firent crisser le gravier devant la grande maison.

« Les retables et les objets de culte que collectionnait l'épouse du vieux Juif appartiennent de droit au peuple, n'est-ce pas ? De quel droit le vieux Juif posséderait-il des œuvres d'art inestimables faites pour pratiquer la foi chrétienne ? En plus, il est endetté, il n'a pas payé ses impôts. Typique ! Il triche et vole le fisc depuis des années, c'est certain. C'est comme ça qu'ils sont, dans cette tribu. Quel que soit son sort maintenant, ce n'est que justice. »

Mon parrain était le *verräterischen Judenbaron,* et ils avaient l'intention de ne rien lui laisser.

Ce jour-là, il resta enfermé dans sa bibliothèque. Après s'être servis dans les rayonnages, ils lui avaient foutu la paix.

À mon retour du bureau en fin d'après-midi, il y avait encore un gros camion gris garé sous la porte cochère. Karin parlait à un jeune homme portant la blouse bleue du musée sur une chemise blanche et une cravate.

«Vous ne voyez pas ce que vous faites? l'entendis-je prononcer alors que je m'approchais.

— Je comprends vos sentiments, mademoiselle, croyez-moi, j'ai du respect pour votre famille.» Il portait des lunettes. Il paraissait sensible, intelligent. La vingtaine, les cheveux déjà un peu clairsemés. Un assistant du conservateur. «Toutefois, franchement, des pièces pareilles ont leur place dans un vrai musée comme le nôtre.»

Karin m'aperçut. «Ils emportent *La lamentation*», me dit-elle d'un ton neutre. Elle se tourna de nouveau vers le conservateur. «C'est du vol. Du vol, vous entendez. Du pillage.

— Je ne peux pas vous permettre de dire ça, répliqua-t-il. Il s'agit de restituer à ses vérit…

— Comment pouvez-vous vous rendre complice de ce brigandage? Vous n'avez donc aucune dignité?»

Sur ces paroles, elle lui tourna le dos. Je la suivis à l'intérieur. Dans le hall, à l'endroit où avait été installé le cercueil de sa mère, deux menuisiers à genoux construisaient une caisse pour le retable. *La lamentation*: trois femmes pleurant autour du corps sans vie du Christ. L'odeur de résine me prit à la gorge. Les ouvriers disposaient d'un tas de paille sèche et de sacs de chiffons en coton pour protéger cet objet volumineux, sans doute assez fragile, même si Eilín et Lady

Maire l'avaient rapporté d'Espagne, en 1927, à l'arrière de la Ford.

Ils évitèrent de nous regarder.

«On nous dépèce», commenta Karin.

———————

Elle voulut que je la raccompagne à Berlin; elle ne souhaitait pas être seule. Je demandai par conséquent au Dr Best deux jours que je remplacerais pendant mes congés, et il me les accorda. J'informai mes parents que je partais à Breslau, en voyage d'affaires.

Karin passa le plus clair du trajet en train à regarder défiler la campagne verdoyante par la fenêtre. Lorsque le convoi s'arrêta à Leipzig, nous nous retrouvâmes brièvement seuls dans le compartiment. Elle suivait des yeux un flot de passagers sur le quai quand soudain elle prit la parole.

«J'ai tellement souvent souhaité qu'elle me serre dans ses bras. Et quand elle a eu besoin de moi, où étais-je? Toujours à vouloir garder quatre cents kilomètres entre nous. J'aurais dû être plus proche d'elle, j'aurais dû lui pardonner, non?

— Oui.

— Je lui pardonne maintenant, je te pardonne, ma chère maman. J'espère que tu me pardonnes aussi.»

Nous prîmes un taxi pour Charlottenburg.

Chaque fois que j'étais avec elle, j'avais sur moi une liasse de billets de banque pour payer les courses en taxi.

Nous sommes allés directement nous coucher. Les portes-fenêtres ouvertes sur le petit balcon en fer forgé laissant entrer le grondement sourd de Berlin à l'aube, je lui demandai si Walden lui manquerait une fois que la Ville aurait exproprié son père, ce que le mien jugeait inévitable.

« Je suis chez moi à Berlin, mon vieux. Walden est le musée que mes parents ont bâti pour s'exposer eux-mêmes. »

Elle resta silencieuse un long moment avant de reprendre.

« Crois-tu que ma pauvre vieille maman est par là quelque part, Billy ? M'observe-t-elle à cet instant ?

— As-tu l'impression qu'elle t'observe ?

— Je n'en suis pas sûre. Pas sûre, non. »

<hr />

Une autre visite à Berlin. L'été suivant, je crois. 1937, donc. J'étais venu avec la Wanderer, afin que nous puissions faire une promenade à la campagne.

Un après-midi d'août avec elle dans ma petite auto, les vitres baissées, l'odeur de l'air marin – tout cela avait le goût de la liberté.

Nous aimions tous les deux *bouger*.

À l'époque, il n'y avait pas tellement de voitures sur les routes, surtout dans le Nord-Est. Les nazis projetaient la construction d'*Autobahnen*, les travaux étaient parfois déjà bien avancés, mais on ne pouvait pas encore les emprunter. Les routes existantes n'étaient pas très bonnes mais souvent désertes, de sorte que l'on pouvait aller aussi vite que l'on voulait, quoique la Wanderer n'eût pas la puissance féline de la Mercedes de Longo. À la rigueur, une pointe à quatre-vingt-dix kilomètres à l'heure, quand la chaussée était bien lisse et qu'on avait le vent dans le dos. Mais cela nous semblait déjà rapide, et nous filions sur les routes vides du Mecklembourg. Dès qu'un lac se présentait, nous mettions un point d'honneur à nous y baigner. Elle n'aimait pas les maillots de bain, les qualifiant de pornographiques, et refusait d'en porter. Je me retrouvais donc à nager nu, moi aussi.

Nous nous arrêtâmes dans un marais pour observer les oiseaux.

Ce monde est clos à présent, derrière le rideau de fer, organisé différemment, de nombreux villages ayant été détruits pendant la guerre. Mais le marais existe peut-être toujours.

Je nous revois au milieu de ces terres marécageuses. Des planches gris argenté accrochées bout à bout ménagent sur un kilomètre environ un sentier si étroit que s'y croiser serait une opération délicate. C'est un lieu bien connu des chasseurs qui affluent à la saison de migration des oiseaux, mais en été, ce sont des gens comme nous, venus de Berlin ou de Rostock, armés seulement de jumelles, qui l'arpentent en espérant repérer des cygnes chanteurs, des aigrettes, des bihoreaux. Elle marche devant moi, dans sa robe d'été à grands carreaux blancs et marron que lui a confectionnée sa couturière parisienne à Berlin. Ses épaules nues portent des marques de coup de soleil, la peau commence à peler. Aux pieds, des sandales vertes, et autour du cou, la sangle des vieilles jumelles de Buck, celles dont il se servait pour observer les voiliers dans la Manche.

À Charlottenburg, on s'en sert pour jouer à un jeu, que l'on a appelé «Qui est une crapule?». On surveille la terrasse du café d'en face et on a dix secondes pour décider si les clients sont: a) nazis purs et durs; b) nazis sans conviction; c) pas du tout nazis. Elle prétend qu'elle est championne olympique à ce sport, mais il nous est impossible de vérifier si nos points ont été équitablement attribués.

Dans ces vastes terres à moitié immergées, ce ne sont pas des membres du parti que nous cherchons, mais toutes sortes d'oiseaux. Nous avons laissé derrière nous la grande ville pavoisée de drapeaux ondoyants, rouge et blanc avec la croix gammée noire pile au centre, qui font un usage hideux de la brise.

Le marais est un monde à part. Le vaste ciel est brumeux, un ciel gris annonciateur de pluie, mais, si averse il y a, elle sera tiède. Je suis Karin au long du caillebotis dont les lattes grincent sous nos pas. Autour de nous, un océan d'herbes hautes ondule sous le vent avec un bruit étrange rappelant celui d'un drap que l'on déchire. Il n'y a personne en vue, pas une âme. Dans un marécage, on ne s'attend pas à trouver foule, mais aux yeux de citadins comme nous, l'endroit est néanmoins extraordinairement vide. Mon nez capte l'odeur de la mer, la première bouffée.

Elle s'arrête si brusquement que je manque lui rentrer dedans.

«Une aigrette», dit-elle en levant les jumelles.

L'oiseau pêche son repas, grenouille ou autre proie dont se régalent les aigrettes dans ces marais. Il a une démarche bizarre, hésitante. Et pendant qu'elle l'observe, je pose mes mains sur ses hanches.

C'est la première fois que je la touche d'une manière aussi intime, possessive, en dehors de la chambre à coucher, que je la touche comme seul un amoureux touche sa bien-aimée.

«Quelle chance de voir une aigrette», commente-t-elle.

Deux jeunes gens filant à travers la campagne à bord d'une décapotable, traversant un marais sur un sentier en caillebotis, respirant les effluves odorants de la mer

– on se croirait dans une charmante histoire d'amour. L'était-ce? Je ne sais pas. Je n'ai jamais su analyser cette relation. Je n'ai même pas essayé. À cette époque, on était en général troublé et pris de court par le lien amoureux. Les jeunes gens, en tout cas – nous n'imaginions ni ne prévoyions jamais la profondeur et la complexité de nos émotions jusqu'à ce qu'elles nous submergent. Personne ne nous avait mis en garde.

Nous cultivions notre aptitude à ne pas laisser paraître nos sentiments. Ceux-ci ne regardaient que nous. Les mots? Cela avait quelque chose de facile, de superficiel, de limité. On ne faisait que gâcher ses émotions en les exprimant.

En suivant Karin Weinbrenner sur les caillebotis à travers la vase et la saumure, je n'avais pas à ma disposition une langue me permettant de dire ce que je ressentais, de me «lâcher», comme on dit aujourd'hui dans ce jargon que tout le monde semble avoir adopté. Je n'avais pas appris à «dire».

Si j'avais été capable d'énoncer ce que je ressentais, la vérité aurait peut-être émergé, à savoir que les choses étaient fichtrement inégales entre nous, car je l'aimais comme jamais je n'aimerais personne d'autre et elle m'aimait comme une jeune femme aime son frère dévoué, un garde du corps de confiance ou un cheval qui ne trébuche ni ne se dérobe jamais, mais saute tous les obstacles sans broncher et la mène de l'autre côté, saine et sauve.

Lorsque nous étions séparés et que je pensais à elle me venaient des rêveries sans paroles, des images fugaces de couleur vive sous le soleil, et toujours une impression d'espace immense, où nous voyagions, seuls, lancés à grande vitesse sur des distances considérables.

Le régime nazi était au pouvoir depuis quatre ans, et la ville médiévale paraissait s'être durcie et briller plus fort, une ville s'efforçant de marcher au pas, féroce, décadente. Voilà la rue où Meyer s'était fait tabasser, là le trottoir où les sections de SA roulaient des mécaniques, là les vitrines défoncées, là un avocat avait été traîné par un quarteron de chemises brunes, là des mégaphones avaient croassé des invectives haineuses, là encore des nazis ivres insultaient des femmes montant dans des taxis.

À la suite de l'adoption des lois de Nuremberg, Herr Kaufman, au titre de Juif n'ayant plus le droit de pratiquer son métier, mit les affaires du baron entre les mains d'un avocat aryen convenable, lequel convainquit la Ville de Francfort de ne pas jeter dehors Weinbrenner alors qu'il était plus profitable de lui laisser, pour l'heure, sa maison, tout en lui extorquant un énorme loyer. Il nous fut toutefois signifié que nous devions quitter Newport, et c'est ainsi que mes parents prirent une chambre à l'hôtel de Bad Homburg, et que je trouvai à me loger non loin du Römer.

Ma grand-mère décida d'aller retrouver son frère en Afrique. Après dix ans en Allemagne, Constance nous fit ses adieux, à nous sa famille, à Willie Chopdelau, à Eddy Morrison, au comte Istvan et à tous ses amis du Frankie's English Bar. Elle fit d'abord une halte en Irlande, où elle passa quelques semaines avec tante Kate à Sligo, avant de prendre le bateau à Southampton pour Mombasa, via le canal de Suez.

Au Kenya, vers le milieu de la guerre, ma grand-mère fut victime d'une chute de cheval et se rompit le cou.

Elle mourut instantanément, du moins c'est ce qu'on nous a dit. Je ne sais pas si c'est vrai, mais j'espère que oui. Morte en pleine action. Exactement le genre de mort qu'elle aurait souhaitée.

1938

Kaufman rappela pour prendre des nouvelles de monsieur le baron. Puis il me demanda de passer le voir au cabinet.

« J'ai mon agenda sous les yeux. Soyez ici à 4 h, s'il vous plaît. Je peux vous recevoir à 4 h. »

Cela m'aurait étonné qu'il soit aussi occupé qu'il le prétendait. Le baron avait été son principal client et, qui plus est, Kaufman n'était plus autorisé à se dire avocat – mais gardait son cabinet, ces pièces à l'atmosphère soporifique où j'avais travaillé. La revêche Frau Fleck était toujours sa secrétaire, bien que je ne voie pas quelle tâche il pouvait lui confier.

Kaufman me fit attendre une demi-heure, sans autre raison, certainement, que sa volonté de me rappeler que j'avais jadis été son commis à mi-temps.

Lorsque je fus enfin introduit en sa présence, il ne m'invita pas à m'asseoir. Je m'assis quand même. Il haussa les sourcils.

Kaufman n'était pas un homme qui attirait facilement la sympathie. Il avait certes du courage, mais il était aussi un avocat prussien d'arrière-garde ayant avalé plusieurs parapluies.

« Je dois vous avertir qu'il va y avoir une enquête criminelle sur cet incident à Walden, me déclara Kaufman sans préambule. La police est décidée, apparemment.

— La police fait quelque chose, vraiment ? Je vous avoue mon étonnement.

— C'est monsieur le baron qui est l'objet de cette investigation.

— Que voulez-vous dire ?

— Il y a eu violation de domicile, énonça calmement Kaufman.

— C'est encore plus grave que ça. Il y a eu tentative de meurtre. »

Kaufman écarta les mains et joignit le bout des doigts. Il me regarda fixement. « Vous n'avez pas compris, dit-il doucement. L'individu qui fait l'objet d'une enquête est le baron von Weinbrenner. Ils n'ont pas encore décidé s'il s'agit d'un délit de droit commun. Si c'est le cas, Weinbrenner sera accusé et sanctionné. Ils lui ont envoyé un avis d'expulsion, qu'en dépit de mes conseils, hélas! il a choisi d'ignorer.

— Mais il paye un loyer énorme…

— Il n'a plus les moyens. Et la Ville de Francfort a dénoncé cet arrangement. D'après eux, il n'a légalement plus le droit de résider chez lui. Ils ne plaisantent pas, il devra verser une amende, quoique je ne sache pas ce qu'ils vont pouvoir encore lui soutirer. En résumé : il faut qu'il quitte la Haus-Walden. »

Face à ce genre de chose, on n'avait d'autre choix que d'avaler la couleuvre en essayant de ne pas s'étouffer.

Dans le silence qui s'ensuivit, je pris conscience du bruit de la circulation, jamais aussi violent qu'à Berlin, mais quand même le bourdonnement d'une ville active. Tout semblait si sain, si normal.

« Je prie pour qu'il meure, dit Kaufman. Car l'alternative est catastrophique. Je prie pour que mon ancien client meure dans son lit, et très bientôt. »

Au moment de mon départ, il me serra la main, pour la première fois. Frau Fleck, elle, ne m'offrit que son froncement de sourcils coutumier.

Mes parents revinrent dans l'après-midi et ne continrent pas leur joie en voyant que le baron semblait sortir de son brouillard morphinique et émettait quelques sons s'apparentant à des paroles. Leur exubérance m'agaça : ils se racontaient des histoires, et en cela ne différaient pas du reste de la population de Francfort qui vivait dans le déni.

Puis le reptile qui habitait le corps du baron se réveilla, et le vieux monsieur se mit à se contorsionner. Mon père m'aida à l'immobiliser, afin que Karin puisse lui faire une injection, et pendant ces terribles moments où le baron se démenait, criait, chiait, mes parents furent bien obligés de faire face à la réalité.

Otto les ramena à Bad Homburg. Mes parents ne prenaient jamais de taxi, mais ils avaient seulement quelques heures de liberté, et le trajet en tram était compliqué. Otto leur fit sans doute une ristourne.

« À Zurich, dit Karin, on devrait trouver le médecin qu'il lui faut. »

À la cuisine, avec Herta, nous nous réchauffions devant le poêle en buvant du café. Dehors, une couche de neige fraîche laquait le sol. Il faisait meilleur que dans la bibliothèque, et les odeurs étaient plus agréables.

« Oui, mais les médecins suisses s'attendent à être payés.

— Écoute, tu n'as rien à m'apprendre sur les médecins suisses. Quand j'étais en pension à Lausanne, il y avait un type qui vous retapait un dos comme un rien. En fait, tout ce qu'il voulait, c'était vous peloter. Mais il faut bien l'admettre, ils savent remettre les os en place, les Suisses. »

Je rétorquai qu'elle n'était pas raisonnable, et qu'elle devait se rendre à l'évidence, à savoir que le *Volendam* devait appareiller à Rotterdam dans moins de cinq jours. Je me montrai abrupt, c'est un fait. Je me sentais pris au piège. Soixante millilitres. À injecter d'un seul coup. C'est ce qu'avait dit le Dr Lewin.

Elle retéléphona à Kaufman. Il dut achever de la décourager pour Zurich, car il n'en fut plus question.

Il faisait de plus en plus froid. L'hiver était à nos portes. Je rassemblai ce que je pus trouver en termes de tapis et de couvertures, plus des rideaux mangés aux mites, et apportai le tout à la bibliothèque pour nous fabriquer des lits. Je construisis un feu dans la cheminée, assez fourni pour qu'il puisse brûler pendant deux heures sans être alimenté.

«Ton père est en train de mourir.» Je fourgonnai le feu et me retournai pour la voir penchée sur le baron. Elle lui remontait ses couvertures. Il dormait, si l'on peut appeler cela dormir. Seulement l'effet des opiacés.

«On est tous en train de mourir», répondit-elle.

Nous avons arrangé nos lits de fortune devant la cheminée et nous nous sommes couchés, imbriqués en chien de fusil. Je l'enlaçai d'un bras. Elle grelotta toute la nuit. L'hiver s'installant, la flambée dans l'âtre ne suffisait plus. Chaque fois qu'une branche raclait une vitre ou battait contre les tuiles du toit, qu'un camion klaxonnait dans la rue, je la sentais tressaillir contre moi. À un moment donné, au milieu de la nuit, nous nous réveillâmes et fîmes l'amour, assez brutalement. Je ne sais pas pourquoi mais c'est ainsi : le gaz empoisonné de la peur se transmue en passion. Je cherchais peut-être à la dissimuler, cette peur, sous l'excitation sexuelle. Elle aussi, peut-être. Peut-être la mort planant sur la pièce, soufflant dans nos cous, était-elle un aphrodisiaque. Après cette union vigoureuse, nous nous rendormîmes, collés l'un à l'autre, mais juste avant de sombrer dans le sommeil, je fus intensément conscient de mon attachement et de ma responsabilité à son égard, et cela emplit tout mon être comme quelque chose de vivant.

Deux heures plus tard, je me réveillai en sursaut, le cœur cognant dans ma poitrine. J'avais rêvé que je tombais au fond d'un puits. Je me dressai sur mon séant, la gorge contractée par la panique.

Depuis la mise à sac, nous vivions tous les deux dans la crainte muette d'un retour des SA, même si on pouvait se demander ce qu'ils pourraient convoiter maintenant, car il ne restait presque rien à Walden. Le plaisir de vandaliser, c'était peut-être un mobile suffisant. Des fantasmes de trésor hébreu enterré. Mettre le feu au bois, brûler les fantômes juifs, brûler les fantômes irlandais, brûler les fantômes de célèbres chevaux de course.

Karin était agenouillée devant la cheminée. Le feu était presque éteint, et, son manteau en tweed passé sur sa chemise de nuit, elle essayait de le ranimer.

Son père ronflait. Des ronflements profonds, saccadés. Un clown faisant son numéro, pour faire rire son public, seulement cela n'avait rien d'une farce. Il était toujours anesthésié par la dernière injection de morphine. Je consultai ma montre à mon poignet: 4 h du matin. Dehors, il faisait noir. De brusques bourrasques de pluie cinglaient les fenêtres.

La décision avait été prise pendant notre sommeil. En s'étreignant, nos corps nous avaient peut-être rendu les choses explicites. Nos corps et leurs besoins impérieux.

Cela puait le fauve dans la bibliothèque. Une tempête se préparait, un grésil dru fouettait les carreaux. Je me levai, enfilai mes vêtements et me dirigeai vers le rayonnage où nous rangions la morphine. En assemblant la seringue, je m'efforçai de me concentrer sur ce que faisaient mes mains, et sur rien d'autre. Je remplis la seringue.

C'est ainsi que l'on s'y prend quand on fait quelque chose : méthodiquement, pas à pas, attentif à l'enchaînement précis des gestes, tout en gardant l'esprit aussi froid et limpide que la cloque d'une stalactite. Son père ronflait dans sa catacombe-morphine.

J'étais prêt, mais à la dernière seconde, elle me prit la seringue. Et je la laissai faire.

Elle lui faisait quatre ou cinq ou six injections par jour. Elle avait l'expérience ; elle avait la technique. Même quand le reptile tordait ses anneaux, elle était devenue experte à trouver la veine.

Comme il dormait, l'opération ne fut pas compliquée.

Nous nous taisions. Rien à dire. Elle enfonça l'aiguille et poussa le piston afin d'injecter rapidement le produit. Il n'émit même pas un murmure. Après, nous nous sommes assis sur la banquette de la fenêtre, seuls nos pieds se touchant, et nous avons feuilleté ses vieux *Winnetou*, que les monstres avaient négligé d'emporter.

BEST WESTERN

À l'automne 1977, à la suite de la publication de mon dernier livre, je fus invité à donner une conférence à l'Université Texas Tech, dans la ville de Lubbock. Comme on ne nous avait servi au déjeuner ni vin ni alcool d'aucune sorte, je me sentais de mauvaise humeur. Un étudiant me ramena en voiture à mon motel Best Western, tout ce qu'il y a de plus confortable mais déprimant. Mon vol n'était pas avant le lendemain, et je me retrouvais au milieu d'El Llano Estacado avec devant moi un après-midi libre.

Le type à la réception parvint à obtenir d'une agence de location qu'on me livre une voiture au motel. Je pris le volant et roulai un peu au hasard en direction du Nouveau-Mexique.

J'avais sillonné *el llano* à de multiples occasions, mais toujours avec un objectif en tête, dans le cadre de missions de recherche, souvent en compagnie d'étudiants. J'avais en général un programme d'entretiens à mener et des rendez-vous avec des Apaches, des vieux cow-boys du XIT Ranch[1], des ouvriers du pétrole, des cultivateurs de coton, des universitaires. Un jour, je m'étais joint à un minibus de doctorants : nous avions établi notre campement non loin du site archéologique Clovis, au Nouveau-Mexique, et avions exploré les sentiers du canyon de Palo Duro, qui fait partie d'un parc d'État.

El Llano Estacado était à bien des points de vue une région abîmée, sinon ravagée. En l'espace de quelques

---

1. Le plus grand ranch du monde (plus d'un million d'hectares), s'étendant sur dix comtés d'El Llano Estacado. Il employait cent cow-boys [NDT].

décennies après la défaite des Comanches, elle avait été fragilisée par le surpâturage. Pendant la Première Guerre mondiale, à la suite de la montée des prix, on y avait planté du blé, et, quand les prix s'étaient effondrés, du coton. Au cours des années trente, une terrible sécheresse avait fait d'*el llano* l'épicentre des tempêtes de poussière du Dust Bowl. Après la Seconde Guerre mondiale, le pompage de la nappe phréatique aquifère Ogallala avait engendré une surirrigation des hautes plaines, dont les terres avaient été nourries de doses massives d'engrais chimiques. Et puis les conurbations d'Amarillo et de Lubbock, avec leurs centres commerciaux, leurs bases aériennes, leurs échangeurs d'autoroute, avaient défiguré les anciennes prairies.

Bien entendu, *el llano* n'a jamais été « inviolé ». Comme n'importe quel paysage, il n'a cessé de se transformer. Au XVIIIe siècle, les chevaux des Espagnols avaient provoqué une révolution dans l'écosystème et la naissance de l'empire comanche. Mais au milieu du XIXe, entre les métastases urbanistiques et une agriculture intensive subventionnée, *el llano* avait été traité comme une machine dont les propriétaires cherchaient à tirer le maximum avant de la jeter au rebut.

C'était ça, le véritable *llano* que depuis des années j'explorais, cartographiais, photographiais, interrogeais, décrivais dans mes publications. Le pivot de ma vie professionnelle. Mais il existe toujours dans notre esprit un *el llano* – un rêve de dépouillement, d'incommensurable et de lumière.

Je ne fis rien d'autre cet après-midi-là que rouler droit devant moi. Il n'y a pas de meilleur moyen d'appréhender un paysage qu'au volant d'une voiture ou, mieux encore, sur le dos d'un de ces poneys comanches qui se nourrissent de cactus.

En mettant le cap sur l'ouest, j'ajoutai deux cents milles au compteur de ma Chevrolet de location, croisant des champs de coton gris sale et des milliers d'hectares d'anciens pâturages sans plus une touffe d'herbe, seulement un sol grumeleux, aride, et des kilomètres de barbelés.

Je connaissais si bien la plaine que, même en roulant à vive allure, je pouvais la voir, la sentir, m'imprégner de son effet apaisant, sans regarder autre chose que le ruban noir de la route.

De nombreux voyageurs ont laissé leurs os sur *el llano*. Il peut sembler infini, mais il ne l'est pas, forcément. Si vous êtes capable de continuer, vous finirez par trouver de l'eau, des vivres, de l'ombre… de l'autre côté.

J'ai conduit toute la journée dans un curieux état d'engourdissement. Je ressentais sa présence, surtout à l'approche de la frontière mexicaine. Ils se faisaient soudain de plus en plus rares, les derricks, les systèmes d'irrigation et les filaments de coton flottant dans l'air, remplacés par une terre désolée.

El Llano est en apparence une plaine, mais en réalité il s'élève vers l'ouest, quoique pas de beaucoup. Un mètre et quelque par mille. Et de ce côté, le plateau paraît encore plus élevé, parce qu'il est nu et vide ; il semble plus près du ciel. On n'y rencontre guère que le vent, des barbelés, de la clarté solaire. *Sans relief,* pourrait-on dire. Le genre de pays où les pionniers s'égarent.

Avec elle, j'étais toujours dans le film de quelqu'un d'autre. Ce n'était pas moi qui écrivais le scénario, ce n'était pas moi la star, je n'étais pas le Llano Kid. Peut-être le cheval de Gary Cooper, ou le vent d'ouest. Ou la lumière. Ou les falaises rouges. Ou la bande horizontale jaune, peut-être, le lointain, le vide ou le nulle-part-où-se-cacher.

Dans le hameau indiqué sur ma carte routière Avis comme étant Grady, Nouveau-Mexique, il y avait un minuscule bureau de poste et une école élémentaire. Quelques murs de torchis effrités, c'était tout ce qui restait du motel où nous avions passé notre dernière nuit.

J'avais traversé et retraversé *el llano* quantité de fois depuis, mais jamais je n'étais revenu sur les lieux. À quoi cela aurait-il rimé?

Il n'y avait toujours pas de raison. J'avais eu l'intention de marcher un peu dans les champs, mais je ne descendis même pas de voiture. Je contemplai un moment les vestiges de murs, puis remontai ma vitre, fis demi-tour et pris la route de Lubbock. Le lendemain matin, je m'envolai pour Chicago, où je changeai d'avion pour rentrer chez moi à Toronto.

Auprès de la grandeur austère du vide, nulle œuvre de la main de l'homme n'a jamais eu d'avenir sur *el llano*.

1938

Manuscrit sur fragment de papier. Signé «K», non daté, pas d'enveloppe, pas de cachet de la poste. Archives Lange, 11 C-12-1938. Collections particulières, bibliothèque de l'Université McGill, Montréal.

—

Mein lieber William!

Pardon pardon mais je ne peux pas rester.
Cela ne serait pas bien.
Pour la suite, je n'en ai pas la force.
Je ne suis plus la même.
Très fatiguée.
Prends soin de toi, mon cher frère,

Ton amour,
K

Le premier soir que nous avons passé hors d'Allemagne, dans une chambre d'hôtel de Rotterdam, à deux pas du quai de la ligne Hollande-Amérique, elle nous a préparé des martinis avec du gin hollandais et m'a raconté une histoire entendue à l'époque où elle était à l'UFA. Un plan mis au point par un acteur pour assassiner Hitler, Goebbels et Göring à la première d'un film.

«Attention à tes paroles, Karin. Qui sait, les murs ont peut-être des oreilles.

— On est dans une ville libre.

— Oui, enfin, je ne sais pas. Mes parents sont toujours en Allemagne.

— File-moi une cigarette, espèce de rabat-joie. Je refuse de continuer à fumer ce foin allemand. Si tu pouvais sortir nous acheter des cigarettes hollandaises. Je ne peux pas fumer ce tabac nazi.»

La liberté et la sécurité que nous avions gagnées dès l'instant où nous avions franchi la frontière des Pays-Bas lui paraissaient déshonorantes, comme si nous crânions, comme si nous étions des imposteurs. Si nous étions en lieu sûr, c'était uniquement parce que nous avions les passeports *ad hoc*. Tout ce qu'il nous avait fallu pour nous enfuir de la bonne vieille Allemagne, cela avait été deux billets sur un train confortable et rapide.

Le gin hollandais était plus fort que l'anglais. Elle ôta ses chaussures de deux coups de pied et s'étendit sur le lit, alluma une cigarette et contempla le plafond. «On gèle ici, William Cody.

— Je vais te faire couler un bain.

— Un bain, ça coûte quelque chose.

— Un bain chaud, deux florins, on a de quoi.

— Non. Descends plutôt chercher des cigarettes hollandaises.

— Entendu, mais tu vas d'abord prendre un bain. »

La salle de bains était au bout du couloir. Je versai à notre logeuse deux florins, et elle fit couler un bain chaud. Dans notre chambre, Karin était à moitié endormie, sa cigarette se consumant entre ses doigts. Je la conduisis à la baignoire et, pendant que je lui frottais le dos, elle lut à haute voix dans son cahier des extraits de récits écrits par des gens qui avaient traversé El Llano Estacado, pour l'essentiel de terribles mises en garde.

———————

Un groupe de jeunes étudiants américains rentraient chez eux par le *Volendam*. Amherst College, Williams College, l'Université de Virginie. Six garçons ayant étudié ensemble à Heidelberg et constitué un orchestre de jazz ; les Calamitous Collegians avaient le sens du rythme. Le trompettiste plein de verve était un petit gros originaire du Maine dont les solos étiraient parfois leurs doigts caressants jusqu'à votre cœur et vous donnaient l'impression que votre vie tournait rond. Le batteur était formidable : il arrivait à faire danser le swing aux impassibles officiers de marine hollandais. Un autre garçon, frêle et brun Italo-Américain, avait une voix profonde et grasseyante de chanteur de blues, et un phrasé particulier que je n'avais encore jamais entendu, et qui vous rendait les chansons étrangement proches. Pendant un thé dansant dans le salon de la classe touriste, il nous interpréta *Here and Now*, la première fois que j'entendis ce qui devint vite un standard.

This night's a chance I'm taking
A long-lost dream
I'm waking
Only to offer myself to you[1].

C'était étonnant, et très émouvant, ce blues au milieu de l'océan. Une promesse douce-amère que nous faisait l'Amérique : la vie y était périlleuse, la vie y était dure, mais au moins c'était la vie, pas la mort.

Les Calamitous Collegians étaient des fans de Duke Ellington, c'était évident, et de Benny Goodman. Un orchestre pour danser. J'avais un peu de mal à imaginer quiconque dansant le swing à Heidelberg, qui ne m'avait pas frappé comme une ville dansante. Mais aussi j'en gardais un mauvais souvenir, sauf pour mes ébats avec Lilly sur la colline au-dessus des rives du Neckar, lesquels conservaient toute leur fraîcheur.

Il n'y avait pas beaucoup de jeunes femmes à bord, et les étudiants voulaient tous danser avec Karin. Ce dont elle était enchantée.

Les jeunes gens buvaient beaucoup à l'époque. Parfois par esprit d'émulation, comme une sorte de compétition doublée d'un rite d'initiation. On devait être capable d'ingurgiter de grosses quantités d'alcool sans que cela se voie. Enfin, un petit peu quand même, du moment qu'on faisait « bonne figure ». On pouvait à la rigueur être « parti » ou avoir un « coup dans le nez » ; cela détendait l'atmosphère, et les gens devenaient plus liants et, parfois même, plus sages.

Karin, au Frankie's English Bar, buvait des martinis Extra-Dry, mais toujours à toutes petites gorgées, deux

---

1. Ce soir est un risque que je prends/Un rêve perdu depuis longtemps/ Dont je m'éveille/Uniquement pour m'offrir à toi [NDT].

verres dans la soirée. Les vapeurs de l'alcool ne lui étaient jamais montées à la tête. Mais pendant la traversée, un terrible stress se faisait sentir. C'est ainsi que l'on dit aujourd'hui… le stress. En ce temps-là, cela ne portait pas de nom, du moins personne ne le connaissait. Cette réaction complexe n'en était pas moins puissante, déplaisante et même honteuse. Innommable, en fait. On se sentait lâche. On avait conscience d'être un trouble-fête.

Lorsque nous nous sentions en proie à ce genre d'état d'âme, instinctivement nous le dissimulions – pour nous en débarrasser, au moins temporairement. La musique agissait comme une bouée de sauvetage. Quelle autre fonction avait le swing, à votre avis, que celle de faire glisser de nos épaules le manteau de la tristesse ? Les meilleurs danseurs, comme les meilleurs musiciens, n'étaient jamais des gens normaux. Je me rappelle, une nuit, j'étais allongé sur ma couchette, avant l'aube, tout ce qu'il y a de plus éveillé, alors que mes compagnons de cabine ronflaient – trois inconnus partageant un espace exigu dans les boyaux d'un paquebot. Dans cet endroit profond, il flottait toujours dans l'air une odeur de peinture tiède. J'avais l'impression d'avoir dans l'estomac du ciment mouillé, qui tournait de plus en plus vite. Peut-être était-ce une nouvelle version de ce que mon père avait connu, ce que lui et ma mère appelaient la «maladie des barbelés». Ce n'était pas seulement de la léthargie ou de la passivité. C'était l'effroi : une matière qui caillait, se décomposait, barattée au creux de mon ventre.

Si je restais sur ma couchette, c'était encore pire, mais une fois que je m'étais forcé à me lever, ça commençait à aller mieux. De sorte que je me mis à me lever de plus en plus tôt. Elle aussi. On se retrouvait à la cuisine, une caverne éclairée, chaude et bruissante d'activité où des cuistots javanais s'affairaient à préparer un petit-déjeuner pour trois cent cinquante personnes. Ils nous proposaient gaiement des mugs de café crème – une délicieuse crème.

Si seulement nous avions su. Elle était enceinte, et bien entendu elle n'aurait pas dû boire d'alcool, mais à l'époque on n'avait pas ces connaissances.

Est-ce que j'essaye de présenter des excuses à sa place ? Stupide. Elle n'a à demander pardon à personne.

Lors de notre troisième soirée en mer, il y eut un souper dansant dans le salon de la deuxième classe. Les passagers de première et de la classe touriste étaient conviés. La musique, fournie par les Calamitous Collegians.

Karin portait une robe longue verte. Je ne l'avais jamais vue, mais elle l'avait sans doute sauvée de la pile sur le trottoir de Charlottenburg.

Après tant de temps passé sur les pistes de danse clandestines de Berlin, danser ensemble nous paraissait tout naturel, nous étions en phase l'un avec l'autre, mentalement et physiquement. Ce soir-là, elle était pleine d'entrain. *Sans souci*. Cela faisait trois jours que nous avions quitté l'Europe, il nous restait trois jours en mer avant New York. Nous étions en route vers le futur.

« Billy, mon vieux, file-moi une cigarette. »

Elle venait de danser avec un des étudiants, et il l'avait ramenée à notre table. Nous avions tous beaucoup bu. Mon étui à cigarettes était vide.

« Je vais aller en chercher dans ma cabine », lui dis-je. On pouvait acheter des cigarettes *duty free* à bord, et nous avions chacun deux cartouches de Chesterfield.

« Non, je vais chercher les miennes. J'ai besoin de prendre l'air. »

Elle se drapa dans son étole et s'éloigna. Mais au lieu de prendre par l'escalier de coursive, elle sortit sur le pont, où il régnait une température polaire, mais aussi une ambiance magique. Nous étions au beau milieu de l'Atlantique, en hiver, entre deux mondes. Le jazz, cette musique américaine, nous hantait ; ses airs sonnaient juste et faisaient vibrer nos cordes les plus sensibles. Toute la soirée, des gens étaient sortis sur le pont pour regarder les étoiles glacées et se remémorer les dimensions de l'Univers.

Quelques minutes plus tard, le trompettiste du Maine attaquait un de ses solos sans vibrato quand un officier de quart s'approcha de moi et se baissa pour me dire à l'oreille qu'il y avait eu un accident, et pouvais-je le suivre, s'il vous plaît ?

Alors que la mélodie prenait de l'ampleur, bondissait, gémissait, je lui emboîtai le pas jusqu'à un couloir blanc où il m'informa que *Mevrouw* von Weinbrenner était à l'infirmerie. Deux stewards l'y avaient transportée après l'avoir trouvée évanouie au bas de l'échelle verglacée reliant les deux ponts.

Je suivis le Hollandais aux semelles en caoutchouc qui couinaient. L'odeur de peinture tiède me soulevait le cœur tandis que sous mes pieds le sol se mettait à tanguer et à rouler.

Karin était avec le médecin, dans la cabine qui servait de salle d'opération. L'infirmière hollandaise m'ordonna sèchement de m'asseoir et d'attendre. Je m'assis sur une des chaises en bois clair vissées au sol. Les infirmières et les médecins étaient des figures d'autorité.

Ce n'est pas simple pour moi de me retrouver dans le jeune homme docile que j'étais alors. Cette traversée hivernale de l'Atlantique est un de ces passages qui ont jalonné mon existence. Alors et aujourd'hui. L'Europe et l'Amérique. Avant *el llano*, après. L'avant-guerre, l'après-guerre.

Il n'y a jamais eu un temps dans ma vie «avant» Karin. Elle est en moi depuis le commencement. Nous sommes nés dans la même chambre, après tout. Pas la même année, mais la même saison. La même mer, la même variété de lumière. Même rideaux ondulant dans la même brise marine. Elle est toujours là, toujours, dans mes pensées, dans ma vision du monde.

Sanssouci.

Je me demandais autrefois si nous n'étions pas deux parties de la même personne, incomplets l'un sans l'autre, toujours en manque de quelque chose. Pourtant, les seules photos de nous ensemble ont été prises par le photographe du bateau. Je ne les ai pas regardées depuis longtemps; elles sont rangées dans une boîte à chaussures avec un tas de vieux passeports. Des images en noir et blanc pas plus grandes qu'un timbre-poste géant. Allongés sur des transats, en manteau, sous des couvertures, nous prenons le soleil.

Le *Mijnheer Dokter* sortit de la salle d'opération la blouse couverte de sang rouge vif. Il alluma une cigarette puis remarqua ma présence. Ses yeux me firent penser à des œufs pochés. «Eh bien.

— Comment va-t-elle?

— Pas très fort. Votre amie était enceinte, non? Eh bien, elle ne l'est plus, malheureusement.»

Ils ne me laissèrent la voir qu'une fois que les calmants eurent fait leur effet. Il y avait six lits dans la petite pièce, mais Karin était la seule malade. Elle était blanche comme un linge et avait l'air exténuée. Tout était blanc, même le sol. Le *Volendam* était de plus en plus malmené par les flots, et dans la cabine voisine j'entendais la voix du *Mijnheer Dokter* qui s'occupait d'un autre patient, un jeune homme qui avait trop chahuté sur le pont vitrifié par le gel.

Une autre infirmière, celle-là jeune et guindée, était assise au bord du lit de Karin, un magazine de cinéma ouvert sur ses genoux. Karin dormait. En me penchant sur elle, je revis son père dans son lit, et j'eus envie de vomir. Ou c'était peut-être le mal de mer.

Je remontai au salon de la deuxième classe – j'avais besoin de musique, et de compagnie. Mais la fête était terminée. Les stewards débarrassaient. Je m'emmitouflai dans mon manteau et mon écharpe, et sortis sur le pont faire le tour complet du bateau. Je repensais à la mer d'Irlande, à ma mère prête à se jeter par-dessus bord. Je m'étais peut-être trompé à ce sujet. J'avais peut-être été le jouet de mon délire fébrile, alors que je couvais la scarlatine, que j'avais le cerveau en feu. C'était peut-être pure imagination, pur effroi à l'idée de la perdre.

———•———

Après avoir remonté le drap sur le visage de son père, Karin avait téléphoné à son avocat.

« Herr Kaufman dit qu'il doit y avoir un enterrement juif, m'annonça-t-elle. Mais je vais l'enterrer ici, comme il le voulait. Ce pauvre Kaufman ne va pas apprécier.

— Comment tu te sens ?

— C'est une nouvelle vie qui commence pour moi. Je ne suis plus la même personne, plus du tout.

— Ça reviendra.

— Qu'est-ce qui reviendra ?

— Tu vas surmonter tout ça. Tu te remettras. Tout finira par passer. »

Elle me dévisagea un moment. « Je vais prendre un bain. Je veux me laver de la mort. »

Une heure plus tard, Kaufman et mes parents arrivèrent ensemble dans le taxi d'Otto Stahl. Aussitôt ses condoléances présentées, Kaufman se mit à plaider la cause d'un enterrement dans le cimetière juif, à Fischerfeld.

« Mais mon père souhaitait être enterré ici, lui dit Karin. Ici à Walden, Herr Kaufman. À côté de son fils.

— Votre père était un bon Juif. Au fond de son cœur, il était un Juif. Il a été persécuté comme Juif. Il doit être inhumé en tant que Juif.

— En tant que Juif, oui, mais ici, sur sa terre.

— Mais ils la lui ont volée, non ? Si vous l'enterrez ici, ces porcs profaneront sa tombe.

— Walden était la propriété de mon père, dit-elle fermement. Il n'y a jamais renoncé. Nous l'enterrerons ici. »

Kaufman poussa un grognement et se laissa choir lourdement dans le fauteuil de bureau en cuir du baron. Je me demande ce qu'est devenue la croix de guerre de Weinbrenner qui était toujours exposée sur son bureau. Peut-être a-t-elle été volée. Ou jetée à la poubelle.

« Il faut l'enterrer demain au plus tard, reprit Kaufman. C'est la coutume. Vous respecterez ça, au moins ?

— Oui, bien sûr. »

Kaufman connaissait un jeune rabbin qui accepterait éventuellement d'accomplir le rituel à condition qu'on vienne le chercher en voiture – c'était trop risqué pour un Juif de prendre le tram. Il faudrait aussi commander tout de suite un cercueil juif.

Mon père, Otto et moi transportâmes le corps du baron à l'étage et l'enroulâmes dans un drap comme un tas de linge sale. Il ne pesait presque rien. Nous étions tous exaltés, bouleversés, sens dessus dessous. Ma mère et Herta se sont sans doute chargées de le laver – je ne me le rappelle plus, mais il n'y avait personne d'autre pour le faire. Karin les a peut-être aidées, mais cela m'étonnerait que ma mère l'ait permis.

Je me souviens de Karin à la cuisine, assise sur une chaise devant le fourneau, une tasse de café arrosé de whiskey dans les mains. Cette scène, elle est là, dans ma tête, un demi-siècle après, quelques plans s'enchaînant comme dans un film : une jeune femme, abondante chevelure châtain en bataille, le teint très pâle, assise sur une chaise devant le poêle et allumant une nouvelle cigarette au mégot de celle qu'elle vient de fumer. Elle est repliée sur elle-même, dans ses pensées. Herta, pendant ce temps, n'arrête pas de pleurer – pauvre femme, elle ne sait pas ce qu'elle va devenir ; elle s'attendait à recevoir une pension de monsieur le baron, mais il n'y a plus d'argent. Malgré tout, elle trime, elle prépare de la soupe au chou-fleur, elle coupe des sandwichs.

Moi, je suis euphorique. Je m'efforce de contenir l'exubérance et la confiance que je sens gonfler en moi. La porte s'est ouverte en grand d'un seul coup, et dans deux jours nous prendrons le bateau pour New York.

Et Kaufman – je le revois assis dans le fauteuil du baron dans sa bibliothèque, avec un ouvrage en hébreu, l'un des rares à avoir été épargnés du feu, ouvert sur le bureau de l'amiral Spee, et suivant le texte avec son index, de droite à gauche, de droite à gauche, comme un exégète talmudique.

À l'automne 1942, ils arrêtèrent le vieil avocat et le poussèrent dans un train pour Theresienstadt, où il mourut l'hiver suivant des suites d'une ablation de la vésicule biliaire opérée dans des conditions effroyables.

En fouillant l'écurie, Otto et moi avons fini par trouver deux pelles. L'odeur des chevaux imprégnait encore les boxes. Il faisait froid, presque nuit, vers 4 h de l'après-midi. La pluie qui tombait sur les bouleaux dépouillés de leurs feuilles s'était changée en grésil. Le sous-bois encore automnal exhalait une odeur de terre, mais bientôt le sol serait congelé.

En suivant l'allée cavalière couverte à présent d'herbes folles, Buck dit : « On a du mal à se figurer maintenant combien cet endroit a été pour nous un refuge grâce à cet homme. »

Et Otto Stahl de faire observer : « Si vous aviez vu les horreurs que j'ai vues dans les rues de notre Francfort ! »

Cette remarque me frappa en plein cœur, car j'avais participé à ce pogrom, en hâtant la mort d'un vieux monsieur afin de me permettre de filer en douce d'Allemagne. J'eus soudain envie de vomir. Mais je me retins. Otto marchait la pelle sur l'épaule comme un fantassin. La pluie tintait sur les arbres et giclait sur la terre. Des bardanes brunes s'accrochaient à nos vêtements.

Dans la clairière, le chauffeur de taxi et moi commençâmes par enlever un matelas de feuilles mortes, puis une couche de terreau noir tissé de fines racines, puis un mélange de terre brune, d'argile gris-bleu et de sable. Après être resté un moment à nous regarder, le bord de son chapeau rabattu, son col levé pour se protéger de la pluie, Buck retourna à la maison pour revenir avec un thermos de thé et une lampe de poche. Nous continuâmes à creuser jusqu'au bout.

La mort du baron n'avait étonné personne ; c'était la force avec laquelle il s'était cramponné à la vie qui avait surpris.

À l'écurie, Otto et mon père trouvèrent deux planches de sapin et d'autres morceaux de bois dont ils se servirent pour fabriquer deux tréteaux. Ils assemblèrent ainsi un cercueil de fortune dans une chambre glacée à l'étage, et le corps du baron, enveloppé dans un drap de lin, fut mis en bière.

«Un linceul sans poche, déclara Kaufman. Nous n'emportons rien avec nous lorsque nous quittons ce monde.»

Le défunt ne devait pas être laissé seul. Il fallait que quelqu'un le veille en permanence, précisa-t-il. Un *shomer*, un gardien. Pendant la nuit, nous nous sommes relayés, y compris Otto. Le reste du temps, nous le passions dans la bibliothèque où mon père et moi entretenions une flambée crépitante. Nous avions du thé, des cigarettes, de minuscules verres en cristal où nous vidions la bouteille de whiskey irlandais apportée par Buck. Karin somnolait sur le lit de tapis devant le feu, et je me disais qu'en donnant la mort à son père, nous lui avions fait le plus beau cadeau qui fût, étant donné les circonstances.

Je nous voyais traversant *el llano* sous un grand ciel bleu, prenant tous les deux un nouveau départ, devenant de nouvelles personnes.

Tôt le lendemain, Otto Stahl se rendit en ville chercher le rabbin et un cercueil juif conforme à la tradition, que Kaufman avait commandé à un menuisier de Sachsenhausen.

Je fis une dernière promenade dans les bois avec mes parents. C'était là, sous ces arbres, sur ce chemin peut-être, qu'ils s'étaient fait la cour, où Buck lui avait demandé sa main et où Eilín avait détalé comme une biche effarouchée.

Je n'avais pas encore trente ans, assez jeune pour avoir conservé tout ce qui avait compté pour moi. Jusqu'ici, la vie avait été un processus d'accumulation, de rencontres, d'expériences – une stratification. Tout était encore là, présent, rien n'était perdu.

« Je ne sais pas ce qui nous attend », dit mon père.

Pas question de nous approcher de Newport, notre ancienne maison, trop douloureux. Les paddocks étaient en friche, les barrières blanches avaient besoin d'une couche de peinture, des pigeons nichaient dans les boxes des chevaux. Des broussailles et de petits arbres poussaient sur la piste des yearlings qui coupait autrefois à travers bois ; personne n'y ferait plus galoper de jeunes chevaux.

En revenant sur nos pas, nous vîmes passer dans l'allée le taxi avec un cercueil en sapin sanglé sur le toit et un rabbin installé sur la banquette arrière.

Le rabbin, dans son manteau cintré et son Homburg gris perle, ressemblait à n'importe quel homme d'affaires énergique de Francfort. Le cercueil sans vis ni clous, sans aucun élément métallique, sans poignées. Kaufman l'inspecta de près avant d'approuver d'un hochement de tête.

Mon père et moi nous chargeâmes de le transporter à l'étage, d'y allonger le corps et de fermer le couvercle. Avec l'aide de Kaufman et d'Otto, le cercueil fut ensuite descendu et engagé dans l'allée cavalière. Sans poignées, il n'était pas facile à soulever ; nous le portions à l'épaule. Une matinée venteuse et grise avec des giboulées de neige. Un ciel couvert sans la moindre paillette de bleu. Comme ce pauvre vieux Kaufman haletait et trébuchait, mon père nous fit marquer une halte, poser le cercueil, et reprendre notre souffle.

Karin arborait un ruban de deuil, un bout de tissu noir, épinglé à la manche de son manteau en Harris tweed.

« Celui qui est assis sous la protection du Très-Haut repose à l'ombre de Schaddaï. »

Pendant que le rabbin psalmodiait, nous descendîmes tout doucement le cercueil dans la tombe à l'aide de deux longes que Buck avait récupérées dans l'ancienne sellerie. Le rabbin avait une voix sourde et on l'entendait à peine dans le vent qui malmenait les hautes branches des épicéas et emportait ses paroles.

Karin se tenait entre ma mère et Herta, les yeux baissés sur la tombe. Le vent sauvage brassait les feuilles mortes. Sa solitude m'était presque palpable. Orpheline, esseulée, elle était enveloppée de son isolement comme d'une brume.

Dès que le rabbin signala que le moment était venu de reboucher la tombe, mon père et moi tendîmes en même temps le bras vers nos pelles, mais Kaufman s'écria :

« Rabbin ! C'est aux Juifs d'enterrer les Juifs ! »

Mon père tendit sa pelle à Kaufman, mais l'avocat refusa de la lui prendre de la main à la main. Buck dut la coucher sur le sol, alors seulement Kaufman la ramassa, et pendant que le rabbin récitait des psaumes en allemand et en hébreu, le vieil avocat se mit à racler un peu de terre dans le trou. Il fallut très longtemps pour le combler, mais personne n'osa intervenir.

Par un jour glacial de décembre, à midi, sous un soleil magnifique, la statue de la Liberté et un trafic intense de ferries, de cargos, de remorqueurs firent leur apparition. Les passagers s'alignèrent contre le bastingage. Éblouis, fascinés et un peu effrayés. Intimidés, oui.

« *Wow!* s'exclama Karin.

— *Wow ?* » m'étonnai-je.

Je ne l'avais jamais entendue utiliser cette interjection tellement américaine.

Mais aussi nous n'avions encore jamais été en Amérique. Elle rit, contente d'elle.

Une vedette vint se ranger à couple, des douaniers et des agents d'immigration gravirent au galop la passerelle. Du Fifth Street Pier à Hoboken, le taxi fonça vers le Holland Tunnel. Alors que nous remontions Broadway à vive allure, Karin pleura. Trop-plein d'émotion. Trop-plein de tout.

Le Commodore Hotel, à côté de la gare de Grand Central. Six dollars la nuit. Plutôt cher, mais le concierge ne nous demanda pas si nous étions mariés. Je donnai au chasseur rouquin un pourboire d'un dollar – « Merci, monsieur ! » – tout simplement parce que je n'arrivais pas à identifier les pièces de monnaie américaine.

« *Youpi !* » s'écria Karin.

Youpi.

Deux lits immenses et une baignoire immense.

« On va péter dans la soie », grommelai-je en imitant l'accent des durs dans les films policiers.

Nous voulions être au diapason de l'Amérique, nous voulions faire partie du paysage américain.

Le soir, des verres au bar. Des Old-Fashioned. Du filet mignon, merveilleux. Encore quelques verres. Un baiser dans l'ascenseur.

Des larmes avant de se coucher.

Le lendemain, petit-déjeuner au lit, du café dans des tasses… « grandes comme des abreuvoirs à oiseaux ! » décréta-t-elle. Le pain, immangeable… digne de la troisième classe. Le beurre, pas très bon, classe touriste.

La marmelade, trop sucrée… deuxième classe. Le jus d'orange, première classe sans l'ombre d'un doute.

———•———

Comment m'y suis-je pris pour retrouver Mick McClintock ? Je n'avais plus entendu parler de lui depuis son séjour à Walden, onze ans plus tôt. Ma tante Kate, dans une de ses lettres de Sligo, nous avait écrit qu'il faisait une belle carrière dans la police de New York et avait épousé une Irlandaise.

Il y avait une douzaine de M. et de Michael McClintock dans l'annuaire de Manhattan. S'il était toujours à New York, et s'il avait le téléphone – ce qui n'était pas si fréquent à l'époque. Après tout, il pouvait aussi habiter Brooklyn, le Queens ou le Bronx.

Je descendis à la réception et dénichai un annuaire de Brooklyn plein de M. McClintock, mais n'y trouvai que deux Jeremiah McClintock – n'avait-il pas parlé d'un cousin de ce nom ? –, l'un sur Ditmas Avenue, qui à en croire le chasseur était située dans le quartier de Brooklyn appelé Flatbush.

Une voix de jeune fille répondit. Il s'avéra qu'elle était la cousine de Mick et elle me communiqua le numéro de téléphone de son appartement sur Linden Avenue, aussi à Flatbush, où il vivait avec son épouse.

Il était 10 h du matin. Une femme décrocha. Je me présentai et lui dis que j'étais très brièvement à New York. Mick dormait – il avait été de service de nuit –, mais elle voulut bien le réveiller.

Une minute plus tard, une voix masculine résonna à mon oreille. « Qui est à l'appareil ?

— On abat ce poney ? »

Silence.

« Billy ? »

Je l'informai que j'avais quitté l'Allemagne, sans doute pour de bon, et émigrais au Canada. Lorsque je lui appris que Karin était avec moi et que nous avions l'intention d'acheter une voiture pour traverser le territoire américain, Mick voulut absolument nous donner rendez-vous pour le déjeuner dans un restaurant français de Lexington Avenue, qui, me précisa-t-il, n'était pas trop loin de notre hôtel.

Je remontai en informer Karin. À ma stupéfaction, elle n'avait pas envie de se joindre à nous.

« Mais Mick adorerait te voir. Tu te souviens de lui, non ?

— Transmets-lui mes regrets.

— Il avait ramené une jument irlandaise, Lovely Morn. Tu allais t'asseoir au bord de son lit au-dessus de l'écurie, il avait peur que ta mère l'apprenne. Tu ne te le rappelles pas ? On est tous ensemble allés voir Hitler.

— Je ne suis à New York que pour une journée, et je vais la passer à faire du lèche-vitrines sur la 5ᵉ Avenue.

— Quoi ? C'est vrai ? Tu préfères ? »

Après ces abominables semaines en Allemagne, l'attrait de ces vitrines étincelantes était peut-être irrésistible. Nous avions eu, la veille, des fenêtres du taxi, le temps d'être éblouis par le peu que nous en avions aperçu.

« Karin, on devrait se marier ici, à New York, tu ne crois pas ?

— Pourquoi ?

— Pour toutes sortes de bonnes raisons. L'amour et la fidélité… Faire de toi une épouse légitime. Ce sera plus facile pour les chambres d'hôtel.

— On n'a pas eu de mal à avoir celle-ci.

— C'est vrai, mais ailleurs qu'à New York, ce ne sera pas pareil.

— Je t'épouserai quand on sera de l'autre côté, dit-elle.

— Du continent, tu veux dire?

— Oui.»

Quand je sortis, elle était encore au lit en train de boire du café froid en lisant dans le *New York Herald Tribune* un article sur des trains entiers remplis d'enfants juifs quittant Berlin et Vienne pour des familles d'accueil en Angleterre.

Je montai à pied vers le nord de la ville. Mick nous avait donné rendez-vous au Café Martin, sur Lexington Avenue. Une réservation pour trois, au nom de McClintock.

Des nappes en lin, un maître d'hôtel français, une carte des vins sur parchemin, des verres en cristal – je ne m'attendais pas à tant d'élégance, et je craignais que l'établissement ne fût trop cher pour ma bourse. Je ne savais pas pourquoi Mick l'avait choisi. Un bar irlandais – il y en avait des douzaines à deux pas de notre hôtel – aurait mieux fait l'affaire pour tous les deux.

Sans doute avait-il pensé qu'un restaurant français chic était plus approprié pour recevoir Karin… l'idée qu'il se faisait de Karin.

J'avais déjà pris place à notre table quand il arriva. Il paraissait plus grand que jamais, empâté, presque des bajoues, mais il avait bonne mine, l'air en pleine forme, toujours bel homme. Un peu moins de cheveux blonds. Il portait un costume marron et une chemise de chez Brooks Brothers à col boutonné. Une cravate en soie vert et bleu. À son doigt, une alliance en or.

Il n'essaya pas de cacher sa déception lorsque je lui annonçai que j'étais venu seul. Il commanda deux

Manhattan et voulut absolument que j'appelle l'hôtel pour persuader Karin de nous rejoindre.

« Billy, mon vieux, dis-lui de sauter dans un taxi. Il faut bien qu'elle mange. »

La standardiste m'informa que le numéro de chambre que je demandais ne répondait pas et je finis par avouer à Mick qu'elle était sortie explorer les boutiques de la 5e Avenue.

Il haussa les épaules et commanda une autre tournée de cocktails. Nous ouvrîmes la carte. Il choisit une bouteille de vin hors de prix. Il avait deux enfants à Brooklyn, deux filles, et un troisième pour bientôt. Sa femme, Kathleen, était originaire de Louisburgh, dans le comté de Mayo.

En débarquant ici, il avait trouvé du travail comme entraîneur aux écuries Belmont. Puis, pendant deux ans, il avait été chef des lads dans une écurie des Berkshires. Enfin, on l'avait autorisé à se présenter à l'examen d'entrée de la police de New York. Il faisait aujourd'hui partie du personnel d'un commissariat du Lower East Side, et deux fois par semaine il travaillait comme portier dans un immeuble de Central Park West.

La bouteille de vin français sifflée, il en commanda une deuxième. Je ne me rappelle pas ce que nous avons mangé, même pas si c'était bon. Je fis de mon mieux pour lui décrire nos dernières semaines en Allemagne. Chaque fois que quelqu'un entrait dans le restaurant, Mick jetait un coup d'œil comme s'il espérait encore que Karin se serait décidée à nous rejoindre. Je lui dis qu'elle avait probablement accepté de me suivre après s'être aperçue qu'elle était enceinte – enceinte, c'est ce que j'imaginais – et qu'elle avait perdu le bébé pendant la traversée. J'avais pensé qu'on se marierait sitôt débarqués à New York, mais à présent, je n'étais plus si sûr que cela allait arriver, même une fois la côte ouest atteinte.

«Mais tu l'aimes, n'est-ce pas, Billy? Ça n'empêche pas.

— Oui. Depuis toujours. Et je l'aimerai toujours. Je ne sais pas trop de son côté. Ce n'est pas simple de la comprendre. Je sais qu'elle a besoin de moi.

— Construisez-vous une bonne vie et oubliez la vieille Allemagne. C'est tout ce que je peux te dire, Billy. Bienvenue en Amérique.» Il leva son verre. «*Sláinte!*»

Il tint absolument à régler l'addition. Je l'invitai à notre hôtel – nous aurions pu y attendre au bar le retour de Karin.

En fait, je craignais que, dans son état de faiblesse et de désorientation, elle ne dépense trop pour notre maigre bourse.

Nous commençâmes donc à descendre Lexington, mais à la 63e Rue, Mick changea brusquement d'avis, se rappelant qu'il devait pointer au commissariat du Lower East Side. Après des adieux précipités, il disparut dans la bouche de métro.

Sur la porte de notre chambre au Commodore, je trouvai une pancarte *Ne pas déranger*.

Karin était au lit, en chemise de nuit. Les femmes de chambre n'avaient pas été admises. Nos plateaux de petit-déjeuner étaient toujours par terre. Elle n'avait pas quitté l'hôtel.

Elle me tendit les bras en souriant. «Ah, Billy, j'étais complètement assommée.

— Pas de 5e Avenue?

— Il faut être raisonnable, Billy, n'est-ce pas? Ce n'est pas le moment de jeter l'argent par les fenêtres. Comment allait ce vieux Mick?

« — Tu aurais dû nous rejoindre.

— Je n'en aurais pas eu la force. Comment va Mick ?

— Marié, deux filles et bientôt un troisième enfant.

— Bravo. »

Je l'aidai à se lever. Il y avait des taches de sang sur le drap et sa chemise de nuit.

— On devrait consulter un médecin.

— Non, non, ça va de mieux en mieux, Billy. Je me sens infiniment mieux. Sonne la femme de chambre, si tu veux bien.

— Je vais te faire couler un bain.

— Parfait. »

Après le bain, elle eut l'air de très bonne humeur. « Allons nous promener sur la 5ᵉ Avenue, mon vieux Billy.

— Il fait horriblement froid dehors, tu sais.

— Ça m'est égal. »

Emmitouflés de nos manteaux et écharpes, nous voilà descendant par l'ascenseur. Le ruissellement de la circulation dans Lexington Avenue faisait un tintamarre assourdissant. La nuit était tombée, il faisait noir et glacial. Après un bloc, nous fûmes obligés de faire demi-tour. Le froid était intenable. Au bar de l'hôtel, je commandai deux Manhattan. Le barman était du comté de Roscommon et père de sept enfants. Nous avons bu davantage de cocktails. Puis, m'apercevant que j'avais faim, je proposai de déguster les *steak sandwichs* affichés au menu, mais elle protesta que c'était beaucoup trop cher, et que, de toute façon, nous devrions visiter un peu New York.

Et nous voilà de nouveau emmitouflés jusqu'aux yeux, en route pour l'Automat Horn & Hardart, sur la 57ᵉ Rue Ouest, recommandé par le barman, où nous avons pu sortir des distributeurs des hamburgers contre cinquante cents et des tranches de *cherry pie* contre un *nickel*, avant de refaire le long chemin inverse dans le froid. Un froid si intense qu'elle en pleurait – nous en pleurions tous les deux. Les larmes collant nos paupières, les éclairs jaunes des taxis dans la nuit, la morsure du vent glacial.

———

En juin 1968 – Bobby Kennedy venait d'être assassiné –, en feuilletant un numéro de *Time* dans la salle d'attente d'un dentiste à Toronto, j'appris que le Metropolitan Museum avait acheté le reliquat de la collection Weinbrenner, dont *La lamentation*, à un petit-neveu irlandais de Lady Maire qui avait passé des années à traquer ces œuvres.

Quelques mois plus tard, je donnais une conférence à l'Université Columbia. Au lieu de déjeuner avec des collègues de la faculté, je retrouvai Mick McClintock dans un bar irlandais d'Amsterdam Avenue : nous avons sauté dans un taxi, direction les Cloisters, où les pièces de la collection étaient exposées.

Nous étions restés en contact après 1938. Nous nous étions envoyé des cartes de Noël. Il venait de prendre sa retraite du NYPD. Kathleen et lui étaient sur le point de déménager en Floride.

Mick n'avait jamais vu *La lamentation* – il n'avait jamais mis les pieds dans la grande maison à Walden. Dans le taxi qui nous emmenait vers le nord de Manhattan, je lui racontai comment Eilín et Lady Maire avaient découvert le retable. Égarées sur une petite route de la Meseta castillane par une chaleur torride, elles avaient proposé à un vieil homme de le déposer où il voulait. Le vieux monsieur s'était révélé être un moine. Le lendemain matin, il les guida jusqu'à un manoir délabré où *La lamentation* était depuis vingt-neuf ans stockée dans un fenil.

Alors que nous nous tenions devant les Cloisters, je fis remarquer que Karin avait toujours associé le retable à la mort du jeune soldat Fröhlisch, qui avait expiré dans les bras de sa mère à Walden.

Ensuite, alors que nous nous promenions dans les merveilleux jardins intérieurs du musée, Mick me confia que Karin était venue le trouver dans sa chambre au-dessus de l'écurie, lors de son dernier soir en Allemagne. Ils avaient passé la nuit ensemble.

« Nous avons seulement parlé, Billy… c'est tout. Allongés tous les deux sur le lit, on a refait le monde, mais on n'a rien *fait*. Je me disais, je crois, que c'était trop tôt. Je ne sais pas. Je pensais que nous aurions tout le temps. Tu vois, on avait décidé qu'elle viendrait avec moi à New York. C'était son idée. Cela semblait fou, mais je commençais à me dire qu'elle y arriverait. On en avait tellement envie. Tu te rappelles comment elle était… quelle force elle avait, quelle détermination.

Elle est allée chercher son passeport et prendre quelques affaires, sans déranger personne, dans la grande maison. Je l'ai retrouvée sur la pelouse. Il bruinait. Elle avait seulement un vanity-case… tu te rappelles ce bagage de fille, à peine plus grand qu'un sac à main ? Elle voyageait léger. Bonté divine, Billy, tout ce que j'avais était un sac en cuir, une carte d'embarquement sur le *New York*, et cinquante et un dollars. Elle avait piqué quelques marks dans le bureau de son père.

Je ne sais pas ce que j'avais dans la tête, Billy, mais quoi qu'il en soit, j'étais prêt à faire face. Je sais que cela n'avait pas de sens. C'est la seule fois de ma vie, je te jure, que j'ai foncé tête baissée. Sans assurer mes arrières. C'était de la folie furieuse. J'avais laissé l'Irlande derrière moi… et l'Amérique, je la voyais venir… comme je ne sais quoi… une tempête.»

En 1927, le baron avait encore – pas pour long-temps – le bras long. Mick et Karin n'avaient pas plus tôt atteint le guichet de la ligne Hambourg-Amérique à Bremerhaven qu'ils avaient été cueillis par des inspec-teurs de police. Il avait été écroué, et elle… on l'avait fait monter dans un taxi et Mick ne l'avait plus jamais revue.

«C'est à ce moment-là qu'elle a dû être envoyée à la Burghölzli, lui dis-je.

— La quoi?

— Une clinique, un sanatorium de l'Université de Zurich. Lady Maire a dit à Eilín que Karin avait fait une dépression nerveuse.

— Oh! mon Dieu.»

Mick me raconta qu'il s'était si bien débattu que les inspecteurs de police l'avaient assommé et transporté à bord menotté – on ne l'avait libéré qu'une fois le paque-bot au large.

Kathleen et lui avaient eu six enfants, trois avant la guerre, trois après. Il avait combattu dans l'Air Force. À son retour, il avait été fait sergent du NYPD, puis lieu-tenant, puis capitaine. Il avait acheté une maison dans le Queens puis une autre plus loin, sur Long Island. À pré-sent, ils prenaient leur retraite en Floride. À Clearwater.

«Qu'est-ce qui m'a pris de croire que j'avais quoi que ce soit à offrir à une fille comme ta Karin *von!* Quelques jours à Flatbush et elle aurait déchanté, je suppose.»

Se saisissant de mon bras, il murmura d'une voix étranglée: «On aurait dû aller à Rotterdam, Billy, ou à Liverpool ! J'aurais vendu mon billet et on se serait débrouillés pour passer en Angleterre, on aurait pris un autre bateau ! »

Il me lâcha et s'essuya la joue du revers de la main. « Putain, Billy, c'est une fichue vie. »

Mick avait été mitrailleur de queue sur un B-17. En mars 1944, il avait participé au raid aérien au-dessus de Francfort. C'était peut-être son escadre, me dit-il, peut-être même son bombardier qui avait lâché les bombes incendiaires qui avaient réduit Walden en cendres.

Sauf que Walden avait déjà été saboté, pollué, détruit, lui rappelai-je en ajoutant que ce n'était pas plus mal de l'avoir rasé. Parfois, il vaut mieux qu'il ne reste plus rien.

———

Karin et moi étions de meilleure humeur le lendemain matin. Il faisait encore plus froid dehors, mais le ciel était dégagé. Nous avons suivi la 42ᵉ Rue vers l'ouest puis la 9ᵉ Avenue où, d'après le barman du Commodore, se trouvaient des vendeurs de voitures d'occasion.

Nous avions en tout et pour tout sept cents dollars en traveller's chèques et quatre cents dollars en espèces. J'avais déposé les premiers dans le coffre-fort de l'hôtel.

C'était une de ces journées lumineuses et féroces de Manhattan. Le vent redoubla de brutalité près de l'Hudson. Sur la 8ᵉ Avenue, un taxi manqua nous renverser. Nous étions éreintés par notre traversée de la ville : je me sentais délesté du poids de mon corps et Karin boitait, les pieds engourdis par le froid. Au comptoir d'un *coffee-shop*, perchés sur des tabourets, nous avons mangé chacun un hot-dog. Pour un *nickel*, nous avions droit à du café à volonté, pas très bon mais bien chaud.

Quand le sang se remit à circuler dans ses pieds, elle eut mal à en crier.

Dans le couloir polaire de la 9ᵉ Avenue, les guirlandes d'ampoules électriques signalant les parcs de voitures d'occasion se balançaient dans un vent rugissant. Notre vendeur avait son franc-parler. Nous essayâmes de marchander – nous étions plutôt lamentables. Pour trois cent dix dollars, j'achetai un coupé Plymouth bleu-gris, *battleship grey*, un modèle de 1935.

Comme il n'arrêtait pas de nous répéter que nous avions acheté une *sweet machine*, Karin surnomma notre Plymouth «Sweetie».

Le lendemain matin, sur le George Washington Bridge : «*Sweetie, get us to the other side*[1] !»

Le soir, à la périphérie de Harrisburg, en Pennsylvanie, dans une tempête de neige : «*Sweetie, keep going*[2] !»

Et le surlendemain, sur les routes glissantes de Virginie : «*Sweetie, don't fail us*[3] !»

Le *coffee-shop* du Peabody Hotel, à Memphis. Des Noirs dans des vestes blanches amidonnées servaient une clientèle blanche. «*Ich will meinen Vater*», dit-elle en levant les yeux de ses œufs brouillés et de ses *grits*. Je veux mon père.

«Je suis désolé.» Je tendis la main à travers la table pour toucher son bras.

«Je suis presque vidée.

— Je vais t'emmener.

— Où ?

— Où tu as besoin d'aller.

— Ramène-moi à la maison.»

---

1. Ma petite chérie, mène nous de l'autre côté !
2. Ma petite chérie, tiens bon !
3. Ma petite chérie, ne nous lâche pas ! [NDT].

En arrivant à Vancouver, je fis en sorte d'être sans cesse occupé. J'avais quantité de collègues et de futurs clients à rencontrer, et à qui je devais me présenter. Je pris une chambre dans une pension de famille, puis, quelques semaines plus tard, je louai un petit appartement. Étant donné les tracasseries administratives concernant l'importation d'un véhicule au Canada, j'avais vendu la Plymouth à Blaine, dans l'État de Washington, avant de passer la frontière. J'avais acheté une autre voiture, une Buick d'occasion, dont je fis bon usage jusqu'au lendemain de la guerre.

J'ajoutai sans doute plus de mille cinq cents kilomètres au compteur de cette voiture, à une époque où les routes dans l'Ouest canadien étaient rarement goudronnées. J'étais un jeune et ambitieux représentant de commerce vendant au fin fond de la province, par camions-citernes entiers, des produits chimiques à des usines à papier et à des scieries.

Les Canadiens me prenaient pour un Anglais, et à Vancouver, il y avait quelque prestige à être anglais. Au bout de six mois, j'eus les moyens de louer un appartement plus grand, sur la baie des Anglais, et les services d'une bonne. J'adhérai au yacht-club. Je me créai un cercle de camarades passant pour des amis.

Puis survint la guerre, et des millions de vies se trouvèrent brisées, dont la mienne. Je n'entendis plus parler de mes parents après une dernière lettre, en 1940, envoyée par le truchement de la Croix-Rouge. Je m'engageai dans l'armée canadienne. À l'issue de mon entraînement en Ontario, dont je sortis avec le grade de sous-lieutenant dans un régiment d'infanterie, je fus

envoyé en Angleterre où je reçus une formation d'inter-
rogateur de prisonniers de guerre. Après avoir été blessé
dans une rue de Nimègue, aux Pays-Bas – des éclats de
shrapnel s'étaient logés dans mes deux jambes à la suite de
l'explosion d'un char allemand –, je finis par échouer en
Allemagne en 1945. J'ai vu Bergen-Belsen, j'ai été témoin
de la destruction de tout. J'ai retrouvé ma mère, vivante,
à Francfort. Mon père, en janvier 1944, avait été surpris
dans le centre de la ville par un raid aérien américain.
Eilín se trouvait pour une fois à la campagne, où elle
essayait de troquer contre des pommes de terre la dernière paire de chaussures anglaises de Buck et des cadres
en argent. Quand il n'était pas revenu à l'hôtel ce soir-
là, elle avait su qu'il avait été tué. Le lendemain matin,
elle s'était rendue à la morgue provisoire installée dans la
Hauptwache, l'ancien commissariat principal, et l'avait
trouvé gisant au milieu de deux cents autres victimes. Elle
souhaitait l'enterrer à Walden, mais le domaine avait été
transformé en hôpital militaire de la Luftwaffe et on n'y
enterrait que des pilotes, personne d'autre.

Buck fut enterré dans un cimetière municipal, il
n'eut pas le droit à une pierre tombale. Lorsque, après la
guerre, Eilín et moi avons essayé de retrouver sa tombe,
nous l'avons cherchée en vain.

Après 1945, ma vie à Vancouver n'avait plus de sens
pour moi. Je ne croyais plus en ce que je faisais. J'avais
perdu le fil. Pendant que j'étais outre-Atlantique, j'avais
caressé l'idée d'une carrière universitaire. Je décidai de
m'inscrire à l'université en géographie et littérature. Je
voulais étudier dans les règles de l'art l'impact du paysage
sur l'imagination des artistes.

Je me suis inscrit en première année à McGill. Comme
il y avait sur le campus pas mal d'anciens combattants, je

ne me suis senti ni trop vieux ni pas à ma place. Plus tard, à Harvard, j'eus entre autres professeurs Bernie DeVoto et Wallace Stegner. En 1950, j'ai été le plus vieil étudiant à décrocher un doctorat de l'Université Harvard. Ma thèse, «Enlèvements de jeunes filles: les Comanches et les baptistes au Texas», fut nominée pour le prix Pulitzer d'histoire.

J'ai rencontré Elizabeth à Cambridge. Nous sommes tout à fait dissemblables, mais d'emblée notre relation a été ancrée dans un respect et une affection mutuels et, par la suite, dans l'amour de nos enfants, et je pense que nous en avons été tous les deux très heureux. Mon mariage est sans aucun doute ce qui m'a stabilisé. Sans lui, je serais peut-être encore en train d'errer sur *el llano*.

En 1945, je m'étais retrouvé sur l'autre rive de l'histoire et, peu à peu, j'avais accumulé ce dont j'avais besoin. Les diplômes. Une profession. Un mariage. Une famille.

Avant même la fin de la guerre, ma mère avait été embauchée comme manager du club des officiers de l'US Army à Francfort. Au cours de ce premier hiver de l'après-guerre, alors que des milliers de personnes mouraient de faim, elle était rémunérée en dollars et mangeait à sa faim. Dix-huit mois plus tard, son premier passeport irlandais lui fut délivré et elle partit pour Sligo, où, grâce à l'argent que je lui envoyai, elle put acheter son cottage de Rosses Point.

Dès que je me rendais en Europe pour un colloque ou un autre, je m'efforçais de prolonger mon séjour pour lui rendre visite à Sligo, ou bien elle me retrouvait à Dublin ou à Londres. Elle vint une fois à Rome, où je donnais une conférence. Quand le prix des billets d'avion devint moins astronomique, elle fit le voyage au Canada tous les deux ans. Ses petits-enfants l'ont bien connue. Elle a joui d'une excellente santé jusqu'à quelques jours avant sa mort, à quatre-vingt-dix ans.

Bien sûr, il n'est pas de pays des rêves existant ailleurs que dans nos rêves.

Sur *el llano* cet après-midi-là, roulant vers l'ouest depuis Canyon, Texas, en direction du Nouveau-Mexique, nous avons vite laissé derrière nous les derniers champs irrigués et les étendues vert sauvage de blé d'hiver. L'âme véritable d'*el llano* avait toujours été dure comme de l'os. Ces poneys comanches se nourrissaient bel et bien de cactus et de broussailles.

La route était droite et nivelée. Elle portait des lunettes de soleil achetées dans un drugstore d'Oklahoma City, et un foulard de soie jaune.

Un demi-siècle plus tard, je suis rongé par ce même cancer du côlon qui a tué Lady Maire. Stade 4, m'a annoncé l'oncologue. Je suis censé profiter du temps qu'il me reste pour faire en sorte de mourir en paix avec ce monde plutôt pourri.

Je ne devrais pas dire ça. Au train où vont les choses, ce monde-ci n'est peut-être pas si moche.

Elle a noué son foulard dans ses cheveux, en l'attachant sous son menton. Les lunettes, elle les a achetées dans le drugstore où nous avons mangé des hamburgers au comptoir et où elle s'est risquée à commander une boisson appelée *malt* – nous supposions, à tort, que c'était de la bière.

Si elle avait seulement pu tenir un peu plus longtemps, on y serait arrivés, tous les deux. Je veux m'en persuader. Elle aurait peut-être trouvé ce dont elle avait besoin « de l'autre côté ». Comme moi.

Ce qui me frappe aujourd'hui, c'est sa jeunesse. Elle était plus jeune que mes enfants.

Tant de gens ont laissé leurs os sur El Llano Estacado.

———•———

L'altitude, et non la latitude, détermine souvent le climat dans l'Ouest. Il neige parfois sur *el llano*.

En me réveillant ce matin-là dans la cabane du motel de Grady, un hameau au Nouveau-Mexique, je vis par la fenêtre que le sol était recouvert de deux centimètres d'une neige scintillante.

Karin n'était nulle part en vue. Je me dis qu'elle devait être aux latrines primitives situées à l'extérieur.

Le soleil venait de surgir à l'horizon. La neige était déjà en train de fondre en mille ruisselets. La route serait bientôt déneigée et sèche.

Je soufflai sur les braises du poêle, ajoutai du petit bois et deux bûches de *piñon*. J'ai toujours su m'occuper d'un feu, c'est un de mes talents. Une fois l'âtre ronflant et craquant, je remplis la bouilloire avec l'eau de source contenue dans un seau, et la mis sur le feu dans l'intention de préparer du café. Nous avions du café, du lait et quelques victuailles achetées la veille au Piggly Wiggly Store, à Amarillo, Texas.

J'ai sûrement fait du café. Elle n'était toujours pas rentrée. Lorsque je me penchai pour regarder dehors dans toutes les directions, je ne vis qu'un vide d'une pureté que je n'avais pas imaginée. Rien ne me serait plus facile que de suivre ses traces dans la poudreuse, mais si elle voulait savourer dans la solitude le plaisir inusité de se trouver au milieu d'*el llano*, je n'allais pas la déranger. Je me disais qu'elle devait déjà goûter à la beauté et à la chaleur du soleil levant.

El llano n'a jamais été une page blanche. Ces plaines méridionales ont une histoire complexe et sanglante comme n'importe quel lieu sur cette planète, mais ce n'était pas mon histoire, ni la sienne.

Je finis mon café. Je commençais sans doute à m'inquiéter.

Je m'inquiète encore. *L'as-tu laissée tomber?* J'y pense tout le temps.

Je te porte toujours.

Le soleil à peine levé était éblouissant. En manches de chemise, je sortis, flairai l'épaisse fumée de *piñon* que crachait le conduit métallique, écoutai la neige s'égoutter de l'avant-toit. Il soufflait une brise fraîche et légère. Ses pas étaient imprimés sur la neige, déjà à moitié fondue, mélangée à de la boue rouge.

Ce fut sans peine que je suivis ses traces jusqu'à l'autre côté de la route. Elle avait sauté par-dessus le fossé, s'était glissée sous la clôture de fil de fer barbelé, dont une pointe avait prélevé sur elle un morceau de tweed.

Non loin, il y avait un troupeau ; elle n'avait pas dû le voir. J'ouvris la barrière et pénétrai dans le champ. Le soleil du Nouveau-Mexique était tellement fort qu'il vous aveuglait presque. Chaud, très chaud, mais je sentais aussi un vent froid me pousser dans le dos.

À un peu plus d'un kilomètre de la route courait un fossé d'irrigation tout juste assez profond pour vous abriter du vent, mais suffisamment pour que je ne l'aie pas vue avant de manquer de trébucher sur elle.

Elle avait ôté son manteau et l'avait étalé par terre. Elle était couchée sur le dos, le visage tourné vers le ciel, comme quelqu'un qui rêvasse sur une couverture au bord d'un lac, l'été, à Berlin. Ses yeux étaient ouverts.

Elle portait une de ses élégantes robes berlinoises et les bottines en caoutchouc, ces surchaussures que nous avions achetées chez Gimbels, à New York.

Elle avait retroussé sa manche et piqué l'aiguille dans la veine de son bras gauche. Sur une plaque de neige gisaient le flacon vide et la seringue dont le piston rose était poussé à fond.

Je ne sais pas combien de temps s'écoula. Finalement, je me dis que je ne pouvais pas la laisser là. Grâce à Karl May, je savais qu'*el llano* était un pays d'ours et de coyotes, de charognards.

Je la pris dans mes bras. Elle ne pesait pas bien lourd. Je coupai à travers champs. La neige avait presque disparu. De la glaise rouge collait à mes chaussures.

Je traversai la route, ouvris d'un coup de pied la porte de notre cabane et la couchai sur notre lit aux ressorts grinçants. Je la couvris de ma veste. Je grelottais. Je remis des bûches dans le poêle avant de ressortir. Alors que j'approchais de la cabane en adobe de la vieille logeuse, sa porte s'entrouvrit. Elle braquait sur moi une Winchester qu'elle tenait à deux mains. Je reconnus la carabine tout de suite, pour l'avoir vue dans tant de westerns.

«Il y a eu un accident», dis-je en allemand – c'était sorti comme ça. Je répétai en anglais.

J'essayai de repousser mes émotions. Je ne voulais pas qu'elles interfèrent. Du sol, je me rappelle: rouge et mouillé. Le ciel bleu, la luminosité violente.

«*Está muerta*? Elle est morte?»

Comme beaucoup d'habitants de ce pays, elle aurait pu avoir du sang comanche ou apache. Elle avait des yeux bruns en amande et une natte épaisse gris acier. La peur lui semblait étrangère. Elle vivait si loin de tout qu'elle n'en avait peut-être pas usage, la peur s'était atrophiée.

«Allez à Clovis.» Elle désigna la Plymouth du canon de sa carabine. «Allez chercher le shérif. Filez d'ici. Ouste!»

Sur le siège conducteur de la Plymouth, je trouvai le mot que Karin avait écrit sur une feuille déchirée dans son cahier. La vieille dame continuait à me surveiller. J'appuyai sur le démarreur et écrasai la pédale de l'accélérateur, trop fort: j'avais noyé le moteur. Je coupai le starter, comptai jusqu'à trente, et donnai un bon coup de pied sur le bouton du démarreur. La voiture grogna et s'ébroua comme un animal. La route était déserte et sèche. Il me fallut une heure pour atteindre Clovis, sans rien croiser, ni véhicule ni bête, seulement le vide surréaliste d'*el llano*. Le bureau du shérif se trouvait au palais de justice, au centre de la ville. Il n'y avait personne. Le fonctionnaire du service des impôts m'envoya au café en face, où la serveuse désigna un homme en costume gris, chemise blanche et cravate noire, déjeunant seul dans une stalle. Il ne me quitta pas des yeux pendant que je lui racontais ce qui s'était passé, puis il ramassa son chapeau et je le suivis jusqu'à son bureau. Une heure plus tard, nous prenions la route de Grady. J'étais assis à l'arrière de la Pontiac du shérif, chaperonné par un adjoint dans une chemise de bûcheron canadienne. Quelqu'un m'avait passé les menottes. Deux autres adjoints suivaient dans un camion asthmatique.

Une fois sur place, je ne fus pas autorisé à quitter la voiture. La vieille dame resta sur le pas de sa porte pendant que le shérif entrait dans notre cabane. Quand au bout d'un moment il en ressortit, il passa dans celle de la vieille dame et y demeura longtemps. Je regardai les adjoints sortir le corps de Karin enveloppé dans un drap et le coucher à l'arrière de leur camion. Il faisait presque noir quand on a repris la route de Clovis.

Je fus le seul prisonnier du comté de Curry jusqu'au réveillon de Noël, quand ils écrouèrent un jeune cowboy pour s'être bagarré. Il fut malade toute la nuit et, au matin, l'adjoint du shérif l'obligea à laver sa cellule avant de le relâcher.

Le lendemain de Noël, on l'enterra. Le sol du cimetière était en terre battue, avec très peu d'herbe. Le shérif se tenait à mon côté. Un agréable vent chaud soufflait. Le cercueil en sapin ressemblait à celui de son père, sauf pour les clous métalliques. Le rabbin le plus proche se trouvait à Santa Fe, à trois cents kilomètres de là. Un prêtre du Nouveau-Mexique lut des psaumes dans l'Ancien Testament.

Le médecin légiste conclut à un suicide, et on me rendit les clés de la Plymouth, laquelle avait été ramenée au palais de justice. Toutes ses affaires étaient dans la valise dans le coffre, sauf ses surchaussures en caoutchouc, son sac, son passeport britannique et son cahier *Variétés de lumières*, qui étaient dans un sac d'épicerie en papier, sur le siège passager. Rien ne manquait, à ma connaissance.

Je roulai trois jours et trois nuits sans m'arrêter, ou très peu, pour arriver à la frontière canadienne. Je vendis la Plymouth, traversai la frontière et commençai une autre vie dans un nouveau pays.

Comme je ne savais pas quoi faire de ses vêtements, je les déposai dans une teinturerie puis les rangeai dans un coffre en cèdre. J'aurais dû les donner, mais à l'époque cela me semblait impossible. Après la guerre, leur pouvoir sur moi s'était émoussé, pourtant je gardai le coffre – ma femme et mes enfants sont au courant. Je l'ai encore. Il est dans notre grenier, ici, dans cette maison. J'ai demandé à mon fils de bien vouloir tout brûler après ma mort. Il peut le faire. Moi, je ne peux pas. Je lui ai demandé de conserver ces pages pendant vingt-cinq ans, ensuite qu'il fasse ce qu'il veut avec.

Arten von Licht Buch [*Variétés de lumières*], *Karin v Weinbrenner.* Non paginé. En anglais avec des occurrences en allemand. Archives Lange, 11 C-12-1988. Collections particulières, bibliothèque de l'Université McGill, Montréal.

———

J'eus beau parcourir ces plaines sur plus de trois cents lieues, je n'y vis pas plus de repères que si nous avions été engloutis par la mer.

Francisco Vasquez de Coronado
au roi d'Espagne, 20 octobre 1541

Dans l'Oklahoma nous étions tombés sur du mauvais temps, un *Norther,* un vent du nord. Des giclées de grésil et de poussière battaient et secouaient la portière côté passager de la Plymouth. Je bifurquai vers le sud à Guymon, toujours dans l'Oklahoma. Nous traversâmes peu de temps après la frontière du Texas, puis la Canadian River, à peine un filet d'eau en ces années de sécheresse.

Au sud de la rivière, nous aperçûmes les escarpements de roche rouge d'*el llano* dressés dans le désert. La route, tracée au milieu des éboulis, ne tarda pas à grimper, et plus nous gagnions en altitude, plus notre vitesse chutait. Sentant le moteur peiner, je rétrogradai.

Puis, brusquement, nous fûmes au sommet des falaises, et le ruban d'asphalte fila devant nous comme une flèche, parfaitement nivelé, parfaitement droit. Nous y étions, sur les hautes plaines, *el llano.* Presque tout de suite, les nuages noirs s'écartèrent et le soleil posa sur la terre un arc-en-ciel. Le pays s'illuminait si rapidement qu'on était sidérés.

«Arrête-toi!» s'écria-t-elle.

Nous n'avions croisé aucune voiture depuis le passage de la frontière du Texas. Il n'y avait rien devant nous, et je voyais à des kilomètres. Je me rangeai sur le bas-côté. Elle ouvrit la portière à la volée et descendit presque en marche. Je remarquai alors une petite tache sombre à l'arrière de sa jupe et une autre, de la taille d'une pièce de vingt-cinq cents, sur le siège de la voiture. Depuis sa fausse couche, elle souffrait de crampes et de saignements, parfois abondants.

Elle avait laissé la portière ouverte et marchait au bord de la route.

Je coupai le moteur et descendis à mon tour de voiture. La terre sèche sentait la sauge, ou la pluie. Pourtant, elle avait cessé de tomber. De petits fantômes de vapeur voletaient au-dessus de l'asphalte brûlant.

Vers l'est, je distinguais la colonne de pluie bleu argent qui s'éloignait. La lumière du soleil s'étalait sur des champs fauves comme le pelage des lions, des champs qui sentaient bon le mouillé. Un cliquetis de métal qui refroidit provenait de notre voiture. Une clôture de barbelés bordait la route des deux côtés ; sur celle à l'ouest, le vent avait amoncelé des buissons d'amarante. La route parfaitement plane pointait telle une aiguille vers l'horizon. Le ciel continuait à s'éclaircir. Une boule de buisson sec se détacha et traversa en virevoltant devant nous.

On s'y sent vulnérable, c'est certain. Les hommes sont bien peu de chose là-bas. Mais le soleil brillait de puissance, et El Llano Estacado sembla s'ouvrir à nous comme une promesse à laquelle nous pouvions croire.

Un jeune homme avec une cravate en soie achetée à Paris. Une jeune femme avec une tache de sang sur sa jupe. Une Plymouth avec une plaque d'immatriculation bleue NEW YORK WORLD'S FAIR, garée au bord de la route, la portière côté passager ouverte.

« Billy ! »

Elle me montrait l'ouest de la main. Alors je vis au loin un petit troupeau d'antilopes d'Amérique galopant de profil dans les pâturages libres.

Ce fut un moment de plénitude. Nous avions eu raison, après tout ! *El llano* était un lieu au rayonnement puissant, et il déployait pour nous sa magie. Le passé était derrière nous. Sweetie la Plymouth nous conduisait dans la bonne direction, vers l'avenir. La sauge avait un parfum d'encens, et ce petit troupeau de petites bêtes fines et délicates courait dans l'immensité du paysage comme dans nos plus beaux rêves.

Je vais vous laisser ici, au bord d'une route au Texas, sur l'arête du haut plateau d'*el llano*. Ce n'est pas là où s'arrête notre histoire, mais c'est là où je vous abandonne, la main droite en visière sur vos yeux pour mieux regarder le galop fugace des antilopes sur une terre jaune. Vives, sensibles, à l'écoute les unes des autres, elles se meuvent à l'unisson, pareilles à un vol d'oiseaux.

Chapeau, Billy Lange. Tu l'as amenée dans ces grands espaces.

C'est ce que je me disais.

Il est rare de reconnaître le bonheur quand il est là, mais moi j'ai su l'accueillir. Comme ce matin sur Eschenheimer Anlage, dans ton pied-à-terre – portes-fenêtres ouvertes après la pluie, fragrances exhalées par les palmiers des serres de l'autre côté du boulevard. Je l'avais entre mes mains, et je le tenais pour ce qu'il était.

REMERCIEMENTS

Jenny Mayher de Newcastle, Maine, fut, une fois encore, ma première lectrice. Ses suggestions et commentaires m'ont été d'une aide précieuse. J'ai beaucoup appris sur El Llano Estacado grâce à *Horizontal Yellow : Nature and History in the Near Southwest* de Dan Louie Flores, à *El Llano Estacado : Exploration and Imagination on the Hight Plains of Texas and New Mexico, 1536-1860*, de John Miller Morris, ainsi qu'au site web de Meredith McClain, www.meredithmcclainphd.com. Je suis infiniment redevable pour leur généreux soutien à The Netherlands Institute for Advanced Study in the Humanities and Social Sciences (NIAS), à la Netherlands Foundation for Literature et au Conseil des arts du Canada.

Table

Suivez-nous :

GARANT DES FORÊTS
INTACTES

Achevé d'imprimer en avril deux mille dix-sept
sur les presses de l'imprimerie Marquis-Livre,
Montmagny, Québec